2025年度版

よくわかる社労士 合格テキスト

1 労働基準法

TAC社会保険労務士講座●編著

JN039456

TAC出版
TAC PUBLISHING Group

はじめに

　ここ最近の社労士試験の出題傾向をみてみると、選択式については、年度により難易度に変動はあるものの、「覚えた事柄から単純・反射的に選ぶ性質の問題」から「知識をフル活用して推測しつつ、選択語群の語句を消去法で絞り込まないと正解を選べない高度な問題」まで出題内容が多岐にわたっています。単にテキスト中の語句や数字等を記憶しているだけでは、すべての科目において基準点（3点）をクリアするための得点ができるとは言えない試験になってきているといえます。

　また、択一式については、「組合せ問題」と「正解の個数問題」という出題形式は定着しており、とくに「正解の個数問題」については、1問にかける時間が長くなるため、非常に負荷が高くなっています。事例形式の問題も増え、「実務と直結した内容の出題を。」という意図も感じられるようになっています。

　これらの傾向に対応するためには、素早く確実に出題の意図を読み取り判断していく能力が求められるので、基本事項の反復を徹底し、早い時期にそのレベルでの対策を仕上げておき、時間的に余裕をもって応用問題等の細かい知識の対応に時間を割けるようにしておくことが必要でしょう。

　本書は、社労士試験に確実に合格するための「本格学習テキスト」というコンセプトをもっており、条文や通達、判例など、多くの情報を、社労士本試験問題を解く際に使いやすいよう、コンパクトにまとめています。

　今回の改訂では、直近の法改正事項に対応するために本文内容の加筆・修正を行い、直近の本試験の出題傾向にも対応できるよう内容の見直しも行いました。

　本書を利用したみなさんが、社労士試験に合格されることを、ＴＡＣ社会保険労務士講座一同、願ってやみません。

令和6年9月吉日
ＴＡＣ社会保険労務士講座

本書の構成

　本書は本試験で確実に合格できるだけの得点力を養うことに重点を置き、試験対策において必要とされる知識を整理、体系化して理解することができるよう構成しています。

囲み条文 選択式試験で狙われやすい条文等を囲んでいます。記載内容の重要度は★の数で表しており、★★★のものは、必ず確認しておきましょう。赤字は過去の本試験で論点となったキーワードや、これから出題が予想される重要語句です。それ以外の重要語句は黒太字にしています。

1 労働条件の原則、労働基準法の適用

1 労働条件の原則 (法1条) A

★★★

Ⅰ　**労働条件**は、**労働者**が人たるに値する生活を営むための必要を充たすべきものでなければならない。 H27-1A

Ⅱ　**労働基準法**で定める**労働条件の基準**は最低のものであるから、労働関係の当事者は、この基準を理由として**労働条件を低下させてはならない**ことはもとより、**その向上を図るように努めなければならない**。

重要度

A、B、Cの3段階です。
A　試験頻出・改正点等の重要事項。必ずおさえる。
B　頻出箇所ではないが、おさえておきたい。合否の分かれ目。
C　A、Bを優先とし、余裕があれば、見ておく。

沿革・趣旨

　労働基準法は、第二次世界大戦後の新しい労働保護法として**昭和22年4月に公布**され、同年9月（一部については、11月）から施行された。

　上記Ⅰは、労働者に人間として価値ある生活を営む必要を満たすべき労働条件を保障することを宣明した労働憲章的な規定であり、上記Ⅱは、労働基準法で定める労働条件の最低基準が標準とならないよう、その引下げ禁止と向上を強調した規定である。 H28-1ア

Check Point!

□　法第1条違反については、罰則の定めはない。

1.　労働条件

　法第1条にいう「労働条件」とは、賃金、労働時間はもちろんのこと、解雇、寄宿舎等に関する条件をすべて含む**労働者の職場における**

趣旨・沿革・概要

条文等の趣旨、沿革、概要をまとめています。難解な条文等も、ここを読み込めばスムーズに理解できます。

Check Point!

本試験頻出事項などを箇条書きでまとめています。

働者の採用時に交付さ
級が表示されたもので
に周知させる措置が必

問題チェック 過去の本試験問題から典型的な出題パターンを知るのに最適な問題をピックアップしています。確かな得点力を養うことができます。

・下線：問題のポイントになる論点には、下線を引いています。下線の引かれている箇所に注意しながらテキストを読み込むことで、日頃から問題文を「正しく」読む習慣をつけることができます。

・Advice：講師の視点で解答テクニック等を記載しています。

問題チェック

労働基準法第15条では、使用者は、労働契約の締結に際し、労働者に対して賃金、労働時間その他の労働条件を明示しなければならず、そのうち一定の事項については書面の交付により明示しなければならないとされているが、健康保険、厚生年金保険、労働者災害補償保険及び雇用保険の適用に関する事項もこの書面の交付により明示しなければならない事項に含まれている。

解答 ✕　　　　　　　　　　　　　　　　　　　　　　　法15条1項、則5条

健康保険、厚生年金保険、労働者災害補償保険及び雇用保険の適用に関する事項は、労働基準法第15条に規定する明示事項に含まれていない。なお、**職業安定法**第5条の3に規定する**募集時等**の労働条件の明示事項には、健康保険、厚生年金保険、労働者災害補償保険及び雇用保険の適用に関する事項が含まれている。

Advice 設問のように、他の法律の規定を引用して誤りの文章を出題するケースもある。労基法第15条の明示事項のすべてを暗記していなくても、他の法律との違いを把握しておくと、正しい判断ができる。

事業に転換しうる場合の如く事業がなおその主たる部分を保持して継続しうる場合、又は一時的に操業中止のやむなきに至ったが、事業の現況、資材、資金の見通し等から全労働者を解雇する必要に迫られず、近く再開復旧の見込が明らかであるような場合は含まれない。　　　　(昭和63.3.14基発150号、婦発47号)

参考（労災保険給付を受けて休業する労働者に対する解雇制限にかかる判決について）**H28-選AB**

(1)打切補償は、本来労基法の規定による療養補償を受ける労働者に対して行われるものであるが、「学校法人専修大学事件（最二小平成27.6.8）」では、労災保険法による療養補償給付を受ける労働者（労基法の規定による療養補償を受けない労働者）に対して行われた打切補償の（に相当する）支払によって、労基法第19条第1項ただし書による解雇制限の解除規定が適用されるかどうかについて争われた。その判決の要旨は次のとおりである。

・労基法上の使用者の災害補償義務は、労災保険法に基づく保険給付（以下「労災保険給付」という。）が行われている場合には、それによって実質的に行われているといえるので、災害補償を使用者自身が負担している場合と、労災保険給付が行われている場合とで、労基法第19条第1項ただし書の適用を異にすべきものとはいい難い。

・労災保険給付が行われている場合は、打切補償として相当額の支払がされても傷害又は疾病が治るまでは必要な給付が行われるため、労基法第19条第1項ただし書による適用があるとしても、労働者の利益につきその保護に欠くことになるものともいい難い。

・したがって、労災保険法第12条の8第1項第1号の療養補償給付を受ける労働者が、療養開始後3年を経過しても疾病等が治らない場合には、労基法第75条による療養補償を受ける労働者が上記の状況にある場合と同様に、使用者は、当該労働者につき、同法第81条の規定による打切補償の支払をすることにより、解雇制限の除外事由である同法第19条第1項ただし書による打切補償を受けることができるものと解するのである。

参考

本文に関連する通達、判例等をまとめています。補足的な内容でもあるため、まずは本文を優先して読んでいきましょう。

各種アイコン

●過去問番号 **R6-1D**
過去10年分の本試験出題実績です。

●改正 **✎改正**
直近の改正点で重要なところに付しています。

巻末資料編について

過去の本試験での出題実績こそ少ないものの、今後も出題可能性があるものを巻末資料編としてまとめています。まずは本文の学習を優先したうえで、余裕がある方は読み込んでおいてください。

本書の効果的な活用法

　「よくわかる社労士」シリーズは、社労士試験の完全合格を実現するための、実践的シリーズです。条文ベースの学習を通して、本試験問題への対応力をスムーズにつけていくことができます。

●よくわかる社労士シリーズ

『合格テキスト』全10冊＋別冊

『合格するための過去10年本試験問題集』全4冊

　『合格テキスト』をご利用いただく際は、常に姉妹書『合格するための過去10年本試験問題集』の内容を引き合わせながら使用すると、学習効果が倍増します。

・この問題文の論点は何か？

・この問題文の正誤を判断するために必要な要素は何か？

・この問題文の空欄には選択語群のうち、どうしてその語句等が適当とされるのか？

を考えながら、本書を精読することで皆さんの受験勉強が「単に記憶する作業」から「問題文を比較考量して正解を選んでいく行動」へ変化していきます。

　本書を最大限に活用して、「確実に合格ラインをこえる解答能力をつけて合格する」という能動的な学習スタイルを身につけていきましょう。

●よくわかる社労士シリーズを活用した学習法

①まず、『合格するための過去10年本試験問題集』で、試験問題に目を通す。

Check Point!

● どんな問題文かをざっくりつかむことを意識する。

● 解けなくても気にしない！

②『合格テキスト』を科目ごとに読み込む。

Check Point!

● 「過去問番号」が登場する都度、『合格するための過去10年本試験問題集』で該当問題を確認！
本文の記載内容が、本試験でどのように出題されているかを同時並行で確認することができます。

● 論点を過去問番号の横に、一言で簡潔にメモ！
テキストの記載内容を自分の知識に落とし込むには、この方法がとても効果的です。この書き込みを見れば問題文がなんとなく思い浮かぶようになると、解答力が格段にアップします。

　こうして全科目、ていねいに学習をしていけば、問題がスラスラ解けるようになる知識が身につきます。本シリーズをフル活用して、合格の栄冠を勝ち取っていきましょう。

　過去10年間の出題項目は、次のようになっています。★が選択式試験、☆が択一式試験となっています。

	H27	H28	H29	H30	R元	R2	R3	R4	R5	R6
労働条件の原則、労働基準法の適用	☆	☆	☆	☆	☆	★☆	☆	☆	☆	☆
労働条件の決定等	☆	☆	☆	☆	☆	☆	☆	☆	☆	☆
前近代的な労働関係の排除	☆	☆	☆	☆	☆	☆	★☆	☆	☆	☆
労働契約の締結	☆	☆	☆	☆	☆	☆	☆	★☆	☆	☆
労働契約の終了	☆	★	☆	☆	☆	☆		★☆	☆	☆
賃金の定義・平均賃金	☆	☆		★☆	☆	☆	☆	☆		☆
賃金の支払	☆	☆	☆	★☆	☆		☆	☆	☆	★☆
賃金の保障	☆	☆	☆	☆	★☆		☆	☆	☆	
労働時間等に関する規定の適用除外及び労使協定	☆		☆				☆	☆	☆	☆
労働時間	☆	☆		☆	☆	☆		☆	★☆	★
変形労働時間制		☆		☆	☆	☆				☆
休憩・休日	☆	☆	☆						☆	☆
時間外及び休日の労働	☆		☆			☆	☆	☆	☆	☆
割増賃金		☆	☆	☆	☆	☆	☆	★	☆	
みなし労働時間制	★	★	☆		☆					☆
年次有給休暇	★	☆	★		☆	☆	☆	☆	★☆	☆
年少者の労働契約に関する規制			☆							★
年少者の労働時間等				☆	☆	☆		☆		☆
年少者の就業制限									☆	
妊産婦等の就業制限		★		★			☆	☆		☆
妊産婦の労働時間等				☆	★			☆		
技能習得者										
就業規則	☆	☆		☆	☆	☆	☆			☆
寄宿舎						★				☆
災害補償										
監督機関							☆			
雑則、罰則	☆		☆		☆	☆		☆	★	

目 次

凡例

本書において、法令名等は以下のように表記しています。

法	→	労働基準法
則	→	労働基準法施行規則
法附則	→	労働基準法附則
則附則	→	労働基準法施行規則附則
女性則	→	女性労働基準規則
年少則	→	年少者労働基準規則
寄宿舎規程	→	事業附属寄宿舎規程
建設業寄宿舎規程	→	建設業附属寄宿舎規程
預金利率省令	→	労働基準法第18条第4項の規定に基づき使用者が労働者の預金を受け入れる場合の利率を定める省令
厚労告	→	厚生労働省告示
労告	→	(旧)労働省告示
基発	→	厚生労働省労働基準局長名通達
発基	→	厚生労働省労働基準局関係の労働事務次官名通達
基収	→	厚生労働省労働基準局長が疑義に応えて発する通達
婦発	→	旧労働省婦人局
労発	→	(旧)労働省労政局長名通達
労収	→	(旧)労働省労政局長が疑義に答えて発する通達

第1章

総　則

労働条件の原則、労働基準法の適用

① 労働条件の原則 （法1条）　重要度 A　★★★

> Ⅰ　**労働条件**は、**労働者**が**人たるに値する生活を営む**ための必要を充たすべきものでなければならない。 H27-1A
>
> Ⅱ　**労働基準法**で定める**労働条件の基準**は**最低**のものであるから、**労働関係の当事者**は、この**基準を理由**として**労働条件**を**低下**させてはならないことはもとより、**その向上**を図るように**努めなければならない**。

沿革・趣旨

　労働基準法は、第二次世界大戦後の新しい労働保護法として**昭和22年4月**に**公布**され、同年9月（一部については、11月）から施行された。

　上記Ⅰは、労働者に人間として価値ある生活を営む必要を満たすべき労働条件を保障することを宣言した**労働憲章的**な規定であり、上記Ⅱは、労働基準法で定める労働条件の最低基準が標準とならないよう、その引下げ禁止と向上を強調した規定である。 H28-1ア

▌Check Point!▶

　□　法第1条違反については、罰則の定めはない。

1.　労働条件

　法第1条にいう「労働条件」とは、賃金、労働時間はもちろんのこと、解雇、災害補償、安全衛生、寄宿舎等に関する条件をすべて含む**労働者の職場における一切の待遇**をいう。

2.　人たるに値する生活

　日本国憲法第25条第1項の「健康で文化的な最低限度」の生活を内容とするものである。 R6-1A

参考（国民の生存権）
　すべて国民は、健康で文化的な最低限度の生活を営む権利を有する。

（日本国憲法25条1項）

3．労働関係の当事者

　労働関係とは、使用者・労働者間の「労務提供−賃金支払」を軸とする関係をいい、その当事者とは、**使用者**及び**労働者**のほかに、それぞれの団体、すなわち、**使用者団体**と**労働組合**を含む。 R4-4A

4．この基準を理由として労働条件を低下させてはならない

　労働基準法に規定があることが、その労働条件低下の決定的な理由となっている場合をいう。

　例えば、労働基準法では1日の労働時間の上限（最低基準）を、原則として、8時間と定めているが、これを決定的な理由として、元々7時間とされていたA社の所定労働時間を8時間に変更することなどが該当する。なお、労働基準法第1条第2項（前記Ⅱ）については、労働条件の低下が労働基準法の基準を理由としているか否かに重点を置いて判断するものであり、**社会経済情勢の変動等他に決定的な理由がある場合には本条に抵触するものでない**。 R3-1A

（昭和22.9.13発基17号、昭和63.3.14基発150号）

問題チェック H25-5A

　労働基準法第1条にいう「労働条件」とは、賃金、労働時間、解雇、災害補償等の基本的な労働条件を指し、安全衛生、寄宿舎に関する条件は含まない。

解答 ✕

法1条

　法第1条にいう「労働条件」とは、賃金、労働時間はもちろんのこと、解雇、災害補償、安全衛生、寄宿舎等に関する条件をすべて含む労働者の職場における一切の待遇をいう。

問題チェック H30-4ア R6-1A類題

　労働基準法第1条にいう「人たるに値する生活」には、労働者の標準家族の生活をも含めて考えることとされているが、この「標準家族」の範囲は、社会の一般通念にかかわらず、「配偶者、子、父母、孫及び祖父母のうち、当該労働者によって生計を維持しているもの」とされている。

解答 ✕

法1条、昭和22.9.13発基17号、昭和22.11.27基発401号

　法第1条は、労働条件に関する基本原則を明らかにしたものであって、標準家族

の範囲は、その時その社会の一般通念によって理解されるべきものであるとされている。なお、設問前段の記述は正しい。

❷ 適用事業 重要度 B

1 適用事業とは

> 　**労働基準法**は、原則として、**労働者を使用するすべての事業**に適用される。

沿革

　以前は労働基準法第8条において、同法の適用を受ける事業の範囲が規定されていたが、社会経済の変化の中で新たな事業を適用事業として追加することとすると、一時的にも適用漏れが生ずるおそれがあり、また、号別に適用事業を区分して適用する規定が従来に比べて少なくなったこと等の理由により、平成10年改正において適用事業の範囲を号別に列記する方式が廃止された。

　ただし、平成10年改正後においても、法第33条［非常災害の場合の時間外労働等］、第40条［労働時間及び休憩の特例］、第41条［労働時間等に関する規定の適用除外］、第56条［最低年齢］及び第61条［年少者の深夜業］の各条項については、一定の業種について、一般の適用とは異なった取扱いがされているため、改正前の第8条の業種の区分の一部を、法別表第1（次表）として規定し直した。

(平成11.1.29基発45号)

1号	**製造業**	物の製造、改造、加工、修理、洗浄、選別、包装、装飾、仕上げ、販売のためにする仕立て、破壊若しくは解体又は材料の変造の事業（電気、ガス又は各種動力の発生、変更若しくは伝導の事業及び水道の事業を含む）
2号	**鉱業**	鉱業、石切り業その他土石又は鉱物採取の事業
3号	**建設業**	土木、建築その他工作物の建設、改造、保存、修理、変更、破壊、解体又はその準備の事業
4号	**運輸交通業**	道路、鉄道、軌道、索道、船舶又は航空機による旅客又は貨物の運送の事業
5号	**貨物取扱業**	ドック、船舶、岸壁、波止場、停車場又は倉庫における貨物の取扱いの事業
6号	**農林業**	土地の耕作若しくは開墾又は植物の栽植、栽培、採取若しくは伐採の事業その他農林の事業

7号	水産・畜産業	動物の飼育又は水産動植物の採捕若しくは養殖の事業その他の畜産、養蚕又は水産の事業
8号	商業	物品の販売、配給、保管若しくは賃貸又は理容の事業
9号	金融広告業	金融、保険、媒介、周旋、集金、案内又は広告の事業
10号	映画・演劇業	映画の製作又は映写、演劇その他興行の事業
11号	通信業	郵便、信書便又は電気通信の事業
12号	教育研究業	教育、研究又は調査の事業
13号	保健衛生業	病者又は虚弱者の治療、看護その他保健衛生の事業
14号	接客娯楽業	旅館、料理店、飲食店、接客業又は娯楽場の事業
15号	清掃・と畜場業	焼却、清掃又はと畜場の事業

　列車食堂等における供食のサービスの提供等を行う事業については、食堂車従業員と乗務車内販売従業員及び非乗務従業員とを合わせ、営業所を単位として、法別表第1第14号の事業（**接客娯楽業**）として取り扱う。

(昭和28.3.12基収1006号、平成11.3.31基発168号)

　新聞社は一般に法別表第1第8号（商業）の事業であるが、本社等において併せて印刷をも行う場合には、その中の印刷部門のみを主たる事業と別個に取り扱い、同表第1号（製造業）に該当するものである。

(昭和23.3.17基発461号、平成11.3.31基発168号)

Check Point!

□ 一の事業であるか否かは主として場所的観念によって決定すべきものである。

2 運用の基本方針

1. 個々の事業に対して労働基準法を適用するに際しては、当該事業の名称又は経営主体等にかかわることなく、相関連して一体をなす労働の態様によって事業としての適用を定めること。

2. 事業とは、工場、鉱山、事務所、店舗等の如く一定の場所において相関連する組織のもとに業として継続的に行われる作業の一体をいうのであって、必ずしもいわゆる経営上一体をなす支店、工場等を総合した全事業を指称するものではないこと。

3. 適用単位

(1) 原則

一の事業であるか否かは主として**場所的観念によって決定**すべきもので、**同一場所**にあるものは、原則として分割することなく**一個の事業**とし、**場所的に分散**しているものは、原則として**別個の事業**とすること。

【例】本社が東京にあり支社が大阪にある場合などは、原則としてそれぞれ別個の事業となる。

(2) 同一の場所にあっても別個の事業とする場合

同一場所にあっても、著しく労働の態様を異にする部門が存する場合に、その部門が主たる部門との関連において従事労働者、労務管理等が明確に区別され、かつ、主たる部門と切り離して適用を定めることによって労働基準法がより適切に運用できる場合には、その部門を一の独立の事業とすること。なお、個々の労働者の業務による分割は認めないこと。 R6-2ア

【例】工場内の診療所、食堂等

(3) 場所的に分散していても一個の事業とする場合

場所的に分散しているものであっても、出張所、支所等で、規模が著しく小さく、組織的関連ないし事務能力等を勘案して一の事業という程度の独立性がないものについては、直近上位の機構と一括して一の事業として取り扱う。

【例】新聞社の通信部　　　　　　　　　（昭和22.9.13発基17号、平成11.3.31基発168号）

4. 属地主義

わが国で行われる事業については、事業主又は労働者が外国人（外国法人及び外国政府を含む。）であると否とを問わず、法令又は条約に特別の定めがある場合を除き、労働基準法の適用がある。ただし、外国政府及び国際法によっていわゆる外交特権を有する外交官等については、原則として、わが国の裁判権は及ばないこと。　　　　　　　　　　（昭和43.10.9基収4194号、平成11.3.31基発168号）

問題チェック H14-1C

労働基準法の別表第1には第1号から第15号まで各種の事業が掲げられているが、同法の適用はこれらの事業に限られるものではない。

解答 ○

労働基準法は、原則として労働者を使用するすべての事業に適用される（例えば、労働組合の事務所等法別表第1に掲げられている事業以外の事業であっても、労働

者を使用する事業であれば原則として適用事業となる）。

問題チェック `H10-7D`

労働基準法は、日本国内の事業で使用される労働者であれば、日本人であるか外国人であるかを問わず、また、当該外国人の就労が不法就労であるか否かを問わず適用されるものである。

解答 ○　　　　　　　　　　昭和43.10.9基収4194号、平成11.3.31基発168号

日本国内で行われる事業については、事業主又は労働者が外国人であると否とを問わず、原則として、労働基準法の適用があり、不法就労者である外国人の場合も同様である。

---

❸ 国及び公共団体についての適用 （法112条）重要度 **B**

★★

> 労働基準法及び労働基準法に基いて発する命令は、**国、都道府県、市町村**その他これに準ずべきものについても適用あるものとする。

▌Check Point!

□ 国等の適用についてまとめると、次の通りとなる。

適用除外	適用	
・一般職の国家公務員	・行政執行法人の職員 ・行政執行法人以外の 　独立行政法人の職員	
	一部適用	・一般職の地方公務員 ・地方公営企業の職員

1．国家公務員及び地方公務員等に対する適用

(1) 一般職の国家公務員については適用されない。

(2) 一般職の地方公務員については労働基準法の一部が適用されない。

(3) 地方公営企業の職員については一部を除き適用される。

（平成22.5.18基発0518第1号）

2. 行政執行法人の職員に対する適用

　行政執行法人※の職員の身分は国家公務員とされるが、国家公務員法附則第6条［労働基準法等の適用除外］の規定の適用が除外されているため、労働基準法が適用される。

（平成13.2.22基発93号）

　※　国立印刷局・造幣局等

3. 行政執行法人以外の独立行政法人の職員に対する適用

　行政執行法人以外の独立行政法人の職員については、労働基準法が全面的に適用される。

（同上）

❹ 適用除外 （法116条） 重要度 A ★★★

> Ⅰ　第1条から第11条まで、下記Ⅱ、第117条から第119条まで及び第121条の規定を除き、労働基準法は、**船員法**第1条第1項に規定する**船員**については、**適用しない**。
>
> Ⅱ　労働基準法は、**同居の親族のみを使用する事業**及び**家事使用人**については、**適用しない**。

Check Point!

□　適用除外についてまとめると、次の通りとなる。

適用除外	適用
・**同居の親族のみ**を使用する事業	・常時同居の親族以外の労働者を使用する事業
・**家事使用人**	・個人家庭における家事を事業として請け負う者に雇われてその指揮命令の下に家事を行う者
・船員法第1条第1項に規定する**船員**（右の規定以外）	・船員法第1条第1項に規定する船員（総則の一部とこれに関する罰則）

1. 船員法の適用を受ける船員

　労働基準法は、船舶による旅客又は貨物の運送の事業にも適用されるが、同法の特別法たる**船員法の適用を受ける船員**については、その労働の特殊性を考慮し、労働基準法中労働者全般に通ずる基本原則を規定した**第1章**［**総則**］の第1条から第11条まで及び**これに関する罰則規定を除いて**、これを**適用しない**。

2. 同居の親族のみを使用する事業

同居の親族は、事業主と居住及び生計を一にするものであり、原則として労働基準法上の**労働者には該当しない。**

ただし、同居の親族であっても、常時同居の親族以外の労働者を使用する事業において一般事務又は現場作業等に従事し、かつ、次の(1)及び(2)の条件を満たすものについては、一般に私生活面での相互協力関係とは別に独立した労働関係が成立しているとみられるので、労働基準法上の労働者として取り扱うものとする。 H29-2ウ

(1) 業務を行うにつき、事業主の指揮命令に従っていることが明確であること。

(2) 就労の実態が当該事業場における他の労働者と同様であり、賃金もこれに応じて支払われていること。特に、①始業及び終業の時刻、休憩時間、休日、休暇等及び②賃金の決定、計算及び支払の方法、賃金の締切り及び支払の時期等について、就業規則その他これに準ずるものに定めるところにより、その管理が他の労働者と同様になされていること。　（昭和54.4.2基発153号）

3. 家事使用人

家事使用人であるか否かを決定するに当たっては、従事する作業の種類、性質の如何等を勘案して具体的に当該労働者の実態により決定すべきものであり、家事一般に従事している者がこれに該当する。

法人に雇われ、その役職員の家庭において、**その家族の指揮命令の下**で家事一般に従事している者も**家事使用人である**（労働基準法は適用されない）。 H29-2イ

個人家庭における家事を事業として請け負う者に雇われて、その**指揮命令の下**に当該家事を行う者は**家事使用人に該当しない。**

（昭和63.3.14基発150号、平成11.3.31基発168号）

問題チェック H16-1A

船員法第1条第1項に規定する船員については労働基準法は適用されず、したがって、同法第1条「労働条件の原則」、第2条「労働条件の決定」等の労働憲章的部分も、当然適用されない。

解答 ✕　　　　　　　　　　　　　　　　　　　　　法116条1項

船員法第1条第1項に規定する船員についても、第1章［総則］の第1条から第11条まで及びこれに関する罰則規定は適用される。

❺ 労働者の定義（法9条）重要度 A ★★★

労働基準法で「**労働者**」とは、**職業の種類**を問わず、**事業又は事務所**（「**事業**」という。）に**使用される者**で、**賃金を支払われる者**をいう。

H29-2ア H29-5オ H30-4エ R4-1CE

▌Check Point!▶

□ 労働基準法上の「労働者」とは、使用者の指揮命令を受けて労働しているなど使用者との間に使用従属関係が認められ、かつ賃金を支払われている者である。 R4-1A

1．法人、団体又は組合の執行機関

労働基準法にいう労働者とは、事業又は事務所に使用される者で賃金を支払われる者であるから、**法人、団体、組合等の代表者**又は**執行機関たる者**の如く、事業主体との関係において使用従属の関係に立たない者は**労働者ではない**。 R4-1D

（昭和23.1.9基発14号、平成11.3.31基発168号）

2．職員を兼ねる重役

法人のいわゆる**重役**で**業務執行権又は代表権を持たない者**が、工場長、部長の職にあって**賃金を受ける**場合は、その限りにおいて法第9条に規定する**労働者である**。 H29-2エ R5-4E

（昭和23.3.17基発461号）

3．組合専従職員の労働関係

会社からは給料を受けず、その所属する労働組合より給料を受ける組合専従職員と使用者との基本的な法律関係は、労働協約その他により労使の自由に定めるところによるが、使用者が専従職員に対し在籍のまま労働提供の義務を免除し、組合事務に専従することを認める場合には、労働基準法上当該会社との労働関係は存続するものと解される。 （昭和24.6.13基収1073号、平成11.3.31基発168号）

参考（車持込み運転手の労働者性）
原審の適法に確定した事実関係によれば、上告人は、自己の所有するトラックをD紙業株式会社のE工場に持ち込み、同社の運送係の指示に従い、同社の製品の運送業務に従事していた者であるが、(1) 同社の上告人に対する業務の遂行に関する指示は、原則として、運送物品、運送先及び納入時刻に限られ、運転経路、出発時刻、運転方法等には及ばず、また、一回の運送業務を終えて次の運送業務の指示があるまでは、運送以外の別の仕事が指示されるということはなかった、(2) 勤務時間については、同社の一般の従業員のように始業時刻及び終業時刻が定められていたわけаではなく、当日の運送業務を終えた後は、翌日の最初の運送業務の指示を受け、その荷積みを終えたならば帰宅することができ、翌

日は、出社することなく、直接最初の運送先に対する運送業務を行うこととされていた、(3) 報酬は、トラックの積載可能量と運送距離によって定まる運賃表により出来高が支払われていた、(4) 上告人の所有するトラックの購入代金はもとより、ガソリン代、修理費、運送の際の高速道路料金等も、すべて上告人が負担していた、(5) 上告人に対する報酬の支払に当たっては、所得税の源泉徴収並びに社会保険及び雇用保険の保険料の控除はされておらず、上告人は、右報酬を事業所得として確定申告をしたというのである。

右事実関係の下においては、上告人は、業務用機材であるトラックを所有し、自己の危険と計算の下に運送業務に従事していたものである上、D紙業は、運送という業務の性質上当然に必要とされる運送物品、運送先及び納入時刻の指示をしていた以外には、上告人の業務の遂行に関し、特段の指揮監督を行っていたとはいえず、時間的、場所的な拘束の程度も、一般の従業員と比較してはるかに緩やかであり、上告人がD紙業の指揮監督の下で労務を提供していたと評価するには足りないものといわざるを得ない。そして、報酬の支払方法、公租公課の負担等についてみても、上告人が労働基準法上の労働者に該当すると解するのを相当とする事情はない。そうであれば、上告人は、専属的にD紙業の製品の運送業務に携わっており、同社の運送係の指示を拒否する自由はなかったこと、毎日の始業時刻及び終業時刻は、右運送係の指示内容のいかんによって事実上決定されることになること、右運賃表に定められた運賃は、トラック協会が定める運賃表による運送料よりも一割五分低い額とされていたことなど原審が適法に確定したその余の事実関係を考慮しても、上告人は、労働基準法上の労働者ということはできず、労働者災害補償保険法上の労働者にも該当しないものというべきである。R2-選BC

(最一小平成8.11.28横浜南労働基準監督署長事件)

問題チェック H10-1E

労働基準法上の「労働者」とは、職業の種類を問わず、賃金、給料その他これに準ずる収入によって生活する者をいう。

解答 ✕

法9条

法第9条では、現実に「使用され」、「賃金を支払われる」関係に立つ者を労働者として把握しているので、労働組合法第3条に規定する労働者※とは異なる。

※ ・労働組合法における「労働者」

労働組合法で「労働者」とは、職業の種類を問わず、賃金、給料その他これに準ずる収入によって生活する者をいう。

(労働組合法3条)

・労働組合法の労働者の範囲

労働組合法第3条にいう「労働者」とは他人との間に使用従属の関係に立って労務に服し、報酬を受けて生活する者をいうのであって、現に就業していると否とを問わないから失業者をも含む。

(昭和23.6.5労発262号)

問題チェック H27-1E H29-2オ類題 R4-1B類題

形式上は請負契約のようなかたちをとっていても、その実体において使用従属関係が認められるときは、当該関係は労働関係であり、当該請負人は労働基準法第9条の「労働者」に当たる。

解答 ○ 法9条

　請負契約による下請負人は、当該業務を自己の業務として注文主から独立して処理する限り、たとえ本人が労務に従事することがあっても法第9条の労働者になることはない。しかし、形式上は請負のようなかたちをとっていても、その実体において使用従属関係が認められるときは、当該関係は労働関係であり、当該請負人は法第9条の労働者であることになる。

問題チェック H29-5オ

　医科大学附属病院に勤務する研修医が、医師の資質の向上を図ることを目的とする臨床研修のプログラムに従い、臨床研修指導医の指導の下に医療行為等に従事することは、教育的な側面を強く有するものであるため、研修医は労働基準法第9条所定の労働者に当たることはないとするのが、最高裁判所の判例の趣旨である。

解答 × 最二小平成17.6.3関西医科大学附属病院事件

　臨床研修は、医師の資質の向上を図ることを目的とするものであり、教育的な側面を有しているが、そのプログラムに従い、臨床研修指導医の指導の下に、研修医が医療行為等に従事することを予定している。そして、研修医がこのようにして医療行為等に従事する場合には、これらの行為等は病院の開設者のための**労務の遂行**という側面を不可避的に有することとなるのであり、病院の開設者の**指揮監督の下**にこれを行ったと評価することができる限り、上記研修医は法9条所定の労働者に当たるものというべきである。

問題チェック R元-3エ

　いわゆる芸能タレントは、「当人の提供する歌唱、演技等が基本的に他人によって代替できず、芸術性、人気等当人の個性が重要な要素となっている」「当人に対する報酬は、稼働時間に応じて定められるものではない」「リハーサル、出演時間等スケジュールの関係から時間が制約されることはあっても、プロダクション等との関係では時間的に拘束されることはない」「契約形態が雇用契約ではない」のいずれにも該当する場合には、労働基準法第9条の労働者には該当しない。

解答 ○ 法9条、昭和63.7.30基収355号

　いわゆる「芸能タレント通達」からの出題である。

❻ 使用者の定義 (法10条) 重要度 A ★★★

> 労働基準法で**使用者**とは、**事業主**又は**事業の経営担当者**その他その事業の**労働者に関する事項**について、**事業主のために行為をするすべての者**をいう。 R6-2イ

概要

「使用者」とは本法各条の義務についての履行の責任者をいい、その認定は**部長、課長等の形式にとらわれることなく**各事業において、本法各条の義務について**実質的に一定の権限を与えられているか否か**によるが、かかる権限が与えられておらず、**単に上司の命令の伝達者にすぎぬ場合は使用者とみなされない。** R2-1BC

(昭和22.9.13発基17号)

Check Point!

- ☐ 在籍型出向については、出向元、出向先及び出向労働者三者間の取決めによって定められた権限と責任に応じて、出向元の使用者又は出向先の使用者が出向労働者について使用者としての責任を負う。
- ☐ 移籍型出向については、出向先の使用者についてのみ使用者としての責任を負う。
- ☐ 労働者派遣については、原則として派遣元使用者が使用者としての責任を負うが、派遣元使用者が責任を負うことが困難な「労働時間、休憩及び休日の管理」等については、派遣先使用者が使用者としての責任を負う。

1. 事業主

「事業主」とは、その**事業の経営の主体**をいい、**個人企業**にあってはその**企業主個人**、**会社その他の法人組織**の場合はその**法人そのもの**をいう。 R2-1A

2. 事業の経営担当者

「事業の経営担当者」とは、事業経営一般について権限と責任を負う者をいう。**法人の代表者、支配人**などが該当する。

3. その事業の労働者に関する事項について、事業主のために行為をするすべての者

「労働者に関する事項」には、人事、給与、厚生等の労働条件の決定や労務管

13

理を行うこと、あるいは業務命令の発出や具体的な指揮監督を行うこと等、すべてこれに含まれるものと解される。

参考（下請負人）

下請負人がその雇用する労働者の労働力を自ら直接利用するとともに、当該業務を自己の業務として相手方（注文主）から独立して処理するものである限り、注文主と請負関係にあると認められるから、自然人である下請負人が、たとえ作業に従事することがあっても、労働基準法第9条の労働者ではなく、同法第10条にいう事業主である。 R2-1D

（昭和63.3.14基発150号）

4.　出向の場合

(1)　在籍型出向

在籍型出向の出向労働者については、出向元及び出向先の双方とそれぞれ労働契約関係があるので、出向元及び出向先に対して、それぞれ労働契約関係が存する限度で労働基準法等※の適用がある。すなわち、在籍出向に当たっては、出向先での労働条件、出向元における身分の取扱い等は、出向元、出向先及び出向労働者三者間の取決めによって定められるが、それによって定められた**権限と責任に応じて出向元の使用者又は出向先の使用者**が出向労働者について労働基準法等における使用者としての責任を負うことになる。 R6-1D

※　「労働基準法等」とは、労働基準法、労働安全衛生法、じん肺法及び作業環境測定法を指す。以下4.及び5.において同じ。

(2)　移籍型出向

移籍型出向は、出向先との間にのみ労働契約関係がある形態であり、出向元と出向労働者との労働契約関係は終了しているので、移籍型出向の出向労働者については、**出向先についてのみ労働基準法等の適用がある。**

（昭和61.6.6基発333号）

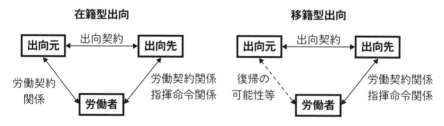

5.　労働者派遣の場合

(1)　労働者派遣の定義

労働者派遣における派遣元、派遣先及び派遣労働者の三者間の関係は、①派遣元と派遣労働者との間に労働契約関係があり、②派遣元と派遣先との間

に労働者派遣契約が締結され、この契約に基づき派遣元が派遣先に労働者を派遣し、③派遣先は、派遣元から委ねられた指揮命令権により派遣労働者を指揮命令するものというものである。

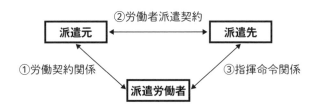

(2)　**労働基準法等の特例の基本的考え方**

　　労働基準法等は、労働者と**労働契約関係**にある事業に適用されるので、派遣労働者に関しては、派遣労働者と**労働契約関係**にある**派遣元事業主**が責任を負い、これと**労働契約関係**にない**派遣先事業主**は責任を負わないことになる。しかし、派遣労働者に関しては、これと**労働契約関係**にない**派遣先事業主**が**業務遂行上の指揮命令**を行うという特殊な労働関係にあるので、労働者派遣事業の制度化に合わせて、派遣労働者の**法定労働条件**を確保する観点から労働基準法等の適用について必要な特例措置が設けられている。　R2-1E

(3)　**労働基準法等の特例の適用範囲**

　　労働者派遣法第3章第4節「労働基準法等の適用に関する特例等」（以下「特例等」という。）は次のいずれにも該当する労働者派遣について適用される。　R2-1E

①　派遣元が労働基準法の適用事業の事業主であり、かつ、派遣される労働者が労働基準法第9条に規定する労働者であること。

②　派遣先が事業又は事務所※の事業主であること。

　　※　「事業又は事務所」には、業として継続的に行われるものであれば、労働基準法の適用事業のほか、第116条第2項により同法を適用しないこととされている同居の親族のみを使用している事業を含むものである。したがって、同居の親族以外の労働者を使用すれば同法の適用事業となる事業が、派遣労働者の派遣を受けた場合は、当該労働者に関しては同法の適用事業となるものである。

③　特例等は、労働者派遣という**就業形態**に着目して、労働基準法等に関する特例を定めるものであり、業として行われる労働者派遣だけでなく、業として行われるのではない労働者派遣についても適用されるものである。

　　また、労働者派遣法に基づき労働者派遣事業の実施につき許可を受けた

派遣元事業主が行う労働者派遣に限られず、さらに、同法に定める労働者
派遣の適用対象業務に関する労働者派遣に限られないものである。

（昭和61.6.6基発333号、平成20.7.1基発0701001号）

■派遣労働者に係る労働基準法の適用区分 R2-1E

	派遣元	派遣先
均等待遇	○	○
男女同一賃金の原則	○	
強制労働の禁止	○	○
公民権行使の保障		○
労働契約	○	
賃金	○	
労働時間、休憩、休日		○
変形労働時間制・時間外休日労働・みなし労働時間制に係る労使協定の締結・届出	○	
割増賃金	○	
年次有給休暇	○	
最低年齢	○	
年少者の証明書	○	
年少者の帰郷旅費	○	
年少者の労働時間等		○
年少者の就業制限、坑内労働の禁止		○
徒弟の弊害の排除	○	○
職業訓練に関する特例	○	
妊産婦の労働時間等		○
妊産婦等の就業制限、坑内業務の就業制限		○
産前産後に関する規制、他の軽易な業務への転換	○	
育児時間、生理休暇		○
就業規則	○	
就業規則・労使協定・労使委員会の決議の周知義務	○	
法令の要旨の周知義務	○	○
寄宿舎	○	
災害補償	○	
申告を理由とする不利益取扱禁止	○	○
労働者名簿、賃金台帳	○	
記録の保存	○	○
報告の義務	○	○

（労働者派遣法44条）

問題チェック H18-1E改題

　労働者派遣事業の適正な運営の確保及び派遣労働者の保護等に関する法律（労働者派遣法）第44条には、労働基準法の適用に関する特例が定められており、<u>派遣先が国又は地方公共団体である場合においても、当該国又は地方公共団体に派遣されている労働者に関しては、当該特例の適用があり</u>、したがって当該国又は地方公共団体に対して当該特例による労働基準法の適用がある。

解答 ○

昭和61.6.6基発333号、平成20.7.1基発0701001号

　国、地方公共団体が労働者派遣を受けた場合にも、労働者派遣法第3章第4節労働基準法等の適用に関する特例等の適用があり、当該国等に対して当該特例による労働基準法の適用がある。

2 労働条件の決定等

❶ 労働条件の決定 (法2条) 重要度 A

★★★

> Ⅰ　**労働条件**は、**労働者と使用者**が、**対等の立場において決定**すべきものである。
> Ⅱ　**労働者及び使用者**は、**労働協約、就業規則及び労働契約を遵守**し、**誠実**に各々その**義務**を**履行**しなければならない。

趣旨

労使関係は実質的には対等でないことを考慮して、使用者によって一方的に労働条件が決定されることのないよう労働条件の労使対等決定の理念を定めたものである。

▌Check Point!▶

□ 法第2条違反については、罰則の定めはない。

1．対等の立場

形式的のみならず実質的に対等の立場をいうもので、社会的、経済的な力関係を離れて相互の人格を尊重する立場を意味する。しかし、そのような対等の立場というものは、個々の労働者と使用者の間では事実上困難であるので、団結権、団体交渉権の保護というものがこれを確保する働きをなすのである。しかし、法第2条は、この原則を明らかにしたのみであって、**現実に労働組合があるかどうか、また、団体交渉で決定したかどうかは、法第2条の問うところではない。**

H28-1イ　R5-4A

2．労働協約

労働組合と使用者又はその団体との間で結ばれた労働条件その他に関する協定のことである。書面に作成し、両当事者の署名又は記名押印があれば、その名称を問わず労働協約となる。

(昭和29.1.19労収5号)

3．就業規則

　事業所において労働者が就業上守るべき規律や賃金、労働時間その他の労働条件に関して細かく定めた規則のことであり、法第89条において、常時10人以上の労働者を使用する使用者にその作成が義務づけられている。

4．労働契約

　労働契約とは、一定の対価（賃金）と一定の労働条件のもとに、自己の労働を提供する契約をいい、労働者と使用者の間で結ばれるものである。

参考（労働基準法第2条と監督機関）
　労働基準法第2条は、労働条件の決定及びこれに伴う両当事者の義務に関する一般的原則を宣言する規定であるにとどまり、監督機関は右の一般的原則を具体的に適用すべき責務を負う機関ではないので、労働協約、就業規則又は労働契約の履行に関する争いについては、それが労働基準法各本条の規定に抵触するものでない限り、監督権行使に類する積極的な措置をなすべきものではなく、当事者間の交渉により、又はあっせん、調停、仲裁等の紛争処理機関等において処理されるべきものである。

（昭和23.7.13基発1016号、昭和63.3.14基発150号）

問題チェック　H21-1A

　使用者は、労働協約、就業規則及び労働契約を遵守し、誠実にその義務を履行しなければならないが、使用者よりも経済的に弱い立場にある労働者についてはこのような義務を定めた規定はない。

解答 ✕　　　　　　　　　　　　　　　　　　　　　　　　　　　　　　　　法2条2項

　設問の規定は、使用者のみならず、労働者に対しても義務として課されている。

問題チェック　H7-1A

　労働者及び使用者には、労働基準法第2条第2項で、就業規則を遵守すべき義務が課されているが、この義務の違反については、使用者に対してのみ罰則が設けられている。

解答 ✕　　　　　　　　　　　　　　　　　　　　　　　　　　　　　　　法117条〜法121条

　法第2条については、罰則の定めはない（使用者及び労働者のいずれにも罰則の規定は設けられていない）。

---

❷ 均等待遇 (法3条) 重要度 A ★★★

> **使用者**は、**労働者の国籍、信条又は社会的身分を理由**として、**賃金、労働時間その他の労働条件**について、**差別的取扱をしてはならない。**
>
> H29-5ア　R2-4A

趣旨

法第3条は、国籍、信条又は社会的身分を理由とする労働者の差別待遇を禁止したものである。日本国憲法第14条第1項は、「すべて国民は、法の下に平等であって、人種、信条、性別、社会的身分又は門地により、政治的、経済的又は社会的関係において、差別されない。」と規定しているが、本条は、この日本国憲法の理念に則り、労働条件について平等の原則を規定したものである。

▌Check Point!

☐ 性別を理由とする労働条件についての差別的取扱は禁止されていない。

☐ 差別的取扱とは、当該労働者を有利又は不利に取り扱うことをいう。

H27-1B　R3-1B

1．信条又は社会的身分

「信条」とは、特定の宗教的もしくは政治的信念をいい、「社会的身分」とは、生来の身分をいう。 R4-4B　　　　　　　　　　　　　　　（昭和22.9.13発基17号）

なお、思想、信条そのものを理由として差別的取扱いをすることが本条違反になることは明らかであるが、特定の思想、信条に従って行う行動が企業の秩序維持に対し重大な影響を及ぼすような場合において、その秩序違反行為そのものを理由として差別的取扱いをする場合には、本条違反の問題は生じない。 R5-4B

2．その他の労働条件

「その他の労働条件」には、**解雇**※、**災害補償、安全衛生、寄宿舎等**に関する条件も含む趣旨である。

※　解雇については、解雇の意思表示そのものは労働条件とはいえないが、労働協約、就業規則等で解雇の基準又は理由が規定されていれば、それは労働するに当たっての条件として本条の労働条件となるという趣旨である。 H30-4イ

（昭和23.6.16基収1365号、昭和63.3.14基発150号）

3. 採用の自由

労働基準法第3条は労働者の信条によって賃金その他の労働条件につき差別することを禁じているが、これは、雇入れ後における労働条件についての制限であって、**雇入れそのものを制約する規定ではない**。また、思想、信条を理由とする雇入れの拒否を直ちに民法上の不法行為とすることができないことは明らかであり、その他これを公序良俗違反と解すべき根拠も見出すことはできない。

H28-1ウ R6-1B （最大判昭和48.12.12三菱樹脂事件）

4. 本条違反

使用者が法第3条に違反した場合は、6箇月以下の懲役又は30万円以下の罰金に処せられる。

（法119条1号）

問題チェック H14-1A

均等待遇を定めた労働基準法第3条では、労働者の国籍、信条又は社会的身分を理由として賃金、労働時間その他の労働条件について差別的取扱をすることは禁止されているが、性別を理由とする労働条件についての差別的取扱は禁止されていない。

解答 ○　　　　　　　　　　　　　　　　　　　　　　　　　法3条

法第3条では、国籍、信条、社会的身分を理由とする差別的取扱を禁止しているものであり、それ以外の理由により差別的取扱をすることは本条に抵触するものではない。

問題チェック H9-2D改題

労働基準法第3条では信条による労働条件の差別的取扱いを禁止しているが、企業における労働者の雇入れについては、特定の思想、信条を有する者をその故をもって雇い入れることを拒んでも、直ちに違法とすることはできない。

解答 ○　　　　　　　　　　　　法3条、最大判昭和48.12.12三菱樹脂事件

法第3条は労働者の信条によって賃金その他の労働条件につき差別することを禁じているが、これは雇入れ後における労働条件についての制限であって、雇入れそのものを制約する規定ではない。

❸ 男女同一賃金の原則 (法4条) 重要度 A ★★★

使用者は、**労働者**が**女性であることを理由**として、**賃金**について、**男性**と**差別的取扱い**をしてはならない。

趣旨

　法第4条の趣旨は、わが国における従来の国民経済の封建的構造のため、男性労働者に比較して一般に低位であった女性労働者の社会的、経済的地位の向上を賃金に関する差別待遇の廃止という面から、実現しようとするものである。 H27-1C

（昭和22.9.13発基17号、平成9.9.25基発648号）

Check Point !

□　差別的取扱いをするとは、不利に取り扱う場合のみならず有利に取り扱う場合も含む。 H30-4ウ

1．女性であることを理由

　「女性であることを理由として」とは、労働者が女性であることのみを理由として、あるいは社会通念として又は当該事業場において女性労働者が一般的又は平均的に能率が悪いこと、勤続年数が短いこと、主たる生計の維持者ではないこと等を理由とすることの意であり、これらを理由として、女性労働者に対し賃金に差別をつけることは違法である。 R元-3ア R6-1C

（昭和22.9.13発基17号、平成9.9.25基発648号）

2．差別的取扱い

　職務、能率、技能、年齢、勤続年数等によって、賃金に個人的差異のあることは、本条に規定する差別的取扱いではないが、例えば、これらが同一である場合において、男性はすべて月給制、女性はすべて日給制とし、男性たる月給者がその労働日数の如何にかかわらず月に対する賃金が一定額であるに対し、女性たる日給者がその労働日数の多寡によってその月に対する賃金が前記の男性の一定額と異なる場合は法第4条違反である。

（同上）

3．差別待遇を定める就業規則

　就業規則に労働者が女性であることを理由として、賃金について男性と差別的取扱いをする趣旨の規定があるが、現実に男女差別待遇の事実がない場合には、

その規定は無効ではあるが、法第4条違反とはならない。 R4-4C

（昭和23.12.25基収4281号、平成9.9.25基発648号）

─ **問題チェック** H24-4B ─

労働基準法第4条は、賃金についてのみ女性であることを理由とする男性との差別的取扱いを禁止したものであり、その他の労働条件についての差別的取扱いについては同条違反の問題は生じない。

解答 ○

法4条

賃金以外の一定の労働条件については、男女雇用機会均等法において性別による差別的取扱いを禁止する定めがある。

❹ 公民権行使の保障 （法7条） 重要度 A

★★★

使用者は、**労働者**が**労働時間中**に、**選挙権その他公民としての権利**を行使し、又は公の職務を執行するために**必要な時間を請求**した場合においては、**拒んではならない**。但し、**権利の行使又は公の職務の執行に妨げがない限り**、**請求された時刻**を変更することができる。

▌Check Point!

☐ 法第7条の規定は、給与に関しては、何等触れていないから、有給たると無給たるとは、当事者の自由に委ねられた問題である。 R元-3ウ

（昭和22.11.27基発399号）

☐ 労働者が必要な時間を請求した場合、使用者はこれを拒むことはできないが、権利の行使や公の職務の執行に妨げがない限り、請求された時刻を変更することは許される。 R3-1D

1. 公民権行使の範囲

法第7条の「公民」とは、国家又は公共団体の公務に参加する資格ある国民をいい、「公民としての権利」とは、公民に認められる国家又は公共団体の公務に参加する権利をいう。

また、**訴権の行使は、一般には、公民としての権利の行使ではないが、次表⑦から⑨の訴訟については公民権の行使に該当する。**

公民としての権利に該当するもの（主なもの）
① **公職の選挙権及び被選挙権**
② 最高裁判所裁判官の国民審査
③ 特別法の住民投票
④ 憲法改正の国民投票
⑤ 地方自治法による住民の直接請求
⑥ 選挙人名簿の登録の申出
⑦ **行政事件訴訟法に規定する**民衆訴訟※
⑧ 公職選挙法に規定する選挙又は当選に関する訴訟
⑨ 公職選挙法に規定する選挙人名簿に関する訴訟
※　国又は地方公共団体の機関の法規に適合しない行為の是正を求める訴訟

（昭和63.3.14基発150号）

2.　公の職務

　法第7条の「公の職務」とは、法令に根拠を有するものに限られるが、法令に基づく公の職務のすべてをいうものではなく、次表に取り上げたものが該当する。

　なお、単に労務の提供を主たる目的とする職務は本条の「公の職務」には含まれず、したがって、予備自衛官が自衛隊法の規定による防衛招集又は訓練招集に応ずる等は「公の職務」に該当せず、**消防組織法の規定による非常勤の消防団員についても同様**と考えられる。　　　　（昭和63.3.14基発150号、平成17.9.30基発0930006号）

公の職務に該当するもの
①　国又は地方公共団体の公務に民意を反映してその適正を図る職務 　【例】衆議院議員その他の議員・労働委員会の委員・陪審員・検察審査員・**労働審判員**・裁判員・法令に基づいて設置される審議会の委員等の職務
②　国又は地方公共団体の公務の公正妥当な執行を図る職務 　【例】**民事訴訟法の規定による証人**・労働委員会の証人等の職務
③　地方公共団体の公務の適正な執行を監視するための職務 　【例】公職選挙法に規定する投票立会人等の職務

3.　時間外に公民権を行使すべき命令

　公民権の行使を労働時間外に実施すべき旨定めたことにより、労働者が就業時間中に選挙権の行使を請求することを拒否すれば違法である。 R2-4D

（昭和23.10.30基発1575号）

参考（公民権行使と懲戒解雇）

懲戒解雇なるものは、普通解雇と異なり、譴責、減給、降職、出勤停止等とともに、企業秩序の違反に対し、使用者によって課せられる一種の制裁罰であると解するのが相当である。ところで、本件就業規則の前記条項は、従業員が単に公職に就任したために懲戒解雇するというのではなくして、使用者の承認を得ないで公職に就任したために懲戒解雇するという規定ではあるが、それは、公職の就任を、会社に対する届出事項とするにとどまらず、使用者の承認にかからしめ、しかもそれに違反した者に対しては制裁罰としての懲戒解雇を課するものである。しかし、労働基準法第7条が、特に、労働者に対し労働時間中における公民としての権利の行使および公の職務の執行を保障していることにかんがみるときは、公職の就任を使用者の承認にかからしめ、その承認を得ずして公職に就任した者を懲戒解雇に附する旨の前記条項は、右労働基準法の規定の趣旨に反し、無効のものと解すべきである。従って、所論のごとく公職に就任することが会社業務の遂行を著しく阻害する虞れのある場合においても、**普通解雇に附するは格別**、同条項を適用して従業員を**懲戒解雇に附することは、許されないもの**といわなければならない。 H29-5エ

（最二小昭和38.6.21十和田観光電鉄事件）

問題チェック H29-5エ

労働者（従業員）が「公職に就任することが会社業務の遂行を著しく阻害する虞れのある場合においても、普通解雇に附するは格別、同条項〔当該会社の就業規則における従業員が会社の承認を得ないで公職に就任したときは懲戒解雇する旨の条項〕を適用して従業員を懲戒解雇に附することは、許されないものといわなければならない。」とするのが、最高裁判所の判例である。

解答 ○ 最二小昭和38.6.21十和田観光電鉄事件

参考「公民権行使と懲戒解雇」参照。

3 前近代的な労働関係の排除

① 強制労働の禁止 （法5条） 重要度 A ★★★

　使用者は、暴行、**脅迫**、監禁その他精神又は身体の自由を**不当に拘束する手段**によって、**労働者の意思**に反して労働を強制してはならない。

R4-4D

▌Check Point!

□ 法第5条は、労働を強制することを禁止する規定である（必ずしも労働者が現実に労働することを必要としない）。

□ 法第5条違反については、1年以上10年以下の懲役又は20万円以上300万円以下の罰金に処せられる（法117条）。なお、当該罰則は労働基準法上最も重い罰則である。H29-5イ

1. 使用者

　法第5条は、使用者が労働者に強制労働をさせることを禁止する規定である。すなわち、労働を強制する使用者と強制される労働者の間に労働関係があることが前提となる。その場合の労働関係は、**必ずしも形式的な労働契約により成立していることを要求するものではなく**、当該具体例において事実上労働関係が存在すると認められる場合であれば足りる。R元-3イ

2. 暴行

　労働基準法第5条に定める「暴行」とは、労働者の身体に対し不法な自然力を行使することをいい、殴る、蹴る、水を掛ける等は総て暴行であり、通常傷害を伴いやすいが、必ずしもその必要はなく、また、身体に疼痛を与えることも要しない。

(昭和63.3.14基発150号)

3. 脅迫

　労働基準法第5条に定める「脅迫」とは、労働者に恐怖心を生じさせる目的で本人又は本人の親族の生命、身体、自由、名誉又は財産に対して、脅迫者自ら又

は第三者の手によって害を加えるべきことを通告することをいうが、必ずしも積極的言動によって示す必要はなく、暗示する程度でも足りる。 R3-1C

（昭和63.3.14基発150号）

4．監禁

　労働基準法第5条に定める「監禁」とは、一定の区画された場所から脱出できない状態に置くことによって、労働者の身体の自由を拘束することをいい、必ずしも物質的障害を以て手段とする必要はない。 R5-4C （同上）

5．精神又は身体の自由を不当に拘束する手段

　「暴行」、「脅迫」、「監禁」以外の手段で「精神又は身体の自由を不当に拘束する手段」としては、**長期労働契約、労働契約不履行に関する賠償額予定契約、前借金契約、強制貯金**の如きものがあり、労働契約に基づく場合でも、労務の提供を要求するに当たり、「精神又は身体の自由を不当に拘束する手段」を用いて労働を強制した場合には、本条違反となる。

　また、「不当」とは本条の目的に照らし、かつ、個々の場合において、具体的にその諸条件をも考慮し、社会通念上是認しがたい程度の手段の意である。したがって、必ずしも「不法」なもののみに限られず、例え合法的であっても、「不当」なものとなることがある。 R2-4B 　（昭和22.9.13発基17号、昭和63.3.14基発150号）

6．意思に反する労働の強制

　「労働者の意思に反して労働を強制」するとは、不当なる手段を用いることによって、使用者が労働者の意識ある意思を抑圧し、その自由な発現を妨げ以って労働すべく強要することをいう。従って、**必ずしも労働者が現実に「労働」することを必要としない**。例えば、労働契約を締結するに当たり「精神又は身体の自由を不当に拘束する手段」が用いられ、それが意識ある意思を抑圧し労働することを強要したものであれば、本条に該当する。

　これに反し、詐欺の手段が用いられても、それは、通常労働者は無意識の状態にあって意思を抑圧されるものではないから、必ずしもそれ自体としては本条に該当しない。

（昭和23.3.2基発381号）

問題チェック H13-1A

　暴行、脅迫、監禁その他精神又は身体の自由を不当に拘束する手段によって労働者の意思に反して労働を強制することを禁じる労働基準法第5条の規定の適用については、同条の義務主体が「使用者」とされていることから、当然に、労働を強制する使用者と強制される労働者との間に労働関係があることが前提となるが、その

場合の労働関係は必ずしも形式的な労働契約により成立していることを要求するものではなく、当該具体例において事実上労働関係が存在すると認められる場合であれば足りる。

解答 ○ 法5条

「1. 使用者」参照。

問題チェック H27-1D

強制労働を禁止する労働基準法第5条の構成要件に該当する行為が、同時に刑法の暴行罪、脅迫罪又は監禁罪の構成要件にも該当する場合があるが、労働基準法第5条違反と暴行罪等とは、法条競合の関係(吸収関係)にあると解される。

解答 ○ 同上

「法条競合」とは、1つの犯罪がいくつもの刑罰法規に該当するものの、そのうちの1つだけが適用されることである。また、「吸収関係」とは、法条競合の種類の1つであり、該当する複数の刑罰法規のうちの1つが他の法規を吸収する形で評価する場合をいう。したがって、設問の場合、暴行罪等の罪は労働基準法第5条違反の罪に吸収されているとみるべきであり、刑法の暴行罪等は成立する余地がない(労働基準法第5条違反のみが成立する)と解されている。

❷ 中間搾取の排除 (法6条) 重要度 A

★★★

何人も、法律に基いて許される場合の外、業として他人の就業に介入して利益を得てはならない。

‖Check Point!

□ 「業として利益を得る」とは、営利を目的として、同種の行為を反復継続することをいい、1回の行為であっても、反復継続して利益を得る意思があれば充分である。

1. 「何人も」の範囲

違反行為の主体は「他人の就業に介入して利益を得る」第三者であって、「何人も」とは本条の適用を受ける事業主に限定されず、個人、団体又は公人たると私人たるとを問わない。従って、公務員であっても、違反行為の主体となる。

H28-1エ (昭和23.3.2基発381号)

2. 法人の従業者の中間搾取 R5-4D

　法人が業として他人の就業に介入して利益を得た場合は、当該法人のために実際の介入行為を行った行為者たる従業員が処罰される。

　法第6条において禁止する行為については、他人の就業に介入して得る利益の帰属主体は、必ずしも、当該行為者には限らないからである。

（昭和34.2.16 33基収8770号）

3. 「業として利益を得る」の意義

　「業として利益を得る」とは、営利を目的として、同種の行為を反復継続することをいう。従って**1回の行為であっても、反復継続して利益を得る意思があれば充分**である。主業として為されると副業として為されるとを問わない。 H29-5ウ

　「利益」とは、手数料、報償金、金銭以外の財物等如何なる名称たるとを問わず、また有形無形なるとを問わない。使用者より利益を得る場合のみに限らず、労働者又は第三者より利益を得る場合も含む。 R2-4C

（昭和23.3.2基発381号）

4. 法律に基いて許される場合

　具体的には、職業安定法及び船員職業安定法に基づく場合を指す。

 ・職業安定法第30条により、**有料職業紹介事業**を厚生労働大臣の許可を受けて行うことが認められているが、その場合、同法施行規則で定める手数料又は厚生労働大臣に届け出た手数料表に基づく手数料を受けることが認められている。
　・労働者を雇用しようとする者が、職業安定法第36条第1項の規定による厚生労働大臣の許可を受けて、その被用者以外の者をして労働者の募集を行わせる場合（**委託募集**）には、その被用者以外の者は、その募集を行わせた者から、厚生労働大臣の認可を受けた額の報酬を受けることができる。

（昭和23.3.2基発381号、昭和33.2.13基発90号）

5. 労働者派遣

　労働者派遣については、派遣元と労働者との間の労働契約関係及び派遣先と労働者との間の指揮命令関係を合わせたものが全体として当該労働者の労働関係となるものであり、したがって派遣元による労働者の派遣は、労働関係の外にある第三者が他人の労働関係に介入するものではなく、法第6条の中間搾取に該当しない。

　労働者供給については、供給先と労働者との間に実質的な労働関係があるので、供給元による労働者の供給は、原則として、供給先と労働者との労働関係の外にある第三者である供給元が「他人の労働関係に介入」することとなる。

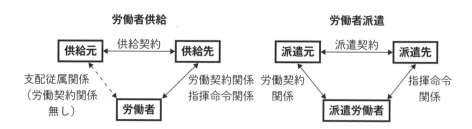

労働者供給

派遣元 ← 派遣契約 → 派遣先

（昭和61.6.6基発333号、平成11.3.31基発168号）

問題チェック H15-1C

ある労働者派遣事業が、所定の手続を踏まないで行われている違法なものであっても、当該労働者派遣事業の事業主が業として労働者派遣を行う行為は、「何人も、法律に基いて許される場合の外、業として他人の就業に介入して利益を得てはならない。」と規定する労働基準法第6条の中間搾取には該当しない。

解答 ○　　　　　　　　　　　　　　法6条、平成20.7.1基発0701001号

労働者派遣事業は、たとえそれが所定の手続を踏まない違法なものであっても、法第6条の中間搾取には該当しない。

❸ 賠償予定の禁止（法16条）重要度Ａ ★★★

使用者は、**労働契約の不履行**について**違約金**を定め、又は**損害賠償額**を**予定する契約**をしてはならない。 R4-5C

趣旨

法第16条は、**違約金制度**や**損害賠償額予定の制度**を**禁止**し、労働者が違約金または損害賠償額を支払わされることをおそれて、心ならずも労働関係の継続を強いられること等を防止しようとするものである。

Check Point!

□ 法第16条は、金額を予定することを禁止するのであって、現実に生じた損害について賠償を請求することを禁止する趣旨ではない。

H30-5B　R6-3C　（昭和22.9.13発基17号）

> □ 契約の相手方が労働者の親権者又は**身元保証人**の場合も本条の対象となる。 H28-2C R3-選A

1．違約金

　労働契約に基づく労働義務を労働者が履行しない場合に**労働者本人若しくは親権者又は身元保証人**の義務として課せられるものであり、労働義務の不履行があれば、それによる損害発生の有無にかかわらず、使用者は約定の違約金を取り立てることができる旨を定めたものである。

2．損害賠償額を予定する契約

　「損害賠償額の予定」とは、債務不履行又は不法行為等の場合に賠償すべき損害額を**実害のいかんにかかわらず**一定の金額として定めておくことである。

--- 問題チェック H28-2C

　使用者は、労働者の身元保証人に対して、当該労働者の労働契約の不履行について違約金又は損害賠償額を予定する保証契約を締結することができる。

解答 ✕　　　　　　　　　　　　　　　　　　　　　　　　　　　　法16条

　違約金を定め、又は損害賠償額を予定する契約の相手方が労働者の親権者又は身元保証人の場合も法第16条の適用を受ける（当該保証契約を締結することはできない）。

❹ 前借金相殺の禁止 （法17条） 重要度 A ★★★

> **使用者**は、**前借金その他**労働することを条件とする**前貸の債権**と賃金を**相殺してはならない**。 R4-5D

--- 趣旨

　法第17条の規定は、金銭貸借関係と労働関係とを完全に分離し金銭貸借関係に基づく身分的拘束関係の発生を防止するのがその趣旨である。したがって、労働者が使用者から人的信用に基づいて受ける金融、弁済期の繰上げ等で**明らかに身分的拘束を伴わないものは、労働することを条件とする債権には含まれない**。 H27-3D R3-2C

（昭和22.9.13発基17号、昭和33.2.13基発90号）

1.　前借金

　「前借金」とは、労働契約の締結の際又はその後に、労働することを条件として使用者から借り入れ、将来の賃金により弁済することを約する金銭をいう。

R4-5D

2.　生活資金の貸付に対する返済金

　法第17条の規定は、前借金により身分的拘束を伴い労働が強制されるおそれがあること等を防止するため「労働することを条件とする前貸の債権」と賃金を相殺することを禁止するものであるから使用者が労働組合との労働協約の締結あるいは労働者からの申出に基づき、生活必需品の購入等のための生活資金を貸付け、その後この貸付金を賃金より分割控除する場合においても、その貸付の原因、期間、金額、金利の有無等を総合的に判断して労働することが条件となっていないことが極めて明白な場合には、本条の規定は適用されない。 R5-5C

（昭和23.10.15基発1510号、昭和63.3.14基発150号）

問題チェック H28-2D

　労働者が、実質的にみて使用者の強制はなく、真意から相殺の意思表示をした場合でも、前借金その他労働することを条件とする前貸の債権と賃金を相殺してはならない。

解答 ✕　　　　　　　　　　　　　　　　　　　　　　　　　　　　法17条

　法第17条では、使用者の側で相殺を行う場合のみを禁止しているのであって、実質的にみて使用者の強制はなく、労働者が真意からその意思表示をした場合における相殺は禁止していない。

❺ 強制貯金 （法18条、則6条、則6条の3、預金利率省令4条） B

★★

　Ⅰ　**使用者は、労働契約に附随して貯蓄の契約をさせ、又は貯蓄金を管理**する契約をしてはならない。

　Ⅱ　**使用者は、労働者の貯蓄金をその委託を受けて管理**しようとする場合においては、当該事業場に、**労働者の過半数で組織する労働組合**があるときはその**労働組合、労働者の過半数で組織する労働組合がないときは労働者の過半数を代表する者との書面による協定**（貯

蓄金管理に関する労使協定※）をし、これを**行政官庁**（所轄労働基準監督署長）に届け出なければならない。R3-2D

※　労使協定については第4章第1節 **1 3** を参照

Ⅲ　**使用者**は、**労働者の貯蓄金をその委託を受けて管理**する場合においては、**貯蓄金の管理に関する**規程（**貯蓄金管理**規程）を定め、これを労働者に周知させるため作業場に備え付ける等の措置をとらなければならない。

Ⅳ　**使用者**は、**労働者の貯蓄金をその委託を受けて管理**する場合において、**貯蓄金の管理が**労働者の**預金の受入**であるときは、**利子**をつけなければならない。この場合において、その**利子**が、金融機関の受け入れる**預金の利率**を考慮して厚生労働省令で定める**利率**（**年5厘**）による利子を下るときは、その厚生労働省令で定める**利率**による利子をつけたものとみなす。R6-3D

Ⅴ　**使用者**は、**労働者の貯蓄金をその委託を受けて管理**する場合において、**労働者がその**返還を請求したときは、**遅滞なく**、これを**返還**しなければならない。H28-2E

Ⅵ　**使用者がⅤの規定に違反した**場合において、**当該貯蓄金の管理を継続することが**労働者の利益を著しく害すると認められるときは、**行政官庁**（所轄労働基準監督署長）は、**使用者**に対して、**その必要な限度の範囲内**で、当該貯蓄金の管理を中止すべきことを命ずることができる。

Ⅶ　**Ⅵの規定により貯蓄金の管理を中止**すべきことを命ぜられた**使用者**は、遅滞なく、その**管理**に係る**貯蓄金を労働者に返還**しなければならない。

趣旨

法第18条は、強制貯蓄を全面的に禁止し、使用者が労働者の任意の委託を受けて貯蓄金を管理する場合のみ一定の制限のもとにこれを認めることとしたものである。

強制貯蓄 （労働契約に附随して貯蓄の契約をさせる）	禁止
任意貯蓄 （労働契約には附随しておらず労働者の委託を受けて貯蓄金を管理する社内預金・通帳保管）	一定の要件を満たすことにより認められる

▌Check Point!▶

□　任意貯蓄の要件についてまとめると、次の通りとなる。

社内預金	通帳保管
(1)**貯蓄金管理協定**を締結し、**所轄労働基準監督署長に届け出る**こと。	
(2)**貯蓄金管理規程**を定め、作業場に備え付けるなどして、**労働者に周知させる**こと。	
(3)労働者からの返還の請求があったときは、**遅滞なく、返還する**こと。	
(4)貯蓄金管理協定の締結事項 　①預金者の範囲 　②**預金者1人当たりの預金額の限度** 　③預金の利率及び利子の計算方法 　④預金の受入れ及び払戻しの手続 　⑤**預金の保全の方法** (5)貯蓄金管理規程に、上記(4)及びそれらの具体的取扱いについて規定すること。 (6)毎年、**3月31日以前1年間**における**預金の管理状況**を、**4月30日**までに、**所轄労働基準監督署長に報告**すること。 (7)**年5厘以上の利子**をつけること。	(4)貯蓄金管理規程に以下の事項について規定すること。 　①預金先の金融機関名及び預金の種類 　②通帳の保管方法 　③預金の出入れの取次方法　等

（則5条の2、昭和63.3.14基発150号）

1．労働契約に附随して貯蓄の契約をさせる

　「労働契約に附随して」とは、**労働契約の締結又は存続の条件とする**ことをいい、労働契約中にはっきりと貯蓄をすることが約定されている場合はもちろん、雇入れの条件として貯蓄契約をしなければ雇い入れないとなっていると客観的に認められる場合又は雇入れ後に貯蓄の契約をしなければ解雇するという場合がこれに該当する。

2. 貯蓄金を管理する契約

「貯蓄金を管理する」には、使用者自身が直接労働者の預金を受け入れて自ら管理するいわゆる**社内預金**の場合のほか、使用者が受け入れた労働者の預金を労働者個人ごとの名義で銀行その他の金融機関に預入し、その通帳、印鑑を保管するいわゆる**通帳保管**の場合が含まれる。

3. 派遣労働者の社内預金

法第18条は**派遣元**の使用者に適用されるので、**派遣元**の使用者は、同条に定める要件の下に、派遣中の労働者の預金を受け入れることができる。一方、**派遣先**の使用者は、派遣中の労働者と労働契約関係にないので法第18条に基づき、派遣中の労働者の預金を受け入れることはできない。

（昭和61.6.6基発333号）

4. その必要限度の範囲内での中止

貯蓄金管理を「その必要な限度の範囲内で」中止させることは、貯蓄金管理を委託している労働者の全部又は一部について中止させるとの意であり、個々の労働者の貯蓄金の一部についてその管理を中止させるとの意ではない。

（昭和27.9.20基発675号）

5. 届出なき貯蓄金管理

単に労使協定の締結又は届出の手続きを怠っただけでは労働基準法上の罰則の問題は生じない。

（昭和23.6.16基収1935号）

> **参考** 中小企業等において行われている退職積立金制度のうち、使用者以外の第三者たる商店会又はその連合会等が労働者の毎月受けるべき賃金の一部を積み立てたものと使用者の積み立てたものを財源として行っているものについては、このような退職積立金は、傷病者に対する見舞金や結婚祝金等の特殊の出費について労働者相互が共済し合う共済組合の掛金とは異なり、労働者の金銭をその委託を受けて保管管理する貯蓄金と考えられるので、労働者がその意思に反してもこのような退職積立金制度に加入せざるを得ないようになっている場合は労働契約に附随する貯蓄の契約となり、本条の禁止する強制貯蓄に該当する。
>
> R元-4B （昭和25.9.28基収2048号）

問題チェック H23-2E

使用者は、労働者の福祉の増進を図るため、当該事業場に、労働者の過半数で組織する労働組合があるときはその労働組合、労働者の過半数で組織する労働組合がないときは労働者の過半数を代表する者との書面による協定に基づき、<u>労働契約に附随して貯蓄の契約をさせ</u>、又は貯蓄金を管理する契約をすることができる。

解答 ✕

法18条1項、2項

労働契約に附随して貯蓄の契約をさせ、又は貯蓄金を管理する契約をすること

（強制貯蓄）は、労使協定を締結した場合であっても行うことはできない。

第2章

労働契約

労働契約の締結

❶ 労働契約 🅱 重要度

★★

> **労働契約**とは、一定の**対価（賃金）**と一定の**労働条件**のもとに、**自己の労働力の処分を使用者に委ねる**ことを約する契約であり、本質的には民法第623条に規定する雇用契約や労働契約法第6条に規定する労働契約と基本的に異なるものではないが、民法上の雇用契約にのみ限定して解されるべきものではなく、委任契約、請負契約等、労務の提供を内容とする契約も労働契約として把握される可能性をもっている。
>
> R6-2ウ

1．採用内定と労働契約の成立

社員募集に応募した学生に対し採用内定通知をした場合、その者の誓約書の提出と相まって、誓約書記載の採用内定取消事由に基づく**解約権を留保した労働契約が成立したもの**と認める。 　　　　　　　　　（最二小昭和54.7.20大日本印刷事件）

2．採用内定の取消し

採用内定の取消事由は、採用内定当時知ることができず、また知ることが期待できないような事実であって、これを理由として採用内定を取り消すことが社会通念上相当として是認できるものに限られる。 　　　　　　　　　　　　　（同上）

問題チェック　H22-選A

次の文中の □□□□ の部分を選択肢の中の最も適切な語句で埋め、完全な文章とせよ。

使用者が労働者を新規に採用するに当たり、その雇用契約に期間を設けた場合において、その設けた趣旨・目的が労働者の適性を評価・判断するためのものであるときは、右期間〔当該期間〕の満了により右雇用契約〔当該雇用契約〕が当然に終了する旨の明確な合意が当事者間に成立しているなどの特段の事情が認められる場合を除き、右期間〔当該期間〕は契約の存続期間ではなく、□□□□ であると解するのが相当である。

- 選択肢 -
① 解雇　　② 試用期間　　③ 内定期間　　④ 雇止め

解答 ② 試用期間　　　　　　　　　最三小平成2.6.5神戸弘陵学園事件

　試用期間とは、採用後に従業員としての適格性を観察・評価するために企業が設けた期間であると解される。試用期間中は、基本的に解約権留保付労働契約が成立していると考えられ、試用期間満了時の本採用の拒否は、法的には労働契約の解約、すなわち解雇にあたるので、客観的合理性と社会的相当性が双方ともなければ、解雇権の濫用として無効となる。

　なお、設問中の「契約の存続期間」とは、有期契約期間を指す。設問の期間が契約の存続期間（有期契約期間）とされた場合、当該労働者の雇用契約は、その期間の満了によって当然に終了することとなる。

❷ 労働基準法違反の契約 (法13条) 重要度 A ★★★

　労働基準法で定める基準に達しない労働条件を定める労働契約は、その部分については無効とする。この場合において、**無効となった部分は、労働基準法で定める基準**による。 H27-3A H30-5D R5-5A

趣旨

　法第13条は、最低労働条件の確保を目的とする労働保護法規としての本法の性質上、本法を強行法規とし、労働契約中本法の基準に達しない労働条件を定める部分を無効とし（**強行的効力**）、さらに無効となった部分を本法所定の基準で補充すること（**直律的効力**）を定めたものである。

┃Check Point!

□ 無効となるのは、労働基準法に違反する労働契約中法定基準に達しない労働条件を定めている部分のみである。

1. 「労働条件」とは

　法第13条にいう「労働条件」とは、賃金、労働時間はもちろんのこと、解雇、災害補償、安全衛生、寄宿舎等に関する条件をすべて含む労働者の職場における一切の待遇をいう。

2.　その部分については無効とする

　労働基準法に違反する労働契約中**法定基準に達しない**労働条件を定めている部分のみを無効としたものである。したがって、その無効とされる部分が労働契約の主たる内容であり、その部分が無効とされることによって労働契約を存続させる意義がなくなるような場合であっても、民法の一般原則と異なり、法定基準に達しない部分のみを無効とし、**残りの部分**はこれを**有効**とする趣旨である。

③ 契約期間等（法14条）重要度 A

1 契約期間（法14条1項）　★★★

> 　**労働契約**は、**期間の定めのないものを除き**、**一定の事業の完了に必要な期間を定めるもの**のほかは、**3年**（次の i ii のいずれかに該当する**労働契約**にあっては、**5年**）**を超える期間**について締結してはならない。 H30-5D
> > i 　**専門的な知識、技術又は経験**（以下「**専門的知識等**」という。）であって**高度のもの**として**厚生労働大臣**が定める**基準**に該当する**専門的知識等**を有する**労働者**（当該高度の専門的知識等を必要とする業務に就く者に限る。）との間に締結される**労働契約**
> > ii 　**満60歳以上の労働者**との間に締結される**労働契約**（ i に掲げる**労働契約**を除く。） H29-3A H30-5D

趣旨

　法第14条は、長期労働契約による人身拘束の弊害を排除するため、契約期間の最長期間を原則として3年（一定のものについては5年）に制限したものである。

┃Check Point!▶

□ 契約期間の上限をまとめると次の通りとなる。

有期労働契約	一定の事業の完了に必要な期間を定めるもの（有期事業）	事業の終期までの期間、契約を締結することが可能	
	上記以外のもの	原則	上限**3年**
		・**高度の専門的知識等**を有する者との労働契約 ・**満60歳以上**の者との労働契約	上限**5年**

1. 一定の事業の完了に必要な期間を定めるもの

　例えば、4年間で完了する土木工事において、技師を4年間の契約で雇い入れる場合のごとく、その事業が有期的事業であることが客観的に明らかな場合であり、その事業の終期までの期間を定める契約であることが必要である。

H27-3B　R3-2A

2. 専門的知識等であって高度のものとして厚生労働大臣が定める基準に該当する専門的知識等

　例えば、次に該当する者が有する専門的知識等を指す。

・博士の学位（外国において授与されたこれに該当する学位を含む。）を有する者
・**弁護士**の資格を有する者
・**社会保険労務士**の資格を有する者
・労働契約期間中に支払われることが確実に見込まれる賃金の額が1年あたり**1,075万円を下回らない**システムエンジニア　（平成28.10.19厚労告376号）

3. 上限5年の労働契約

　高度の専門的知識等を有する労働者との間に締結される労働契約については、当該労働者の有する**高度の専門的知識等を必要とする業務に就く場合に限って**契約期間の上限を5年とする労働契約を締結することが可能となるものであり、当該高度の専門的知識等を必要とする業務に就いていない場合の契約期間の上限は3年であること。　H28-2A　R2-5ア　R4-5A　（平成15.10.22基発1022001号）

問題チェック　H16-2A

　労働基準法第14条第1項では、労働契約は、期間の定めのないものを除き、一定の事業の完了に必要な期間を定めるもののほかは、3年（弁護士、社会保険労務士

41

等に係る労働契約で同項第1号に該当するもの、又は同項第2号に該当するものについては5年）を超える期間について締結してはならないこととされている。この労働基準法第14条第1項に規定する期間を超える期間を定めた労働契約を締結した場合は、同条違反となり、当該労働契約の期間は、同項第1号又は第2号に該当するものについては5年、その他のものについては3年となる。

解答　○　　　　　　法13条、法14条1項、平成28.10.19厚労告376号、平成15.10.22基発1022001号

　法第13条においては、「労働基準法で定める基準に達しない労働条件を定める労働契約は、その部分については無効とする。この場合において、無効となった部分は、労働基準法で定める基準による。」と規定されているので、労働契約の期間の上限が5年に該当する場合（弁護士、社会保険労務士等に係る労働契約）については5年、労働契約の期間の上限が3年に該当する場合については3年の労働契約を締結したこととなる。

② 有期労働契約の暫定措置（法附則137条） ★★★

　期間の定めのある労働契約（一定の事業の完了に必要な期間を定めるものを除き、その期間が**1年を超える**ものに限る。）を締結した**労働者**（第14条第1項各号に規定する**労働契約の上限が5年**である**労働者を除く。）**は、当分の間、民法第628条の規定にかかわらず、当該**労働契約の期間の初日から1年を経過した日以後**においては、その**使用者**に**申し出る**ことにより、**いつでも退職**することができる。

概要

　一定の事業の完了に必要な期間を定めるものを除き、**1年を超える**期間の有期労働契約を締結した労働者であって、法第14条第1項各号に規定する労働者以外の者は、当該労働契約の期間の初日から**1年を経過した日以後**においては、民法第628条に定める事由が存在していなくとも、その使用者に申し出ることにより、いつでも退職することができる。

（平成15.10.22基発1022001号）

Check Point!

☐　法附則第137条の規定は、労働契約期間の上限が3年であり、かつ、1

年を超える有期労働契約を締結した者が対象となる。

> **参考**（民法第628条・やむを得ない事由による雇用の解除）
> 当事者が雇用の期間を定めた場合であっても、やむを得ない事由があるときは、各当事者は、直ちに契約の解除をすることができる。この場合において、その事由が当事者の一方の過失によって生じたものであるときは、相手方に対して損害賠償の責任を負う。

問題チェック　H18-7D

平成16年5月に満60歳の誕生日を迎えたある労働者が、同年8月に3年の期間を定めた労働契約を締結した場合において、本年（平成18年）8月に他の有利な条件の転職先をみつけて退職することを決意した。この場合、当該労働者は、労働基準法第137条の規定により、当該使用者に申し出ることにより、いつでも退職することができる。

解答 ✕　　　　　　　　　　　　　　　　　　　　法14条1項2号、法附則137条

満60歳以上の労働者との間に締結される労働契約については、法附則第137条の規定は適用されず、設問のようにいつでも退職することはできない。

3 労働契約期間満了に係る通知等に関する基準（法14条2項、3項）

★★

> Ⅰ　**厚生労働大臣**は、**期間の定めのある労働契約**の**締結時**及び当該**労働契約の期間**の**満了時**において**労働者と使用者**との間に**紛争**が生ずることを**未然**に**防止**するため、**使用者**が講ずべき**労働契約の期間の満了に係る通知**に関する事項その他必要な事項についての**基準**を定めることができる。
> Ⅱ　**行政官庁**は、Ⅰの**基準**に関し、**期間の定めのある労働契約**を**締結**する**使用者**に対し、**必要な助言及び指導を行う**ことができる。

趣旨

有期労働契約を締結している労働者について適切な労働条件を確保するとともに、有期労働契約が労使双方にとって良好な雇用形態として活用されるようにするためには、有期労働契約の締結、更新及び雇止めに際して発生するトラブルを防止し、その迅速な解決が図られるようにすることが必要である。このため厚生労働大臣が「有期労働契約の締結、更新、雇止め等に関す

> る基準」を定めることができるものとし、当該基準に関し、行政官庁が必要な助言及び指導を行うことができることとした。

・有期労働契約の締結、更新、雇止め等に関する基準

⑴　**有期労働契約の変更等に際して更新上限を定める場合等の理由の説明**

　　使用者は、期間の定めのある労働契約（以下「有期労働契約」という。）の締結後、当該有期労働契約の変更又は更新に際して、**通算契約期間**（労働契約法第18条第1項に規定する通算契約期間をいう。）又は**有期労働契約の更新回数**について、上限を定め、又はこれを引き下げようとするときは、あらかじめ、その理由を労働者に**説明しなければならない**。

⑵　**雇止めの予告**

　　使用者は、有期労働契約（当該契約を**3回以上更新**し、**又は**雇入れの日から起算して**1年を超えて継続勤務**している者に係るものに限り、あらかじめ当該契約を**更新しない旨明示**されているものを除く。）を更新しないこととしようとする場合には、少なくとも当該契約の期間の満了する日の**30日前**までに、その**予告をしなければならない**。 R6-3A

⑶　**雇止めの理由の明示**

①　前記⑵の雇止めの予告をする場合において、使用者は、**労働者**が更新しないこととする理由について**証明書を請求**したときは、**遅滞なくこれを交付しなければならない**。

②　有期労働契約（当該契約を**3回以上更新**し、**又は**雇入れの日から起算して**1年を超えて継続勤務**している者に係るものに限り、あらかじめ当該契約を更新しない旨明示されているものを除く。）が**更新されなかった場合**において、使用者は、**労働者**が更新しなかった理由について**証明書を請求**したときは、**遅滞なくこれを交付しなければならない**。

⑷　**契約期間についての配慮**

　　使用者は、有期労働契約（当該契約を**1回以上更新**し、**かつ**、雇入れの日から起算して**1年を超えて継続勤務**している者に係るものに限る。）を更新しようとする場合においては、当該契約の**実態**及び当該**労働者の希望**に応じて、**契約期間**をできる限り長くするよう**努めなければならない**。

⑸　**無期転換後の労働条件に関する説明**

　　使用者は、労働基準法第15条第1項［労働条件の明示］の規定により、労働者に対して労働基準法施行規則第5条第5項に規定する無期転換申込みに関する事項及び無期転換後の労働条件を明示する場合においては、当該事項

に関する定めをするに当たって労働契約法第３条第２項［均衡考慮の原則］の規定の趣旨を踏まえて就業の実態に応じて均衡を考慮した事項について、当該労働者に**説明するよう努め**なければならない。 (令和5.3.30厚労告114号)

問題チェック H19-4D

　ある使用者が、その期間が３か月の労働契約を２回更新し、３回目を更新しないこととした。その場合には、労働基準法第14条第２項の規定に基づく「有期労働契約の締結、更新、雇止め等に関する基準」によれば、少なくとも当該契約の期間の満了する日の30日前までに、その予告をしなければならない。

解答 ✕ 法14条２項、令和5.3.30厚労告114号

　設問の場合、雇入れの日から起算して９か月しか継続勤務しておらず（１年を超えて継続勤務していない）、また、労働契約を３回以上更新していないため、３回目の労働契約の満了日の30日前までに予告をする必要はない。

❹ 労働条件の明示 (法15条) 重要度 A

1 絶対的及び相対的明示事項 (法15条1項、則5条2項、4項)

★★★

Ⅰ　**使用者**は、**労働契約の締結に際し**、**労働者**に対して**賃金、労働時間**その他の**労働条件を明示**しなければならない。この場合において、**賃金**及び**労働時間**に関する事項その他の厚生労働省令で定める事項については、厚生労働省令で定める方法（**書面の交付**等）により**明示**しなければならない。

Ⅱ　**使用者**は、Ⅰ前段の規定により**労働者**に対して**明示**しなければならない**労働条件**を**事実と異なる**ものとしてはならない。

| Check Point!

□ 法第15条の明示すべき労働条件の範囲は、法第１条［労働条件の原則］及び第２条［労働条件の決定］でいう労働条件の範囲（労働者の職場における一切の待遇）とは異なる。

□ 日日雇い入れられる者や期間を定めて使用される者に対しても、労働契約の締結の際に労働条件を明示する必要がある。

1.　明示すべき時期

労働条件を明示すべき時期は、**労働契約の締結の際**であり、契約期間満了後、**労働契約を更新**する場合も含まれる。 R6-3B

参考 労働者が出向する場合については、在籍型であれ移籍型であれ、出向先と労働者との間で新たに労働契約関係が成立するものであるため、出向に際して出向先は当該事業場における労働条件を明示することが必要である。なお、この労働条件の明示は、出向元が出向先のために代わって行うことも差し支えないものと考えられる。

2.　絶対的明示事項及び相対的明示事項

(1)　明示すべき労働条件の範囲は次表左欄の通りである。なお、当該明示事項は、就業規則の必要記載事項と対比して把握すると効率的であるため、本書では両者を並記した。

法第15条の労働条件の明示		就業規則の必要記載事項	
絶対的明示事項	①**労働契約の期間**に関する事項 ②有期労働契約を更新する場合の基準に関する事項（通算契約期間又は有期労働契約の更新回数に上限の定めがある場合には当該上限を含む。） ③**就業の場所**及び**従事すべき業務**に関する事項（就業の場所及び従事すべき業務の変更の範囲を含む。） R6-3B ④始業及び終業の時刻、**所定労働時間を超える労働の有無**、休憩時間、休日、休暇並びに労働者を2組以上に分けて就業させる場合における就業時転換に関する事項 ⑤賃金（退職手当及び⑧に規定する賃金を除く。以下⑤において同じ。）の決定、計算及び支払の方法、賃金の締切り及び支払の時期並びに昇給に関する事項 ⑥**退職**に関する事項（解雇の事由を含む。）	絶対的必要記載事項	①始業及び終業の時刻、休憩時間、休日、休暇並びに労働者を2組以上に分けて交替に就業させる場合においては就業時転換に関する事項 ②賃金（臨時の賃金等を除く。以下②において同じ。）の決定、計算及び支払の方法、賃金の締切り及び支払の時期並びに昇給に関する事項 ③**退職**に関する事項（解雇の事由を含む。）
	⑦退職手当の定めが適用される労働者の範囲、退職手当の決定、計算及び支払の方法並びに退職手当の支払の時期に関する事項		④**退職手当**の定めが適用される労働者の範囲、退職手当の決定、計算及び支払の方法並びに退職手当の支払の時期に関する事項

| 相対的明示事項 | ⑧臨時に支払われる賃金（退職手当を除く。）、賞与等並びに最低賃金額に関する事項
⑨労働者に負担させるべき食費、作業用品その他に関する事項
⑩安全及び衛生に関する事項
⑪職業訓練に関する事項
⑫災害補償及び業務外の傷病扶助に関する事項
⑬表彰及び制裁に関する事項
⑭休職に関する事項 | 相対的必要記載事項 | ⑤臨時の賃金等（退職手当を除く。）及び最低賃金額に関する事項
⑥労働者に負担させる食費、作業用品その他に関する事項
⑦安全及び衛生に関する事項
⑧職業訓練に関する事項
⑨災害補償及び業務外の傷病扶助に関する事項
⑩表彰及び制裁の種類並びに程度に関する事項
⑪上記①から⑩のほか、当該事業場の労働者のすべてに適用される定めに関する事項 |

(2) 上記左欄②の事項については有期労働契約であって当該労働契約の期間の満了後に当該**労働契約を更新する場合があるものの締結の場合に限り**明示しなければならない。

(則5条1項)

(3) その契約期間内に無期転換申込権が発生する有期労働契約の締結の場合においては、使用者は、**無期転換申込みに関する事項**並びに**無期転換後の労働条件**のうち上記左欄①及び③から⑭についても明示しなければならない。ただし、⑦から⑭までに掲げる事項については、使用者がこれらに関する定めをしない場合においては、この限りでない。

(則5条5項)

3. 労働条件の明示事項①

期間の定めのある労働契約の場合はその期間、期間がない労働契約の場合はその旨を明示しなければならない。 R元-4A

(平成11.1.29基発45号)

4. 労働条件の明示事項③

「雇入れ直後」の就業場所・業務の内容に加え、これらの「変更の範囲」についても明示することが必要とされた（令和6年4月1日施行）。 R6-3B

5. 労働条件の明示事項④

当該労働者に適用される労働時間等に関する具体的な条件を明示しなければならない。なお、当該明示すべき事項の内容が膨大なものとなる場合においては、労働者の利便性をも考慮し、所定労働時間を超える労働の有無以外の事項については、勤務の種類ごとの始業及び終業の時刻、休日等に関する考え方を示した

上、当該労働者に適用される就業規則上の関係条項名を網羅的に示すことで足りるものである。

（平成11.1.29基発45号）

6. 労働条件の明示事項⑥

　退職の事由及び手続、解雇の事由等を明示しなければならない。なお、当該明示すべき事項の内容が膨大なものとなる場合においては、労働者の利便性をも考慮し、当該労働者に適用される就業規則上の関係条項名を網羅的に示すことで足りるものである。

（同上）

7. 派遣労働者に対する労働条件の明示

　派遣元の使用者は、労働者派遣法における労働基準法の適用に関する特例により自己が労働基準法に基づく義務を負わない**労働時間、休憩、休日等を含めて、**労働基準法第15条による**労働条件の明示をする必要がある。** H29-3E

（昭和61.6.6基発333号）

> **参考** 労働者派遣法第34条は、**派遣元**事業主は、労働者派遣をする場合にはあらかじめ労働者派遣契約で定める就業条件等を当該派遣される労働者に明示しなければならないと規定している。労働契約の締結時点と派遣する時点が同時である場合には、労働基準法第15条による労働条件の明示義務と労働者派遣法第34条による派遣先における就業条件の明示義務を併せて行って差し支えない。
>
> （同上）

8. 明示の方法

　絶対的明示事項のうち、⑤の「**昇給に関する事項**」**以外**の事項※については、**書面の交付**による明示が必要である。

　※　その契約期間内に無期転換申込権が発生する有期労働契約の締結の場合においては、これらに加え、無期転換申込みに関する事項並びに無期転換後の労働条件のうち①及び③から⑥までに掲げる事項（昇給に関する事項を除く。）

　ただし、当該**労働者**が当該明示事項が明らかとなる次のいずれかの方法によることを**希望した場合**には、当該方法とすることができる。

　⑴　**ファクシミリ**を利用してする送信の方法
　⑵　電子メールその他のその受信をする者を特定して情報を伝達するために用いられる電気通信（電気通信事業法第2条第1号に規定する電気通信をいう。以下⑵において「**電子メール等**」という。）の送信の方法（当該労働者が当該電子メール等の記録を出力することにより書面を作成することができるものに限る。）

（則5条3項、4項、6項）

9. 書面の様式・書面明示の方法

　書面の様式は自由である。なお、当該労働者に適用する部分を明確にして就業

規則を労働契約の締結の際に交付することとしても差し支えない。

10. 書面により明示すべき賃金に関する事項

　交付すべき書面の内容としては、就業規則の規定と併せ、労働契約締結後初めて支払われる賃金の決定、計算及び支払の方法並びに賃金の締切り及び支払の時期に関する事項が当該労働者について確定し得るものであればよく、例えば、労働者の採用時に交付される辞令等であって、就業規則等に規定されている賃金等級が表示されたものでも差し支えないこと。この場合、その就業規則等を労働者に周知させる措置が必要であることはいうまでもない。 R2-5イ

(昭和51.9.28基発690号、平成11.3.31基発168号)

問題チェック H14-2C

　労働基準法第15条では、使用者は、労働契約の締結に際し、労働者に対して賃金、労働時間その他の労働条件を明示しなければならず、そのうち一定の事項については書面の交付により明示しなければならないとされているが、健康保険、厚生年金保険、労働者災害補償保険及び雇用保険の適用に関する事項もこの書面の交付により明示しなければならない事項に含まれている。

解答 ✕　　　　　　　　　　　　　　　　　　　　　　　　　　法15条1項、則5条

　健康保険、厚生年金保険、労働者災害補償保険及び雇用保険の適用に関する事項は、労働基準法第15条に規定する明示事項に含まれていない。なお、**職業安定法第5条の3**に規定する**募集時等**の労働条件の明示事項には、健康保険、厚生年金保険、労働者災害補償保険及び雇用保険の適用に関する事項が含まれている。

Advice　設問のように、他の法律の規定を引用して誤りの文章を出題するケースもある。労基法第15条の明示事項のすべてを暗記していなくても、他の法律との違いを把握しておくと、正しい判断ができる。

❺ 労働者の労働契約解除権及び帰郷旅費
（法15条2項、3項） A ★★★

Ⅰ　法第15条第1項［労働条件の明示］の規定によって**明示された労働条件**が**事実と相違する**場合においては、**労働者**は、**即時に労働契約を解除**することができる。

Ⅱ　Ⅰの場合、**就業**のために**住居を変更**した**労働者**が、**契約解除の日から14日以内**に**帰郷**する場合においては、**使用者**は、**必要な旅費を負担**しなければならない。

Check Point!

□ 上記Ⅱの「必要な旅費」とは、労働者本人のみならず、就業のため移転した家族の旅費をも含む。　H29-3B 　　　　　　　　　（昭和22.9.13発基17号）

□ 例えば、上記Ⅰに基づいて９月１日に労働契約を解除した場合は、その翌日の９月２日から起算して14日目の日である９月15日までに上記Ⅱの必要な旅費を負担しなければならない。　R4-5B 　　　　　　　　　（民法140条）

1.　明示された労働条件が事実と相違する場合

上記Ⅰの「明示された労働条件」は、当該労働者自身に関する労働条件に限られる。したがって、労働契約の締結に当たって自己以外の者の労働条件について附帯条項が明示されていた場合に、使用者がその条項どおりに契約を履行しないことがあっても、当該労働者は本条により契約を解除することはできない。解釈例規では、労働者Aの契約締結に当たって均衡上他の労働者の賃上げをすることを使用者が約した場合において、使用者がその約束を履行しないためAが労働契約を解除した事案について、本条の適用がないことを明らかにしている。

（昭和23.11.27基収3514号）

参考（社宅の供与）
　社宅が単なる福利厚生施設とみなされる場合は、社宅を供与すべき旨の条件は労働基準法第15条第１項の労働条件には含まれないから、これを供与しなかった場合でも、同条第２項による労働契約の解除権を行使することはできない。　R5-5B 　　　　（同上）

2.　帰郷

上記Ⅱの「帰郷」とは、本人の住所に限らず、父母親族の保護を受ける場合はその者の住所に帰る場合も含む。　　　　　　　　　　　（昭和23.7.20基収2483号）

問題チェック　H28-2B

労働契約の締結に際し明示された労働条件が事実と相違しているため、労働者が労働契約を解除した場合、当該解除により労働契約の効力は遡及的に消滅し、契約が締結されなかったのと同一の法律効果が生じる。

解答 ✕

法15条2項、民法630条

　法第15条第2項の「解除」とは、民法の一般の意味における解除、すなわち、既存の契約の効力を遡及的に消滅させ、契約が締結されなかったのと同一の法律効果を生じさせるものではなく、労働関係という継続的契約関係を将来に向かって消滅させることをいうものである。

問題チェック　R4-選BC

　次の文中の□□□□の部分を選択肢の中の最も適切な語句で埋め、完全な文章とせよ。

　使用者は業務上の必要に応じ、その裁量により労働者の勤務場所を決定することができるものというべきであるが、転勤、特に転居を伴う転勤は、一般に、労働者の生活関係に少なからぬ影響を与えずにはおかないから、使用者の転勤命令権は無制約に行使することができるものではなく、これを濫用することの許されないことはいうまでもないところ、当該転勤命令につき業務上の必要性が存しない場合又は業務上の必要性が存する場合であっても、当該転勤命令が　　B　　なされたものであるとき若しくは労働者に対し通常　　C　　とき等、特段の事情の存する場合でない限りは、当該転勤命令は権利の濫用になるものではないというべきである。右の業務上の必要性についても、当該転勤先への異動が余人をもっては容易に替え難いといった高度の必要性に限定することは相当でなく、労働力の適正配置、業務の能率増進、労働者の能力開発、勤務意欲の高揚、業務運営の円滑化など企業の合理的運営に寄与する点が認められる限りは、業務上の必要性の存在を肯定すべきである。

┌─ 選択肢 ─
│ ①　行うべき転居先の環境の整備をすることなくなされたものである
│ ②　甘受すべき程度を著しく超える不利益を負わせるものである
│ ③　現在の業務に就いてから十分な期間をおくことなく
│ ④　他の不当な動機・目的をもって
│ ⑤　当該転勤先への異動を希望する他の労働者がいるにもかかわらず
│ ⑥　配慮すべき労働条件に関する措置が講じられていない
│ ⑦　予想し得ない転勤命令がなされたものである
│ ⑧　労働者に対する事前の説明を経ることなく

解答

最二小昭和61.7.14東亜ペイント事件

B：④　他の不当な動機・目的をもって
C：②　甘受すべき程度を著しく超える不利益を負わせるものである

---

2 労働契約の終了

❶ 解雇 重要度A ★★★

　「**解雇**」とは、労働契約を将来に向かって解約する**使用者側の一方的意思表示**である。

趣旨

　労働基準法は、いわゆる解雇自由の原則については直接修正を加えることなく、法第19条において労働者が解雇後の就業活動に困難を来すような場合に一定の期間について解雇を一時制限し、労働者が生活の脅威を被ることがないように保護し、法第20条において労働者が突然の解雇から被る生活の困窮を緩和するため、使用者に対し労働者を解雇する場合に30日前に解雇の予告をすべきことを義務付けている。

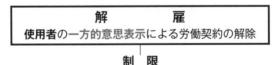

```
                    解        雇
          使用者の一方的意思表示による労働契約の解除

                      制    限
     ┌──────────────────┴──────────────────┐
  解 雇 制 限：法19条          解雇予告（手当の支払）：法20条
     ⇕                            ⇕
  ・打切補償支払              ・天災事変等事業継続不可能＋認定
  ・天災事変等事業継続不可能＋認定   ・労働者の責に帰すべき事由＋認定
         ↓                         ↓
    解雇制限解除              解雇予告（手当の支払）不要

                      臨時的・短期的労働者については
                      適用除外：法21条
```

> ┃**Check Point!**▶
>
> □ 労働関係の終了事由のうちでも、労使間の合意による解約、労働契約期間満了、労働者側からするいわゆる任意退職等は、原則として、解雇ではない。

1. 解雇権濫用法理

解雇は、**客観的に合理的な理由を欠き、社会通念上相当であると認められない場合**は、その**権利を濫用**したものとして、**無効**とする。 （労働契約法16条）

民法は期間の定めのない雇用契約の解約の自由を定めている（民法627条1項）。しかし、使用者が行う一方的な解約である解雇については労働者に与える影響が大きいことを考慮して、判例により解雇理由の規制である解雇権濫用法理が確立した。この法理は平成15年労働基準法改正により同法第18条の2として法律上明文化され、さらに平成19年の労働契約法制定に伴って労働契約法第16条に移行されたものである。

2. 労働者派遣契約の解除

派遣中の労働者の労働契約と当該派遣中の労働者を派遣している労働者派遣契約とは別個のものであり、派遣先による労働者派遣契約の解除について、労働基準法の解雇に関する規制が適用されることはない。したがって、派遣先が、派遣中の労働者の解雇制限期間中に労働者派遣契約を解除し、又は、予告期間なしに即時に解除することは労働基準法上の問題はないが、派遣元の使用者が当該派遣されていた労働者を解雇しようとする場合には、労働基準法が適用されるので、解雇制限期間中は解雇できず、また、解雇予告等の手続が必要となる。

労働基準法第19条及び20条における事業の継続が不可能であるかどうかの判断は、**派遣元**の事業について行われるので、仮に、当該派遣中の労働者が派遣されている派遣先の事業の継続が不可能となったとしても、これは該当しない。

（昭和61.6.6基発333号）

3. 定年制と解雇

定年退職の場合も、就業規則に「重役会議の議を経て、定年後も継続して使用する場合がある」といった規定があるような場合は、契約が自動的に終了するものと解されない可能性があり、解雇の問題が生じる余地がある。

（昭和22.7.29基収2649号）

問題チェック H22-2A

定年に達したことを理由として解雇するいわゆる「定年解雇」制を定めた場合の定年に達したことを理由とする解雇は、労働基準法第20条の解雇予告の規制を受けるとするのが最高裁判所の判例である。

解答 ○

法20条、最大判昭和43.12.25秋北バス事件

「定年解雇制」とは、定年に達したことを理由として解雇する制度であり、「定年退職制」とは、定年に達したことによって自動的に退職する制度であるが、「定年解雇制」に基づく解雇は、法第20条所定の解雇の制限に服すべきものであるとするのが、最高裁判所の判例である。

定年 退職制	定年に達したことによって自動的に退職する制度※1	解雇の規定 適用なし
定年 解雇制	定年に達したことを理由として解雇する制度※2	解雇の規定 適用あり

(昭和26.8.9基収3388号)

※1　就業規則に定めた定年制が、労働者の定年に達した翌日をもってその雇用契約は自動的に終了する旨を定めたことが明らかであり、かつ、従来この規定に基づいて定年に達した際に当然労働関係が消滅する慣行となっていて、それが従業員にも徹底している場合

※2　労働者が所定の年齢に達したときに、使用者が解雇の意思表示をし、それによって労働契約を終了させるもの。会社の都合や労働者の事情を考慮して定年に達した者をそのまま勤務延長したり、身分を変更して嘱託等として再雇用し、引き続き使用しているなどの場合は、労働者は定年に達した後も引き続き雇用されることを期待することになり、使用者からそのような例外的な取扱いをしないことが明示されるまでは、定年後の身分が明確にならないこととなる。

❷ 解雇制限（法19条）重要度 A

1 解雇制限期間（法19条1項）

★★★

使用者は、労働者が業務上負傷し、又は**疾病にかかり療養のために休業する期間**及び**その後30日間**並びに**産前産後の女性**が第65条の規定によって**休業する期間**及び**その後30日間**は、解雇してはならない。H27-3E

Check Point!

☐ 業務上傷病により治療中であっても休業していなければ解雇制限の規定は適用されない。また、休業していたとしても、その後出勤した日（出勤し得る状態に回復した日）から起算して30日を経過すれば、完全に治ゆしていなくてもその段階での解雇については本条に抵触しない。

H29-3D （昭和24.4.12基収1134号）

1. 業務上傷病による解雇制限期間

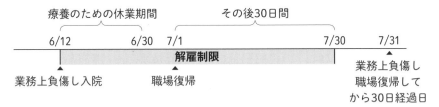

2. 産前の女性に対する解雇制限

出産予定日以前6週間の期間中でも女性が休業せずに就業している場合には、解雇は制限されない。 R元-4C R5-3C

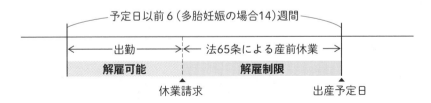

出産予定日以前6週間の休業期間後であっても実際の出産が出産予定日より遅れて休業している期間は法第65条の産前休業期間と解されるので、この期間も解雇が制限される。

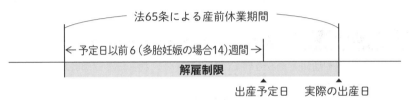

3. 産後の女性に対する解雇制限

産後の休業は、出産当日の翌日から8週間が法定の休業期間であるから、これ

を超えて休業している期間は、たとえ出産に起因する休業であっても本条にいう「休業する期間」には該当しない。また、産後6週間を経過すれば労働者の請求により就業させることができるが、これにより就業している期間も本条にいう「休業する期間」には該当しない。したがって、その後30日間の起算日は、産後8週間経過した日（図①）又は産後8週間経過しなくても6週間経過後その請求により就労させている労働者についてはその就労を開始した日（図②）となる。

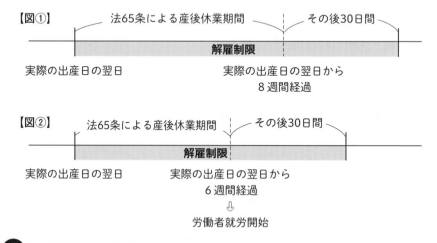

【図①】　法65条による産後休業期間　　その後30日間

解雇制限

実際の出産日の翌日　　　　　実際の出産日の翌日から
　　　　　　　　　　　　　　　　　8週間経過

【図②】　法65条による産後休業期間　　その後30日間

解雇制限

実際の出産日の翌日　　　実際の出産日の翌日から
　　　　　　　　　　　　　6週間経過
　　　　　　　　　　　　　　⇩
　　　　　　　　　　　労働者就労開始

参考（育児休業期間中の解雇）

育児・介護休業法第10条は、労働者が育児休業申出をし、又は育児休業をしたことを理由とする解雇を制限したものであり、育児休業期間中の解雇を一般的に制限したものではなく、育児休業期間中の労働者を解雇しようとする場合には法第20条に規定する手続が必要である。　　　　　　　　　　　　　　　　　　　　　　（平成3.12.20基発712号）

（使用者が法第65条に違反して産前産後の休業を認めずに就労させている場合）

産前は出産予定日以前6週間の期間で労働者より休業を請求した後の期間、産後は出産当日の翌日から8週間（産後6週間を経過して労働者より就労請求があったときはその日まで）は、産前産後の休業をする期間として、その期間とその後30日間は解雇が制限されているものと解すべきである。

（解雇制限期間中の解雇予告）

法第19条第1項［解雇制限］の規定は解雇を制限しているのであり、解雇予告を制限しているのではないため、禁止期間後に満了すべき解雇予告を禁止期間内に発することは法律上差し支えないと解される。

問題チェック　H15-2B

　一定の期間を契約期間とする労働契約により雇い入れられた労働者が、契約期間の途中で業務上負傷し、療養のため休業する場合には、使用者は、少なくとも当該休業期間中及びその後30日間は、当該労働契約を終了させることのないよう当該労働契約の契約期間を更新し、又は延長しなければならない。

解答 ✕　　　　　　　　　　　　　　　法19条1項、昭和63.3.14基発150号

　一定の期間を契約期間とする労働契約により雇い入れられた労働者については、契約期間の途中で業務上負傷し、療養のため休業する場合も、当該労働契約は契約期間の満了とともに終了する（解雇ではない）ので、法第19条［解雇制限］の規定は適用されず、設問のような労働契約の契約期間の更新又は延長の義務はない。

2 解雇制限の解除 （法19条1項ただし書、2項、則6条） ★★★

> I　次の場合には、法第19条第1項本文の**解雇制限**の規定は適用されない。
> 　i　**使用者**が、法第81条の規定によって**打切補償**を**支払う**場合。
> 　ii　**天災事変その他やむを得ない事由のために事業の継続が不可能**となった場合。
> II　I iiの場合においては、その事由について**行政官庁**（**所轄労働基準監督署長**）**の認定**を受けなければならない。

▌Check Point!▶

☐　解雇制限の解除

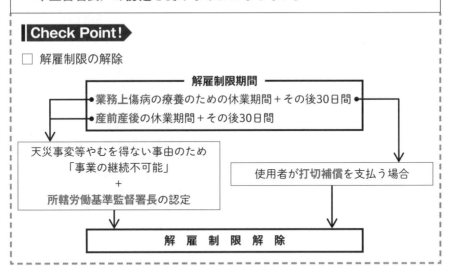

1．法第81条の規定によって打切補償を支払う場合

　解雇制限の1つである業務上傷病による休業期間及びその後30日間中でも、法第81条の規定による打切補償を支払った場合には当該労働者を解雇することができる。療養補償等を継続して行う場合には、打切補償を支払う必要はないが、療

養開始後3年を経過しても打切補償を行わない限り、解雇することは認められない。また、打切補償の支払を約しただけの場合又はその一部の支払をしただけの場合は、打切補償を支払ったことにならないので、解雇することはできない（打切補償については第9章 **1**「**災害補償**」参照）。

2. 天災事変その他やむを得ない事由のために事業の継続が不可能となった場合

天災事変その他やむを得ない事由のために事業の継続が不可能となった場合にも、解雇制限の規定は解除されるが、その事由の存否について所轄労働基準監督署長の認定が必要となる。これは、この解雇制限除外事由が、その性質上個々の具体的事実に基づいて判断する必要があり、また、第一次的にせよ使用者の一方的判断に委ねる場合には、実際上労働者が損害を被ることも多くなる関係から、これを防止する必要もあるからである。

3. 認定基準

(1) 「やむを得ない事由」とは、天災事変に準ずる程度に**不可抗力に基づきかつ突発的な事由**の意であり、事業の経営者として、社会通念上採るべき必要な措置をもってしても通常如何ともなし難いような状況にある場合をいう。

「やむを得ない事由」に 該当する場合	「やむを得ない事由」に 該当しない場合
① 事業場が**火災により焼失**した場合（事業主の故意又は重大な過失に基づく場合を除く） R2-5エ ② **震災**に伴う工場、事業場の倒壊、類焼等により**事業の継続が不可能**となった場合	① 事業主が経済法令違反のため強制収容され、又は購入した諸機械、資材等を没収された場合 ② 税金の滞納処分を受け事業廃止に至った場合 H30-5C ③ **事業経営上の見通しの齟齬**の如き事業主の危険負担に属すべき事由に起因して**資材入手難、金融難**に陥った場合（個人企業で別途に個人財産を有するか否かは本条の認定には直接関係がない） ④ 従来の取引事業場が休業状態となり、発注品なく、ために事業が金融難に陥った場合 R5-5E

(2) 「事業の継続が不可能となる」とは、事業の全部又は大部分の継続が不可能になった場合をいうのであるが、例えば当該事業場の中心となる重要な建物、設備、機械等が焼失を免れ多少の労働者を解雇すれば従来通り操業しうる場合、従来の事業は廃止するが多少の労働者を解雇すればそのまま別個の

事業に転換しうる場合の如く事業がなおその主たる部分を保持して継続しうる場合、又は一時的に操業中止のやむなきに至ったが、事業の現況、資材、資金の見通し等から全労働者を解雇する必要に迫られず、近く再開復旧の見込が明らかであるような場合は含まれない。（昭和63.3.14基発150号、婦発47号）

参考（労災保険給付を受けて休業する労働者に対する解雇制限にかかる判決について）**H28-選AB**
(1)打切補償は、本来労基法の規定による療養補償を受ける労働者に対して行われるものであるが、「学校法人専修大学事件（最二小平成27.6.8）」では、労災保険法による療養補償給付を受ける労働者（労基法の規定による療養補償を受けない労働者）に対して行われた打切補償の（に相当する）支払によって、労基法第19条第1項ただし書による解雇制限の解除規定が適用されるかどうかについて争われた。その判決の要旨は次のとおりである。
　①労基法上の使用者の災害補償義務は、労災保険法に基づく保険給付（以下「労災保険給付」という。）が行われている場合には、それによって実質的に行われているといえるので、災害補償を使用者自身が負担している場合と、労災保険給付が行われている場合とで、労基法第19条第1項ただし書の適用を異にすべきものとはいい難い。
　②労災保険給付が行われている場合は、**打切補償**として相当額の支払がされても傷害又は疾病が治るまでは必要な給付が行われるため、労基法第19条第1項ただし書の適用があるとしても、労働者の利益につきその保護に欠くことになるものともいい難い。
　③したがって、労災保険法第12条の8第1項第1号の療養補償給付を受ける労働者が、療養開始後**3年**を経過しても疾病等が治らない場合には、労基法第75条による療養補償を受ける労働者が上記の状況にある場合と同様に、使用者は、当該労働者につき、同法第81条の規定による**打切補償**の支払をすることにより、解雇制限の除外事由を定める同法第19条第1項ただし書の適用を受けることができるものと解するのが相当である。
(2)今後における労基法第19条第1項ただし書の適用にかかる解釈運用は、上記(1)の③によって行うものである。（平成27.6.9基発0609第4号）

問題チェック **H30-5C**

使用者は、税金の滞納処分を受け事業廃止に至った場合には、「やむを得ない事由のために事業の継続が不可能となつた場合」として、労働基準法第65条の規定によって休業する産前産後の女性労働者であっても解雇することができる。

解答 ✕　　　　　　　　　　　　　　　　　　　法19条1項、昭和63.3.14基発150号

税金の滞納処分を受け事業廃止に至った場合は、「やむを得ない事由のために事業の継続が不可能となった場合」に該当しない。したがって、設問の女性労働者を解雇することはできない。

③ 解雇予告 （法20条） 重要度 A

1 解雇予告及び解雇予告手当の支払 （法20条1項、2項）

★★★

> Ⅰ　**使用者**は、**労働者を解雇しようとする場合**においては、**少くとも30日前にその予告**をしなければならない。**30日前に予告をしない使用者**は、**30日分以上の平均賃金**（**解雇予告手当**）を支払わなければならない。
>
> Ⅱ　Ⅰの**予告の日数**は、**1日**について**平均賃金**を支払った場合においては、その**日数を短縮**することができる。

趣旨

　民法第627条第1項においては、期間の定めのない雇用契約につき、原則として2週間前に予告をすれば解約できると規定されている。しかし、労働者が解雇され、次の就職先を見つけるためには2週間程度では足りないため、法第20条においては、使用者に対し労働者を解雇する場合に30日前に解雇の予告をすべきことを義務付けている。なお、労働者側から意思表示する任意退職の場合は、労働基準法には特に規定されていないので、一般的には民法第627条の規定により2週間前に労働契約の解約の申出をすることになる。

‖Check Point！

□　解雇予告手当は解雇の申渡しと同時に支払うものとされ、解雇の意思表示に際して支払わなければ解雇の効力は生じないものと解されている。

1．解雇予告期間

　予告期間の計算については、労働基準法に特別規定がないので、民法の一般原則によることとなり、解雇予告がなされた日は算入されず、その翌日より計算され、期間の末日の終了をもって期間の満了となるので、**予告の日と、解雇の効力発生の日との間に、中30日間の期間をおく必要がある。**

　また、30日間は労働日でなく暦日で計算されるので、その間に**休日又は休業日があっても延長されない。**したがって、例えば7月31日に解雇する（その日の終了をもって解雇の効力発生＝8月1日を解雇の効力発生日とする）ためには、遅

くとも7月1日には、解雇の予告をしなければならない。 R元-4D R4-選A

解雇予告期間と解雇予告手当については、両者を併用して30日分以上にする方法でもかまわない。例えば、18日分の平均賃金を支払うのであれば、12日前の解雇予告でも足りる（予告の日数を短縮できる）。

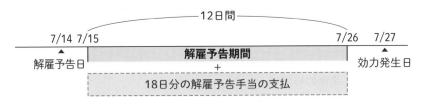

2. 解雇予告の取消し

解雇予告の意思表示は、一般的には取り消すことができないが、労働者が具体的事情の下に自由な判断によって同意を与えた場合には、取り消すことができるものと解すべきである。解雇予告の意思表示の取消しに対して、労働者の同意がない場合は、自己退職の問題は生じない。 R2-5ウ

（昭和25.9.21基収2824号、昭和33.2.13基発90号）

3. 解雇予告と解雇制限期間の関係

解雇予告期間満了の直前に労働者が業務上の傷病のために休業をした場合には、法第19条の解雇制限の適用があるので、制限期間中の解雇はできない。ただし、その休業期間が長期にわたるようなものでない限り、解雇予告の効力の発生が停止したにすぎないので、改めて解雇予告をする必要はない。 H30-2エ

（昭和26.6.25基収2609号）

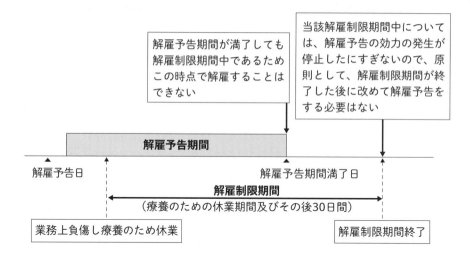

4.　予告期限到来後の解雇

　30日前に予告はしたが、予告期間満了後引き続き使用する場合には、通常同一条件でさらに労働契約がなされたものとみなされるので、その解雇予告については無効となり、その後解雇する場合には改めて法第20条所定（解雇予告等）の手続を経なければならない。

（昭和24.6.18基発1926号）

5.　予告期間中の労働関係

　解雇予告と同時に休業を命じ、解雇予告期間中は平均賃金の60％の休業手当しか支払わなかった場合でも、30日前に予告がなされている限り、その労働契約は予告期間の満了によって終了する。

（昭和24.12.27基収1224号）

6.　解雇予告手当

　解雇予告手当は**解雇の申渡しと同時に支払う**ものとされ、解雇の意思表示に際して支払わなければ解雇の効力を生じないものと解されていることから、一般には解雇予告手当については**時効の問題は生じない**。なお、解雇予告手当は、法第11条の賃金ではないが、法第24条［賃金の支払］の規定に準じて、通貨で直接労働者に支払うのが望ましいとされている。 H30-2オ H30-5A

（昭和23.3.17基発464号、昭和23.8.18基収2520号、昭和27.5.17基収1906号）

7. 最低年齢に満たない労働者の解雇

法第56条の最低年齢違反の無効な労働契約のもとに就労していた児童を解雇する場合にも、本条が適用され、かつ予告による違法状態の継続を認めない建前から、予告手当を支払い、即時解雇すべきである。 　　　　　(昭和23.10.18基収3102号)

8. 組合専従者の解雇予告手当

労働組合専従者である労働者を予告せずに解雇しようとするには、会社より賃金を受けていない場合であっても、組合専従期間中も会社に在籍するものである限り、30日分以上の平均賃金を支払わなければならない。 　　(昭和24.8.19基収1351号)

参考（解雇予告の方法）
解雇予告は、直接個人に対して解雇の意思表示が明確に伝わる方法でなされるべきであり、文書で行うのが確実な方法であるが、口頭で行っても有効である。ただし、口頭で予告した場合には、解雇に関して争いが起こった場合に証明困難となる場合が多いので、解雇予告の手続としてはそれに加えて労働者に書面を交付することにより解雇予告することが望ましい。

（予告手当の概算払い）
多人数の労働者を一時に整理する等において、平均賃金を正確に計算して支払うことが実際問題として不可能である場合には、平均賃金30日分の概算額を支払って即時解雇してもよいが、残余の不足額については、その後速やかに提供しなければならない。

　　　　　　　　　　　　　　　　　　　　　　　　　　(昭和24.7.2基収2089号)

問題チェック　H21-2D

使用者が、労働基準法第20条所定の予告期間を置かず予告手当の支払もしないで労働者に解雇の通知をした場合には、解雇の通知後30日の期間を経過したとしても解雇の効力は発生しないとするのが最高裁判所の判例である。

解答 ✕　　　　　　　　　　　　　法20条1項、最二小昭和35.3.11細谷服装事件

使用者が、法第20条所定の予告期間を置かず予告手当の支払もしないで労働者に解雇の通知をした場合には、その通知は、即時解雇としては効力を生じないが、使用者が即時解雇を固執する趣旨でない限り、当該通知後に所定の予告期間である30日を経過したときか、又は当該通知後に所定の予告手当の支払をしたときから解雇の効力は生ずるものと解すべきである（相対的無効説）、とするのが最高裁判所の判例である。

2 即時解雇が可能な場合 (法20条1項ただし書、3項、則7条)

★★★

I　次の場合には、法第20条第1項本文［**解雇予告**及び**解雇予告手当の支払**］の規定は**適用されない**。

> i　**天災事変その他やむを得ない事由のために事業の継続が不可能**
> となった場合
> ii　**労働者の責に帰すべき事由**に基いて**解雇**する場合
> Ⅱ　Ⅰ i ii の場合においては、その事由について**行政官庁**（**所轄労働基準監督署長**）**の認定**を受けなければならない。

▌Check Point!

□　即時解雇の意思表示をした後、解雇予告除外認定を得た場合はその解雇の効力は使用者が即時解雇の意思表示をした日に発生すると解される。

1.　「天災事変その他やむを得ない事由のために事業の継続が不可能となった場合」

この認定事由及び認定基準については、法第19条の解雇制限と基本的に同様である。 R2-5エ

2.　「労働者の責に帰すべき事由」

この認定事由は、解雇予告制度により労働者を保護するに値しないほどの重大又は悪質な義務違反ないし背信行為が労働者に存する場合であって、企業内における懲戒解雇事由とは必ずしも一致するものではない。

労働者の責に帰すべき事由に該当するケースは次の通りである。

労働者の責に帰すべき事由に該当するもの（原則）
・極めて軽微なものを除き、事業場内における盗取、横領、傷害等刑法犯に該当する行為
・賭博等職場規律を乱し、他の労働者に悪影響を及ぼす行為
・雇入れの際の重大な経歴の詐称
・他事業場への転職
・２週間以上の正当な理由なき無断欠勤
・出勤不良が改まらない場合

（昭和23.11.11基発1637号、昭和31.3.1基発111号）

3.　認定の性格

法第19条及び第20条ただし書による認定は、原則として解雇の意思表示をなす前に受けるべきものであるが、当該認定は、ただし書に該当する事実があるか否かを確認する処分であって、認定されるべき事実がある場合には使用者は有効に即時解雇をなし得るものと解される。したがって、**即時解雇の意思表示をした**

後、**解雇予告除外認定を得た場合**はその**解雇の効力は使用者が即時解雇の意思表示をした日に発生**すると解される。なお、使用者が認定申請を遅らせることは、法第19条又は第20条違反である。

(昭和63.3.14基発150号)

第2章

問題チェック H21-2E

使用者は、労働者の責に帰すべき事由によって解雇する場合には、労働者の帰責性が軽微な場合であっても、労働基準法第20条所定の解雇予告及び予告手当の支払の義務を免れる。

解答 ✕

法20条1項ただし書、昭和31.3.1基発111号

労働者の帰責性が軽微な場合は、法第20条第1項ただし書の「労働者の責に帰すべき事由」には該当しないため、法第20条所定の解雇予告及び予告手当の支払の義務は免れない。

---

❹ 解雇予告の適用除外（法21条） 重要度 A ★★★

法第20条の**解雇予告**の規定は、次表左欄の労働者については**適用されない**。ただし、当該**労働者**が次表右欄に該当した場合には**適用される**。

解雇予告の規定が 適用除外される者	左欄の労働者に解雇予告が 必要となる場合
日日雇い入れられる者	**1箇月**を超えて引き続き使用されるに至った場合 H30-選A
2箇月以内の期間を定めて使用される者	**所定の期間**を超えて引き続き使用されるに至った場合
季節的業務に**4箇月**以内の期間を定めて使用される者	
試の使用期間中の者	**14日**を超えて引き続き使用されるに至った場合

趣旨

臨時的性質の労働者に対しては、法第20条の解雇予告制度を適用し解雇予告をさせることが困難又は不適当であるし、労働者としても臨時的な就労

と考えているのであえて予告させるに及ばないと考えられるため、一定の者を解雇予告制度の適用除外として規定している。しかし、解雇予告義務を免れるため契約の形式のみを上表左欄のかたちにして濫用するおそれもあるので、これを防止する見地から、対象労働者が上表右欄に該当するに至った場合には、法第20条の規定が適用されるものとした。

▌Check Point! ▶

□ 法第21条［解雇予告の適用除外］の該当者であっても、法第19条第１項［解雇制限］の規定は適用される。

1．試の使用期間中の解雇

　法第21条は、試の使用期間中の者であっても、その使用期間が14日を超えた場合は解雇予告の義務を除外しないこととしたものである。従って会社で定めている試の使用期間の如何にかかわりなく、14日を超えれば法第20条の解雇予告、もしくは予告手当の支払を要するものである。

（昭和24.5.14基収1498号）

2．短期契約の継続的な更新

　形式的に労働契約が更新されても、短期の契約を数回に亘って更新し、かつ同一作業に引き続き従事させる場合は、**実質において期間の定めのない契約と同一に取り扱うべきものである**から法第21条第２号に該当するものではない。

（昭和24.9.21基収2751号）

参考（２箇月以内の期間を定めて使用される者）
日日雇い入れられる者として雇用していた労働者を幾日か経過した後に２箇月の期限付労働者として雇用し、その２箇月の期限満了前に解雇する場合、当該２箇月の契約が反復継続されたものでなく、その期間が法第21条第２号に該当する限り解雇の予告の問題は起こらない。

（昭和27.4.22基収1239号）

（契約の更新と試の使用期間）
「日日雇い入れられる者」を期限付き若しくは無期限の一般労働者として雇用した場合、その後２週間の試用期間中に解雇しようとするときは、契約更新に伴い、明らかに作業内容が切り替えられる等客観的に試の使用期間と認められる場合のほか、解雇予告を必要とする。

（同上）

（反復更新された臨時工の解雇予告）
形式的には概ね１箇月の雇用期間を定めた契約が反復更新されても**実質においては期間の定めのない労働関係と認められる場合**は昭和24年９月21日基収第2751号（上記2.参照）の通り法第21条第２号（２箇月以内の期間を定めて使用される者）には該当せず、法第20条の解雇の予告を必要とする。

（昭和27.2.2基収503号）

問題チェック

使用者は、試の使用期間中の労働者が雇入れ後10日目に業務上負傷した場合には、その療養のために休業する期間及びその後30日間は当該労働者を解雇することができない。

解答 ○　　　　　　　　　　　　　　　　　　　　　　　　　　　　　法19条

試の使用期間中であっても解雇制限の規定（❷ 1 「**解雇制限期間**」）は適用されるため、業務上負傷しその療養のために休業する期間及びその後30日間は、当該労働者を解雇することができない。

Advice　試の使用期間中の者で引き続き使用されている期間が14日以内の者が適用除外されているのは、「解雇予告」の規定である。

---

❺ 退職時等の証明 （法22条）重要度 **A** ★★★

Ⅰ　**労働者**が、**退職**の場合において、**使用期間、業務の種類、その事業における地位、賃金又は退職の事由**（退職の事由が解雇の場合にあっては、その理由を含む。）について証明書を**請求**した場合においては、**使用者**は、**遅滞なく**これを**交付**しなければならない。

　　　　　　　　　　　　　　　　　　　H29-3C　R元-4E　R5-5D

Ⅱ　**労働者**が、第20条第1項の**解雇の予告がされた日から退職の日までの間**において、**当該解雇の理由**について証明書を**請求**した場合においては、**使用者**は、**遅滞なく**これを**交付**しなければならない。ただし、**解雇の予告がされた日以後に労働者が当該解雇以外の事由により退職**した場合においては、**使用者**は、当該**退職の日**以後、これを**交付**することを要しない。

Ⅲ　Ⅰ及びⅡの**証明書**には、**労働者の請求しない事項**を**記入**してはならない。 R4-5E

Ⅳ　**使用者**は、あらかじめ第三者と謀り、**労働者の就業を妨げる**ことを**目的**として、**労働者の国籍、信条、社会的身分**若しくは**労働組合運動**に関する通信をし、又はⅠ及びⅡの証明書に秘密の記号を**記入**してはならない。 H30-5E

趣旨

法第22条は、解雇等退職をめぐる紛争を防止し、労働者の再就職活動に資するため、退職時の証明書の交付義務を定めるとともに、労働者の就職を妨害するためのいわゆるブラックリストを禁止したものである。

（昭和22.9.13発基17号、平成15.12.26基発1226002号）

Check Point!

□ 上記Ⅳの「国籍、信条、社会的身分若しくは労働組合運動に関する通信」は、制限列挙であって例示ではない。 H30-5E

（昭和22.12.15基発502号、平成15.12.26基発1226002号）

□ 「退職」には、解雇や契約期間の満了も含まれるので、たとえ懲戒解雇の場合であっても、使用者には証明書の交付義務がある。

1. 法定記載事項

退職時の証明書の法定記載事項は、①使用期間、②業務の種類、③その事業における地位、④賃金又は⑤退職の事由（退職の事由が解雇の場合にあっては、その理由を含む）とされているが、たとえこれらの事項であっても**労働者の請求しない事項について記入してはならない**。例えば、解雇された労働者が解雇の事実のみについて使用者に証明書を請求した場合、使用者は、解雇の理由を証明書に記載してはならず、解雇の事実のみを証明書に記載する義務がある。

（平成11.1.29基発45号、平成15.12.26基発1226002号）

2. 労使間で見解の相違がある場合

労働者と使用者との間で退職の事由について見解の相違がある場合、使用者が自らの見解を退職時の証明書に記載し、労働者の請求に対し遅滞なく交付すれば、基本的には法第22条第1項［退職時の証明書の交付義務］違反とはならないものであるが、それが虚偽であった場合（使用者がいったん労働者に示した事由と異なる場合等）には、法第22条第1項の義務を果たしたことにはならないものと解される。

（平成11.3.31基発169号）

3. 証明書の交付義務

労働者が解雇予告の期間中に当該解雇の理由について証明書を請求した場合は、その日以後に**労働者が当該解雇以外の事由で退職した場合を除いて**、使用者は、当該解雇予告の期間が経過した場合であっても、法第22条第2項（前記Ⅱ）

に基づく証明書の交付義務を負う。この場合、労働者は、当該解雇予告の期間が経過したからといって、改めて法第22条第1項（前記Ⅰ）に基づき解雇の理由についての証明書を請求する必要はない。 （平成15.10.22基発1022001号）

4．秘密の記号

秘密の記号については、事項が限定されていないため、あらかじめ第三者と謀り、かつ労働者の就業を妨げることを目的とする場合は、いかなる事項について記入しても本条に抵触する。

問題チェック H16-3C

労働基準法第22条第2項においては、使用者は、労働者が、同法第20条第1項の解雇の予告がされた日から退職の日までの間において、当該解雇の理由について証明書を請求した場合においては、遅滞なくこれを交付しなければならない旨規定されているが、この規定は、即時解雇の場合には、適用されないものである。

解答 ○ 法22条2項、平成15.10.22基発1022001号

法第22条第2項（前記Ⅱ）の規定は、解雇予告の期間中に解雇を予告された**労働者**から請求があった場合に、使用者は遅滞なく、当該解雇の理由を記載した証明書を交付しなければならないものであるから、**解雇予告の義務がない即時解雇の場合には、適用されないものである**。この場合、即時解雇の通知後に労働者が解雇の理由についての証明書を請求した場合には、使用者は、法第22条第1項（前記Ⅰ）に基づいて解雇の理由についての証明書の交付義務を負うものと解すべきである。

---

❻ 金品の返還 （法23条） A ★★★

Ⅰ **使用者は、労働者の死亡又は退職の場合**において、**権利者の請求**があった場合においては、**7日以内に賃金**を支払い、**積立金、保証金、貯蓄金**その他名称の如何を問わず、**労働者の権利に属する金品を返還**しなければならない。 H30-5A R2-5オ R6-3E

Ⅱ Ⅰの**賃金又は金品**に関して**争**がある場合においては、**使用者**は、**異議のない部分**を、**7日以内に支払い**、又は**返還**しなければならない。 R2-5オ

第2章

労働契約の終了

69

▌Check Point!

☐ 退職手当は、通常の賃金の場合と異なり、予め就業規則等で定められた
　支払時期に支払えば足りるものである。

（昭和26.12.27基収5483号、昭和63.3.14基発150号）

・権利者

　権利者とは、一般には、労働者が退職した場合にはその労働者本人であり、労働者が死亡した場合にはその労働者の遺産相続人であって一般債権者は含まれない。ここにいう労働者の退職とは、労働者の自己退職のみでなく、契約期間の満了等による自然退職及び使用者の都合による解雇等労働関係が終了した場合のすべてをいい（ただし、死亡の場合は退職に含まれない。）、その原因を問わない。

（昭和22.9.13発基17号）

問題チェック　H24-1B

　死亡した労働者の退職金の支払は、権利者に対して支払うこととなるが、この権利者について、就業規則において、民法の遺産相続の順位によらず、労働基準法施行規則第42条、第43条の順位による旨定めた場合に、その定めた順位によって支払った場合は、その支払は有効であると解されている。

解答　○

法23条 1 項、昭和25.7.7基収1786号

　労働者が死亡したときの退職金の支払について別段の定めがない場合には民法の一般原則による遺産相続人に支払う趣旨と解されるが、労働協約、就業規則等において民法の遺産相続の順位によらず、施行規則第42条［遺族補償を受ける者］、第43条［遺族補償の受給者及び順位］の順位による旨定めても違法ではない。したがって、この順位によって支払った場合はその支払は有効である。

第3章

賃　金

賃金の定義・平均賃金

❶ 賃金の定義（法11条）■重要度■ A ★★★

　労働基準法で**賃金**とは、**賃金、給料、手当、賞与その他名称の如何を問わず、労働の対償**として**使用者が労働者に支払う**すべてのものをいう。

▍Check Point!

□ 賃金の判断区分についてまとめると、次の通りとなる。

賃金になるもの	賃金にならないもの
・労働協約、就業規則、労働契約等によって**予め支給条件が明確である場合**の退職手当・結婚祝金・死亡弔慰金・災害見舞金・私傷病見舞金等　H28-1オ	・労働協約、就業規則、労働契約等によって**予め支給条件が明確でない場合**の退職手当・結婚祝金・死亡弔慰金・災害見舞金・私傷病見舞金等
・住宅の貸与を受けない者に対して一定額の均衡給与が支給されている場合の均衡給与相当額	・住宅の貸与を受けない者に対して一定額の均衡給与が支給されていない場合の住宅の貸与 ・制服等の支給（原則） ・作業用品の支給（原則） ・食事の供与（原則）
・法第26条に規定する**休業手当**　R元-5E	・法第76条に規定する休業補償 （法定額を超える部分の休業補償についても賃金としない。）
・通勤手当（通勤定期乗車券の支給を含む）	・**出張旅費**・宿泊費・無料乗車券
・税金の補助 ・**社会保険料の補助**　R3-1E	・**生命保険料の補助** ・財産形成貯蓄奨励金
・**奉仕料分配金**（原則）	・**チップ**
・スト妥結一時金（臨時の賃金）	・労働者持ちの器具の損料 ・役職員交際費（原則） ・**解雇予告手当**

1. 賃金の意義

(1) 労働者に支給される物又は利益にして、次の①②のいずれかに該当するものは、賃金とみなす。

　① 所定貨幣賃金の代りに支給するもの、即ち、その支給により貨幣賃金の減額を伴うもの R6-1E

　② 労働契約において、予め貨幣賃金の外にその支給が約束されているもの

(2) (1)に掲げるものであっても、次の①②のいずれかに該当するものは、賃金とみなさない。

　① 代金を徴収するもの。但しその代金が甚だしく低額なものはこの限りではない。

　② 労働者の厚生福利施設とみなされるもの

(3) **労働協約、就業規則、労働契約等**によって**予め支給条件が明確**である場合の**退職手当**は法第11条の**賃金**であり、法第24条第2項の「臨時の賃金等」に当たる。 H27-4D

(4) 結婚祝金、死亡弔慰金、災害見舞金等の**恩恵的給付**は原則として賃金とみなさないこと。但し、結婚手当等であって**労働協約、就業規則、労働契約等**によって**予め支給条件の明確**なものはこの限りでない。　　　(昭和22.9.13発基17号)

2. 実物給与

労働者より代金を徴収するものは、原則として賃金ではないが、その徴収金額が実際費用の3分の1以下であるときは、徴収金額と実際費用の3分の1との差額部分については、これを賃金とみなす。　　　(昭和22.12.9基発452号)

3. 通勤定期乗車券

通勤定期乗車券は**法第11条の賃金であり**、従って、これを賃金台帳に記入し、また、6ヵ月定期乗車券であっても、これは各月分の賃金の前払として認められるから平均賃金算定の基礎に加えなければならない。R元-1A～E

(昭和25.1.18基収130号、昭和33.2.13基発90号)

4. チップ

チップは、旅館従業員等が客から受け取るものであって賃金ではない。

なお、無償あるいは極めて低廉な価格で食事の供与を受け、又は当該旅館等に宿泊を許されている場合には、かかる実物給与及び利益は賃金とみなすべきである。

なお、チップに類するものであっても、使用者が奉仕料として一定率を定め、客に請求し、収納したものを、一定期間ごとに締め切って、その奉仕料の収納の

あった当日に出勤した労働者に全額を均等配分している場合には、賃金であるということになる。

（昭和23.2.3基発164号）

5.　食事の供与

　食事の供与（労働者が使用者の定める施設に住み込み1日に2食以上支給を受けるような特殊の場合のものを除く）は、その支給のための代金を徴収すると否とを問わず、次の(1)から(3)の条件を満たす限り、原則として、これを賃金として取り扱わず福利厚生として取り扱うこと。 R2-4E

- (1)　食事の供与のために賃金の減額を伴わないこと。
- (2)　食事の供与が就業規則、労働協約等に定められ、明確な労働条件の内容となっている場合でないこと。
- (3)　食事の供与による利益の客観的評価額が、社会通念上、僅少なものと認められるものであること。

（昭和30.10.10基発644号）

6.　所得税等の事業主負担

- (1)　労働者が法令により負担すべき所得税等（健康保険料、厚生年金保険料、雇用保険料等を含む。）を事業主が労働者に代って負担する場合は、これらの労働者が法律上当然生ずる義務を免れるのであるから、この事業主が労働者に代って負担する部分は賃金とみなされる。
- (2)　これに対し、労働者が自己を被保険者として生命保険会社等と任意に保険契約を締結したときに企業が保険料の補助を行う場合、その保険料補助金は、労働者の福利厚生のために使用者が負担するものであるから、賃金とは認められない。

（昭和63.3.14基発150号）

7.　制服等

　交通従業員の制服、工員の作業衣等**業務上必要な被服は作業備品とみて賃金より除外してもよい。**

（昭和23.2.20基発297号）

8.　ストック・オプション

　改正商法（現会社法）によるストック・オプション制度では、権利付与を受けた労働者が権利行使を行うか否か、また、権利行使するとした場合において、その時期や株式売却時期をいつにするかを労働者が決定するものとしていることから、この制度から得られる利益は、それが発生する時期及び額ともに労働者の判断に委ねられているため、労働の対償ではなく、法第11条の賃金には当たらない。 H30-4オ

（平成9.6.1基発412号）

参考 私有自動車を社用に提供する者に対し、社用に用いた走行距離に応じて支給されるガソリン代は、実費弁償であり、労働基準法第11条にいう「賃金」ではない。R元-3オ

(昭和63.3.14基発150号)

問題チェック H28-1オ

労働協約、就業規則、労働契約等によってあらかじめ支給条件が明確にされていても、労働者の吉凶禍福に対する使用者からの恩恵的な見舞金は、労働基準法第11条にいう「賃金」にはあたらない。

解答 ✕

法11条、昭和22.9.13発基17号

労働協約、就業規則、労働契約等によってあらかじめ支給条件が明確にされている見舞金は、労働基準法第11条にいう「賃金」に該当する。

② 平均賃金 (法12条) 重要度 A ★★★

I 労働基準法で**平均賃金**とは、これを**算定すべき事由の発生した日以前3箇月間**にその**労働者**に対し支払われた**賃金の総額**を、**その期間の総日数**で除した金額をいう。ただし、その金額は、次のiⅱのいずれかによって計算した金額を下ってはならない。R元-1A〜E

i **賃金**が、**労働した日**若しくは**時間**によって算定され、又は**出来高払制**その他の**請負制**によって定められた場合においては、**賃金の総額**をその期間中に**労働した日数**で除した金額の**100分の60**

ⅱ **賃金の一部**が、**月、週その他一定の期間**によって定められた場合においては、その部分の**総額**をその期間の**総日数**で除した金額とⅰの金額の**合算額**

Ⅱ Ⅰの期間は、**賃金締切日**がある場合においては、**直前の賃金締切日**から起算する。R元-1A〜E

Ⅲ ⅠⅡの期間中に、次のⅰからⅴのいずれかに該当する期間がある場合においては、**その日数**及びその**期間中の賃金**は、ⅠⅡの**期間**及び**賃金の総額**から**控除**する。

ⅰ **業務上負傷し、又は疾病にかかり療養**のために休業した期間

ⅱ **産前産後**の女性が第65条の規定によって休業した期間

ⅲ **使用者の責めに帰すべき事由**によって**休業**した期間

iv　育児休業、介護休業等育児又は家族介護を行う労働者の福祉に関する法律第2条第1号に規定する**育児休業**又は同条第2号に規定する**介護休業**（同法第61条第3項に規定する行政執行法人介護休業及び同法第61条の2第3項に規定する介護をするための休業を含む。）をした期間 🖋️改正

v　**試みの使用期間**

Ⅳ　Ⅰの**賃金の総額**には、**臨時に支払われた賃金及び3箇月を超える期間ごとに支払われる賃金**並びに**通貨以外のもので支払われた賃金**で**一定の範囲に属しないものは算入しない。**〔R元-1A〜E〕

Ⅴ　**賃金が通貨以外**のもので支払われる場合、Ⅰの**賃金の総額**に算入すべきものの**範囲及び評価**に関し必要な事項は、厚生労働省令で定める。

Ⅵ　**雇入後3箇月に満たない者**については、Ⅰの期間は、**雇入後**の期間とする。

Ⅶ　**日日雇い入れられる者**については、その**従事する事業又は職業**について、**厚生労働大臣の定める金額**を平均賃金とする。

Ⅷ　ⅠからⅥによって算定し得ない場合の平均賃金は、**厚生労働大臣の定める**ところによる。

▌Check Point!

□　原則としての平均賃金の計算方法についてまとめると、次の通りとなる。

		控除する賃金
		① 業務上負傷し、又は疾病にかかり療養のために休業した期間中の賃金
	算入しない賃金	② 産前産後休業をした期間中の賃金
算定事由発生日※以前**3箇月間**※の賃金総額	・**臨時**に支払われた賃金 ・**3箇月**を超える期間ごとに支払われる賃金 ・実物給与のうち法令又は労働協約の別段の定めなしに支払われたもの	③ **使用者の責め**に帰すべき事由によって休業した期間中の賃金 ④ **育児休業**又は**介護休業**をした期間中の賃金 ⑤ **試み**の使用期間中の賃金 ⑥ 組合専従期間中の賃金 ⑦ **争議行為**のための休業期間中の賃金

		控除する期間
上記**3箇月間**の総暦日数	−	上記①から⑦までの賃金が支払われた期間

※ ・賃金締切日がある場合には、**直前の賃金締切日から起算**する。

　　・**雇入れ後3箇月未満**の者については、**雇入れ後の期間**とする（この場合も賃金締切日がある場合は、直前の賃金締切日から起算する）。

☐ 年次有給休暇の日数及びこれに対し支払われる賃金は、法第12条の平均賃金の計算においては、これを算入しなければならない。

（昭和22.11.5基発231号）

☐ 年俸制で毎月払い部分と賞与部分を合計して予め年俸額が確定している場合の平均賃金の算定については、賞与部分を含めた年俸額の12分の1を1箇月の賃金として平均賃金を算定する。

（平成12.3.8基収78号）

1．原則としての平均賃金の計算方法

　原則としての平均賃金の計算方法は次の通りである。ただし、賃金締切日がある場合には、算定事由の発生した日の直前の賃金締切日を起算日とした3箇月間を計算の基礎とする。 H27-2DE

$$平均賃金 = \frac{算定事由発生日以前3箇月間の賃金総額}{上記3箇月間の総日数（総暦日数）}$$

・1日の平均賃金の算定に当たり、**銭未満の端数を生じた時はこれを切り捨て**、各種補償等においてはこれに所定日数を乗じてその総額を算出する。

（昭和22.11.5基発232号）

2. 平均賃金の計算方法－日給、時間給、出来高給等の最低保障

　賃金が日給制、時間給制又は出来高払制その他の請負制によって計算される場合であって、平均賃金の算定期間の3箇月間中に欠勤日数が異常に多いときは、その労働者の平均賃金も異常に低額となり、労働者の1日あたりの「生活賃金」を算定しようとする平均賃金の意味が失われることになる。これを防止するために、「**1. 原則としての平均賃金の計算方法**」で算定した額が、次の(1)又は(2)の方法で算定した最低保障額に満たない場合は、(1)又は(2)の最低保障額が平均賃金となる。

(1)　賃金が日給、時間給、出来高給等で支払われている場合

$$\frac{3箇月間に支払われた賃金総額}{3箇月間の労働日数} \times 60\%$$

(2)　賃金の一部が月給、週給等の定額制で支払われている場合

$$\frac{3箇月間に支払われた月給等の総額}{3箇月間の総暦日数} + \frac{3箇月間に支払われた日給等の総額}{3箇月間の労働日数} \times 60\%$$

3. 算定すべき事由の発生した日

　算定すべき事由と算定事由発生日は以下の通りである。

算定すべき事由	算定事由発生日
解雇予告手当	労働者に解雇の通告をした日
休業手当	休業日（休業が2日以上の期間にわたる場合は、その最初の日）
年次有給休暇中の賃金	年次有給休暇を与えた日（年次有給休暇が2日以上の期間にわたる場合は、年次有給休暇の最初の日）
災害補償	死傷の原因たる事故発生の日又は診断によって疾病の発生が確定した日 H27-2C
減給の制裁の制限額	減給の制裁の意思表示が相手方に到達した日 H30-7D

（昭和25.10.19基収2908号、昭和30.7.19 29基収5875号、昭和39.6.12 36基収2316号）

・所定労働時間が2暦日にわたる勤務を行う労働者（一昼夜交替勤務のごとく1勤務が明らかに2日の労働と解することが適当な場合を除く。）について、当該勤務の2暦日目に算定事由が発生した場合においては、当該**勤務の始業時刻の属する**

日に事由が発生したものとして取り扱われる。

4. 以前3箇月間

「平均賃金を算定すべき事由の発生した日以前3箇月間」とは、事由の発生した日の前日から遡る3箇月間であって、事由の発生した日は含まれないものと解される。

文言上は算定すべき事由の発生した日も入ると解することができるが、通常当該日には労務の提供が完全になされず賃金も全部支払われない場合が多く、これを3箇月間に入れることにより、かえって平均賃金が実態に即さないこととなるので、上記の取扱いとされている。

5. 控除する期間及び賃金 H27-2B

平均賃金が不当に低くなることを防止するため、次の期間及びその期間中の賃金は控除することとされている。

(1) 業務上の傷病による休業期間

当該休業期間については、使用者は労働基準法上賃金の支払の義務はない。

なお、当該休業期間であって、労働者が労働することができないために賃金を受けない場合においては、使用者は、その療養期間中休業補償を行わなければならない。

(2) 産前産後の休業期間

6週間（多胎妊娠の場合は14週間）以内に出産する予定の女性が休業を請求した場合及び産後8週間（原則）を経過しない場合には、使用者はその者を就業させてはならないが、この間の賃金については何ら定めていないので、無給の場合もあり得る。

(3) 使用者の責めに帰すべき事由による休業期間

当該休業期間中、使用者は、労働者に休業手当を支払わなければならないことになっているが、休業手当は最低平均賃金の100分の60であるから、通常の場合よりも賃金額が減少することは否めない。

(4) 育児休業及び介護休業期間

育児・介護休業法により、労働者はその事業主に申し出ることにより育児休業及び介護休業をすることができることとされているが、同法は、この育児休業及び介護休業の期間中の賃金については、何ら規定していないので、無給の場合もあり得る。

なお、同法第2条第1号に規定する育児休業以外の育児休業についても、同様に控除される。

(5) 試みの使用期間

試みの使用期間とは、労働者の技能、人格等により、当該事業場の労働者として適格性を有するか否かを判断して、いわゆる本採用をするかどうかを決めるために、試験的に使用する期間であり、当該期間中の賃金は、本採用後の賃金よりも低いのが一般的である。

参考（算定期間中に組合専従期間がある場合）
平均賃金の算定期間中の一部に組合専従のための休業期間がある場合には、その期間中の日数及び賃金を控除して算定するものとされる。　　　　　　　（昭和25.5.19基収621号）
（算定期間中に争議行為のための休業期間がある場合）
平均賃金の算定期間中に、労働争議により正当な罷業をし、若しくは怠業し、又は正当な作業所閉鎖のため休業した期間がある場合には、その期間及びその期間の賃金は、平均賃金の算定期間及び賃金の総額から控除するものとされている。　　　（昭和29.3.31 28基収4240号）

6. 賃金総額に算入しない賃金 H27-2A

(1) 臨時に支払われた賃金

臨時的、突発的事由に基づいて支払われたもの、及び結婚手当等支給条件は予め確定されているが、支給事由の発生が不確定であり、且つ非常に稀に発生するものをいい、この要件に該当しないものは、臨時に支払われた賃金とはみなさない。具体的には、私傷病手当、加療見舞金、退職金等がこれに該当する。　　　（昭和22.9.13発基17号、昭和26.12.27基収3857号、昭和27.5.10基収6054号）

(2) 3箇月を超える期間ごとに支払われる賃金

例えば、年二期の賞与等をいう。同じく賞与であっても、例えば各四半期ごとに支払われる賞与は、「賃金の総額」に算入することになる。

(3) 通貨以外のもので支払われた賃金で一定の範囲に属しないもの

賃金が通貨以外のもので支払われる場合、賃金総額に算入すべきものの範囲及び評価に関し必要な事項は、次のように定められている。

① 賃金総額に算入すべきものは、**法令又は労働協約の別段の定めに基づいて支払われるものに限る。**

② 通貨以外のものの評価額は、法令に別段の定めがあるほかは、労働協約に定めなければならない。 R4-6ア

③ ②により労働協約に定められた評価額が不適当な場合及び当該評価額が法令若しくは労働協約に定められていない場合は、都道府県労働局長が当該評価額を定めることができる。　　　　　　　　　　　　　（法12条5項、則2条）

参考（日日雇い入れられる者の平均賃金）
日日雇い入れられる者については、稼働にムラがあるばかりでなく、通常、日によって就業する事業場を異にし、賃金額も変動することが多いので、一般常用労働者の平均賃金と同一に取り扱うことは適当でないことから、**厚生労働大臣**が事業又は職業別に定めることとされている。

（前記ⅠからⅥによって算定し得ない場合の平均賃金）
⑴試みの使用期間中に算定事由が発生した場合
　当該期間中の日数及び賃金を用いて平均賃金を算定する。 （則3条）
⑵都道府県労働局長が定めるところによることとする場合
　①上記Ⅲの控除する期間が算定事由発生日以前3箇月以上にわたる場合
　②雇入れの日に算定事由が発生した場合
　③使用者の責めに帰すべからざる休業期間（私傷病等）が算定事由発生日以前3箇月以上にわたる場合 （則4条、平成12.12.25労告120号）
⑶都道府県労働局長が算定し得ないと認めた場合
　この場合は、**厚生労働省労働基準局長**が定めるところによることとされている。
 （平成12.12.25労告120号）

問題チェック H27-2E R元-1A～E類題

賃金締切日が、基本給は毎月月末、時間外手当は毎月20日とされている事業場において、例えば6月25日に算定事由が発生したときは、平均賃金の起算に用いる直前の賃金締切日は、基本給、時間外手当ともに基本給の直前の締切日である5月31日とし、この日から遡った3か月が平均賃金の算定期間となる。

解答 ✕ 　法12条2項、昭和26.12.27基収5926号

賃金ごとに賃金締切日が異なる場合における「直前の賃金締切日」は、それぞれ各賃金ごとの賃金締切日とされている。

賃金の支払

❶ 賃金支払5原則 （法24条） 重要度 A ★★★

> Ⅰ　**賃金**は、通貨で、**直接労働者**に、その**全額**を支払わなければならない。ただし、**法令**若しくは**労働協約**に**別段の定め**がある場合又は厚生労働省令で定める**賃金**について**確実な支払の方法**で厚生労働省令で定めるものによる場合においては、**通貨以外**のもので支払い、また、**法令に別段の定め**がある場合又は**当該事業場の労働者の過半数で組織する労働組合があるときはその労働組合、労働者の過半数で組織する労働組合がないときは労働者の過半数を代表する者との書面による協定がある場合**においては、**賃金の一部を控除して支払**うことができる。 R5-6B
>
> Ⅱ　**賃金**は、**毎月1回以上**、**一定の期日**を定めて支払わなければならない。ただし、**臨時に支払われる賃金**、**賞与**その他これに準ずるもので厚生労働省令で定める賃金（第89条において「**臨時の賃金等**」という。）については、この限りでない。

▌Check Point!

□　賃金支払の5原則と例外についてまとめると、次の通りとなる。

5原則	例外	例外の具体例等	
通貨払	①法令に別段の定めがある場合	現在のところ定めなし	
	②労働協約に別段の定めがある場合 R元-5A	・通勤定期乗車券	
	③一定の賃金で確実な支払方法のもの	労働者の同意が必要	・賃金・退職手当の金融機関への振込み等 ・小切手・普通為替証書等の交付による退職手当の支払
		・労働者が指定する「金融機関への振込み等」を選択できるようにする。 ・労働者に対し、一定の要件に関する事項について説明した上で当該労働者の同意を得る。	・賃金・退職手当のデジタル払い
直接払	労働者の使者（家族等）に支払うこと		
全額払	①法令に別段の定めがある場合	・給与所得からの所得税等の源泉徴収、社会保険料の控除	
	②労使協定を締結している場合 （行政官庁への届出は不要）	・給与所得からの社宅、寮等の費用、組合費の控除	
毎月1回以上払	①臨時に支払われる賃金	・退職手当	
	②賞与		
	③上記①②に準ずるもので厚生労働省令で定める賃金	・1箇月を超える期間の出勤成績によって支給される精勤手当 ・1箇月を超える一定期間の継続勤務に対して支給される勤続手当 ・1箇月を超える期間にわたる事由によって算定される奨励加給又は能率手当	
一定期日払	毎月1回以上払の例外①②③		

（昭和27.9.20基発675号、平成11.3.31基発168号他）

1．通貨払の原則

(1) 労働協約の定めによって通貨以外のもので支払うことが許されるのは、**その労働協約の適用を受ける労働者に限られる。** H29-6A R3-3イ

（昭63.3.14基発150号）

(2) 使用者は**労働者の同意**を得た場合には、次表の方法により支払うことができる。 R3-3ア

	賃金	退職手当
要件	労働者の同意	
支払方法	・労働者が指定※する金融機関への振込み ・労働者が指定※する金融商品取引業者への払込み	
		・金融機関を支払人とする小切手の交付 ・金融機関が支払保証をした小切手の交付 ・普通為替証書等の交付

※ 指定とは、労働者が賃金の振込み対象として銀行その他の金融機関に対する当該労働者本人名義の預貯金口座を指定するとの意味であって、この指定が行われれば労働者の同意が特段の事情のない限り得られているものと解される。

H28-3A （則7条の2,1項、2項、昭和63.1.1基発1号）

(3) 使用者は、資金決済に関する法律に規定する第2種資金移動業（以下単に「第2種資金移動業」という。）を営む資金移動業者であって、下記 参考 1.から8.の要件を満たすものとして厚生労働大臣の指定を受けた者（「指定資金移動業者」という。）のうち当該労働者が指定※するものの第2種資金移動業に係る口座への資金移動により賃金を支払うこと（いわゆる**賃金のデジタル払い**）ができる。

　　ただし、この方法による場合には、当該労働者が「**労働者が指定する金融機関への振込み**」又は「**労働者が指定する金融商品取引業者への払込み**」による賃金の支払を**選択することができるようにする**とともに、当該労働者に対し、下記 参考 1.から6.の要件に関する事項について**説明した上で**、当該**労働者の同意を得なければならない。**

※ 指定とは、労働者が賃金に係る資金移動の対象として当該労働者本人名義の指定資金移動業者口座を指定するとの意味であって、使用者又は使用者から委託された指定資金移動業者が、**必要な事項を説明した上で**、この指定が行われれば、使用者から同意を強制された等特段の事情がない限り同意が得られているものであること。

（令和4.11.28基発1128第3号）

参考（指定資金移動業者として指定を受けるための要件）
1．賃金の支払に係る資金移動を行う口座（以下単に「口座」という。）について、労働

者に対して負担する為替取引に関する債務の額が**100万円を超えることがないように**するための措置又は当該額が100万円を超えた場合に当該額を速やかに100万円以下とするための措置を講じていること。 R6-4A
2．破産手続開始の申立てを行ったときその他為替取引に関し負担する債務の履行が困難となったときに、口座について、労働者に対して負担する為替取引に関する債務の全額を速やかに当該労働者に**弁済することを保証する仕組み**を有していること。 R6-4B
3．口座について、労働者の意に反する不正な為替取引その他の当該労働者の責めに帰することができない理由で当該労働者に対して負担する為替取引に関する債務を履行することが困難となったことにより当該債務について当該労働者に損失が生じたときに、当該**損失を補償する仕組み**を有していること。 R6-4C
4．口座について、特段の事情がない限り、当該口座に係る資金移動が最後にあった日から少なくとも**10年間**は、労働者に対して負担する為替取引に関する債務を履行することができるための措置を講じていること。 R6-4D
5．口座への資金移動が**1円単位**でできるための措置を講じていること。
6．口座への資金移動に係る額の受取について、現金自動支払機を利用する方法その他の通貨による受取ができる方法により**1円単位**で当該受取ができるための措置及び**少なくとも毎月1回**は当該方法に係る手数料その他の費用を負担することなく当該受取ができるための措置を講じていること。 R6-4E
7．賃金の支払に関する業務の実施状況及び財務状況を適時に厚生労働大臣に報告できる体制を有すること。
8．1．から7．までに掲げるもののほか、賃金の支払に関する業務を適正かつ確実に行うことができる技術的能力を有し、かつ、十分な社会的信用を有すること。

（則7条の2,1項3号）

2. 直接払の原則

(1) 賃金の直接払と民法上の委任

　　法第24条第1項は労働者本人以外の者に支払うことを禁止するものであるから、労働者の親権者その他の法定代理人に支払うこと、労働者の委任を受けた任意代理人に支払うことは、いずれも本条違反となり、労働者が第三者に賃金受領権限を与えようとする委任、代理等の法律行為は無効である。ただし、使者に対して賃金を支払うことは差し支えない。 R5-6A

（昭和63.3.14基発150号）

(2) 派遣労働者に対する賃金支払

　　派遣中の労働者の賃金を派遣先の使用者を通じて支払うことについては、派遣先の使用者が、派遣中の労働者本人に対して、派遣元の使用者からの賃金を手渡すことだけであれば、直接払の原則には違反しないものである。

H30-6A （昭和61.6.6基発333号）

(3) 直接払の原則と退職金債権の譲渡

　　退職手当の給付を受ける権利については、その譲渡を禁止する規定がないから、退職者またはその予定者が右退職手当の給付を受ける権利を他に譲渡した場合に譲渡自体を無効と解すべき根拠はないが、その支払については本条（労基法第24条第1項）が適用され、使用者は直接労働者に対し賃金を支

払わなければならず、したがって、右賃金債権の譲受人は自ら使用者に対してその支払を求めることは許されない。 H28-3B R4-6エ

（最三小昭和43.3.12小倉電話局事件）

3. 全額払の原則

(1) 過払賃金の清算

前月分の過払賃金を翌月分で清算する程度は賃金それ自体の計算に関するものであるから、法第24条の違反とは認められない。 （昭和23.9.14基発1357号）

(2) 賃金計算の端数の取扱い

賃金の計算において生じる労働時間、賃金額の端数については次のように取り扱う。

①遅刻、早退、欠勤等の時間の端数処理	5分の遅刻を30分の遅刻として賃金カットをするというような処理は、労働の提供のなかった限度を超えるカット（25分についてのカット）について、賃金の全額払の原則に違反である。なお、このような取扱いを就業規則に定める減給の制裁として、法第91条の制限内で行う場合には、全額払の原則には反しないものである。
②割増賃金計算における端数処理	次の方法は、常に労働者の不利となるものではなく、事務簡便を目的としたものと認められるから、法第24条［賃金の支払］及び第37条［割増賃金］違反としては取り扱わない。 ア　1箇月における時間外労働、休日労働及び深夜業の各々の時間数の合計に1時間未満の端数がある場合に、30分未満の端数を切り捨て、それ以上を1時間に切り上げること。 H28-3C イ　1時間当たりの賃金額及び割増賃金額に円未満の端数が生じた場合、50銭未満の端数を切り捨て、それ以上を1円に切り上げること。 ウ　1箇月における時間外労働、休日労働、深夜業の各々の割増賃金の総額に1円未満の端数が生じた場合、イと同様に処理すること。
③1箇月の賃金支払額における端数処理	次の方法は、賃金支払の便宜上の取扱いと認められるから、法第24条［賃金の支払］違反としては取り扱わない。なお、これらの方法をとる場合には、就業規則の定めに基づき行うよう指導されたい。 ア　1箇月の賃金支払額（賃金の一部を控除して支払う場合には控除した額。以下同じ。）に100円未満の端数が生じた場合、50円未満の端数を切り捨て、それ以上を100円に切り上げて支払うこと。 H29-6C イ　1箇月の賃金支払額に生じた1,000円未満の端数を翌月の賃金支払日に繰り越して支払うこと。

（昭和63.3.14基発150号）

(3) 相殺の取扱い

① 不法行為を原因とした債権との相殺

労働者の賃金は、労働者の生活を支える重要な財源で、日常必要とするものであるから、これを労働者に確実に受領させ、その生活に不安のないようにすることは、労働政策の上から極めて必要なことであり、労働基準法第24条第1項が、賃金は同項但書の場合を除きその全額を直接労働者に支払わねばならない旨を規定しているのも、右にのべた趣旨を、その法意

とするものというべきである。しからば同条項は、労働者の賃金債権に対しては、使用者は、使用者が労働者に対して有する債権をもって相殺することを許されないとの趣旨を包含するものと解するのが相当である。このことは、その債権が不法行為を原因としたものであっても変りはない。

（最大判昭和36.5.31日本勧業経済会事件）

② 全額払の原則と調整的相殺

賃金過払による不当利得返還請求権を自働債権とし、その後に支払われる賃金の支払請求権を受働債権としてする相殺は、その行使の時期、方法、金額等からみて労働者の経済生活との関係上不当と認められないものであれば、労働基準法第24条第1項の禁止するところではないと解する。

`H27-4B` `H29-6D` `R3-3エ` （最一小昭和44.12.18福島県教組事件）

③ 全額払の原則と合意による相殺

労働基準法第24条第1項本文の定めるいわゆる賃金全額払の原則の趣旨とするところは、使用者が一方的に賃金を控除することを禁止し、もって労働者に賃金の全額を確実に受領させ、**労働者の経済生活を脅かすことのないようにしてその保護を図ろうとするもの**というべきであるから、使用者が労働者に対して有する債権をもって労働者の賃金債権と相殺することを禁止する趣旨をも包含するものであるが、労働者がその**自由な意思**に基づき右相殺に同意した場合においては、右同意が労働者の**自由な意思**に基づいてされたものであると認めるに足りる合理的な理由が客観的に存在するときは、右同意を得てした相殺は右規定に違反するものとはいえないものと解するのが相当である。もっとも、右全額払の原則の趣旨にかんがみると、右同意が労働者の**自由な意思**に基づくものであるとの認定判断は、厳格かつ慎重に行われなければならないことはいうまでもないところである。 `H30-6B` `R3-3ウ`

（最二小平成2.11.26日新製鋼事件）

参考（退職金の減額）
営業担当社員に対し退職後の同業他社への就職をある程度の期間制限することをもって直ちに社員の職業の自由等を不当に拘束するものとは認められず、したがって、被上告会社がその退職金規則において、右制限に反して同業他社に就職した退職社員に支給すべき退職金につき、その点を考慮して、支給額を一般の自己都合による退職の場合の半額と定めることも、本件退職金が功労報償的な性格を併せ有することにかんがみれば、合理性のない措置であるとすることはできない。 `H30-選C` （最二小昭和52.8.9三晃社事件）

（チェック・オフ）
労働基準法第24条第1項ただし書の要件を具備するチェック・オフ協定の締結は、これにより、右協定に基づく使用者のチェック・オフが同項本文所定の賃金全額払の原則の例外とされ、同法第120条第1号所定の罰則の適用を受けないという効力を有するにすぎないものであって、それが労働協約の形式により締結された場合であっても、当然に使用者がチェック・オフをする権限を取得するものでないことはもとより、組合員がチェック・

オフを受忍すべき義務を負うものではないと解すべきである。

（最一小平成5.3.25エッソ石油事件）

チェック・オフも、労働基準法第24条の全額払の原則の規制に服することとなるので、労使協定の締結を要する。　　　　　　　　（最二小平成元.12.11済生会中央病院事件）

（賞与の在籍日支給）

最高裁判例によると、賞与はその支給日現在の在籍者にのみ支給する旨の慣行を明文化した賞与支給規定は有効とされている。　　　　　　（最一小昭和57.10.7大和銀行事件）

（全額払の原則と賃金債権の放棄）

本件退職金は、就業規則においてその支給条件が予め明確に規定され、会社が当然にその支払義務を負うものというべきであるから労働基準法第11条の「労働の対償」としての賃金に該当し、したがって、その支払については、同法第24条第1項本文の定めるいわゆる全額払の原則が適用されるものと解する。

しかし、労働基準法第24条第1項本文の定めるいわゆる賃金の全額払の原則の趣旨とするところは、使用者が一方的に賃金を控除することを禁止し、もって労働者に賃金の全額を確実に受領させ、労働者の経済生活をおびやかすことのないようにしてその保護をはかろうとするものというべきであるから、労働者が退職に際しみずから賃金に該当する退職金債権を放棄する旨の意思表示をした場合に、右全額払の原則が右意思表示の効力を否定する趣旨のものであるとまで解することはできない。もっとも、右全額払の原則の趣旨とするところなどに鑑みれば、右意思表示の効力を肯定するには、それが上告人の**自由な**意思に基づくものであることが明確でなければならないものと解すべきである。

H27-4C　R元-5B　R6-選C （最二小昭和48.1.19シンガー・ソーイング・メシーン事件）

（出張・外勤拒否と賃金支払義務）

業務命令によって指定された時間、その指定された出張・外勤業務に従事せず内勤業務に従事したことは、債務の本旨に従った労務の提供をしたものとはいえず、また、被上告人［使用者］は、本件業務命令を事前に発したことにより、その指定した時間については出張・外勤以外の労務の受領をあらかじめ拒絶したものと解すべきであるから、上告人［労働者］らが提供した内勤業務についての労務を受領したものとはいえず、したがって、被上告人［使用者］は、上告人［労働者］らに対し右の時間［当該内勤業務に従事した労働時間］に対応する賃金の支払義務を負うものではない。　　（最一小昭和60.3.7水道機工事件）

（ストライキの際の家族手当のカット）

ストライキ期間中の賃金削減の対象となる部分の存否及びその部分と賃金削減の対象とならない部分の区別は、当該労働協約等の定め又は労働慣行の趣旨に照らし個別的に判断するのを相当とし、（中略）労働基準法第37条第5項が家族手当を割増賃金算定の基礎から除外すべきものと定めたのは、家族手当が労働者の個人的事情に基づいて支給される性格の賃金であって、これを割増賃金の基礎となる賃金に算入させることを原則とすることがかえって不適切な結果を生ずるおそれのあることを配慮したものであり、労働との直接の結びつきが薄いからといって、その故にストライキの場合における家族手当の削減を直ちに違法とする趣旨までを含むものではなく、また、同法第24条所定の賃金全額払の原則は、ストライキに伴う賃金削減の当否の判断とは何ら関係がない。 H30-6D

（最二小昭和56.9.18三菱重工業長崎造船所事件）

4.　毎月1回以上払及び一定期日払の原則

(1)　毎月1回以上

「毎月」とは、暦に従うものと解されるから、毎月1日から月末までの間に少なくとも1回は賃金を支払わなければならない。

法第24条第2項は、賃金の締切期間及び支払期限については明文の定めは設けていないから、賃金締切期間については、必ずしも月の初日から起算し月の末日に締め切る必要はなく、例えば、前月の26日から当月の25日までを

１期間とする等の定めをすることは差し支えなく、また、支払期限について
は、必ずしもある月の労働に対する賃金をその月中に支払うことを要せず、
不当に長い期間でない限り、締切後ある程度の期間を経てから支払う定めを
することも差し支えない。 R4-6イ

(2) 一定の期日を定めて

「一定の期日」は、期日が特定されるとともに、その期日が周期的に到来
するものでなければならない。必ずしも、月の「15日」あるいは「10日及び
20日」等と暦日を指定する必要はないから、月給について「月の末日」、週
給について「土曜日」等とすることは差し支えないが、「毎月15日から20日
までの間」等のように日が特定しない定めをすること、あるいは、「毎月第
２土曜日」のように月７日の範囲で変動するような期日の定めをすることは
許されない。 H27-4E R元-5C

ただし、所定支払日が休日に当たる場合には、その支払日を繰り上げる
（又は繰り下げる）ことを定めるのは、一定期日払に違反しない。 R5-6C

(3) 臨時に支払われる賃金

「臨時に支払われる賃金」とは、「臨時的、突発的事由にもとづいて支払わ
れるもの及び結婚手当等支給条件は予め確定されているが、支給事由の発生
が不確定であり、且つ非常に稀に発生するもの」をいう。就業規則の定めに
よって支給される**私傷病手当**、病気欠勤又は病気休職中の月給者に支給され
る**加療見舞金**、**退職金等**が臨時に支払われる賃金である。

（昭和22.9.13発基17号、昭和26.12.27基収3857号、昭和27.5.10基収6054号）

(4) 賞与の意義

「賞与」とは、定期又は臨時に、原則として労働者の勤務成績に応じて支
給されるものであって、その支給額が予め確定されていないものをいい、定
期的に支給され、かつ、その支給額が確定しているものは、名称の如何にか
かわらず、これを賞与とみなさない。

（昭和22.9.13発基17号）

問題チェック H21-4E H30-6C類題

いわゆる年俸制で賃金が支払われる労働者についても、労働基準法第24条第２項
のいわゆる毎月１回以上一定期日払の原則は適用されるため、使用者は、例えば年
俸額（通常の賃金の年額）が600万円の労働者に対しては、毎月一定の期日を定めて
１月50万円ずつ賃金を支払わなければならない。

解答 ✕   法24条2項

　いわゆる年俸制で賃金が支払われる労働者についても法第24条第2項の毎月1回以上一定期日払の原則は適用されるが、設問のように毎月の支払額については規定されていない。

問題チェック　H25-7

　労働基準法第24条に定める賃金の支払等に関する次のアからオまでの記述のうち、誤っているものの組合せは、後記AからEまでのうちどれか。

ア　いわゆる通貨払の原則の趣旨は、貨幣経済の支配する社会では最も有利な交換手段である通貨による賃金支払を義務づけ、これによって、価格が不明瞭で換価にも不便であり弊害を招くおそれが多い実物給与を禁じることにある。

イ　行政官庁が国税徴収法の規定に基づいて行った差押処分に従って、使用者が労働者の賃金を控除のうえ当該行政官庁に納付することは、いわゆる直接払の原則に抵触しない。

ウ　いわゆる通貨払の原則は強行的な規制であるため、労働協約に別段の定めがある場合にも、賃金を通貨以外のもので支払うことは許されない。

エ　いわゆる全額払の原則の趣旨は、使用者が一方的に賃金を控除することを禁止し、もって労働者に賃金の全額を確実に受領させ、労働者の経済生活を脅かすことのないようにしてその保護を図ろうとするものというべきであるとするのが、最高裁判所の判例である。

オ　退職金は労働者にとって重要な労働条件であり、いわゆる全額払の原則は強行的な規制であるため、労働者が退職に際し退職金債権を放棄する意思表示をしたとしても、同原則の趣旨により、当該意思表示の効力は否定されるとするのが、最高裁判所の判例である。

A（アとウ）　　　　B（アとエ）　　　　C（イとエ）
D（イとオ）　　　　E（ウとオ）

解答　E（ウとオ）

ア　法24条1項。設問の通り正しい。

イ　法24条1項ただし書、国税徴収法76条。設問の通り正しい。

ウ　法24条1項ただし書。労働協約に別段の定めがある場合には、賃金を通貨以外のもので支払うことが許される。

エ　法24条1項、最二小平成2.11.26日新製鋼事件。設問の通り正しい。

オ　法24条1項、最二小昭和48.1.19シンガー・ソーイング・メシーン事件。「最高裁判所の判例においては、「全額払の原則の趣旨とするところは、使用者が一方的に賃金を控除することを禁止し、もって労働者に賃金の全額を確実に受領

させ、労働者の経済生活をおびやかすことのないようにしてその保護を図ろうとするものというべきであるから、労働者が退職に際しみずから賃金に該当する退職金債権を放棄する旨の意思表示をした場合に、全額払の原則が当該意思表示の効力を否定する趣旨のものであるとまで解することはできない」としており、「当該意思表示が労働者の自由な意思に基づくものであると認めるに足る合理的な理由が客観的に存在していたものということができるから、当該意思表示の効力は、これを肯定して差し支えないというべきである」としている。

Advice 設問ウは基本事項であり、設問オは過去の本試験において出題された判例からの問題であるため、Eを選択することは比較的容易である。
なお、イの問題文を誤りの内容にしたものが、H27-4Aにおいて出題されている。

② 非常時払 (法25条、則9条) 重要度A ★★★

　使用者は、**労働者が出産、疾病、災害**その他厚生労働省令で定める**非常の場合**（次のiからiii）**の費用**に充てるために**請求**する場合においては、**支払期日前**であっても、**既往の労働に対する賃金**を支払わなければならない。 R5-6D

　i　**労働者の収入**によって**生計を維持する者**が出産し、**疾病にかかり、又は災害をうけた場合** H29-6B

　ii　**労働者又はその収入**によって**生計を維持する者**が結婚し、又は**死亡した場合**

　iii　**労働者又はその収入**によって**生計を維持する者**が**やむを得ない事由**により**1週間以上**にわたって**帰郷**する場合

Check Point!

□ いまだ労務の提供のない期間に対する賃金を支払う義務はない。
□ 「労働者の収入によって生計を維持する者」とは、労働者が扶養の義務を負っている親族のみに限らず、労働者の収入で生計を営む者であれば、親族でなく同居人であっても差し支えない。 R3-3オ

1. 疾病、災害

　疾病、災害は、**業務上の疾病、負傷であると業務外のいわゆる私傷病であると**

を問わない。洪水、火災等による災厄も災害に含まれると解して差し支えない。

R元-5D　R4-6ウ

2．既往の労働に対する賃金

　労働者が支払期日前の支払を請求することができ、使用者がこれに応じなければならない賃金は、「既往の労働に対する賃金」である。「既往」とは、通常は請求の時以前を指すが、労働者から特に請求があれば、支払の時以前と解すべきであろう。いずれにしても、使用者は、特約のない限り、**いまだ労務の提供のない期間に対する賃金を支払う義務はない。** H28-3D

問題チェック　H29-6B

　労働基準法第25条により労働者が非常時払を請求しうる事由は、労働者本人に係る出産、疾病、災害に限られず、その労働者の収入によって生計を維持する者に係る出産、疾病、災害も含まれる。

解答　○　　　　　　　　　　　　　　　　　　　　　法25条、則9条1号

3 賃金の保障

❶ 休業手当（法26条）重要度 A ★★★

> 　**使用者の責に帰すべき事由**による**休業**の場合においては、**使用者**は、**休業期間中**当該**労働者**に、その**平均賃金の100分の60以上の手当**を支払わなければならない。

趣旨

　本条は、民法の一般原則が労働者の**最低生活保障**について不十分である事実に鑑み、強行法規で平均賃金の100分の60までを保障しようとする規定である。R3-4A

(昭和22.12.15基発502号)

Check Point!

- □ 労働協約、就業規則又は労働契約により休日と定められている日については、休業手当を支給する義務は生じない。R3-4B
- □ 派遣中の労働者の休業手当について、法第26条の使用者の責に帰すべき事由があるかどうかの判断は、派遣元の使用者についてなされる。
- □ 就業規則で「会社の業務の都合によって必要と認めたときは本人を休職扱いとすることがある」と規定し、「会社の業務の都合」が使用者の責に帰すべき事由による休業に該当する場合に平均賃金の100分の60に満たない額の賃金を支給することを規定しても無効である。R3-4C

(昭和23.7.12基発1031号)

1．債務者の危険負担等

　債権者の責めに帰すべき事由によって債務を履行することができなくなったときは、債権者は、反対給付の履行を拒むことができない。この場合において、債務者は、自己の債務を免れたことによって利益を得たときは、これを債権者に償還しなければならない※。

(民法536条2項)

　※　民法によれば、使用者の責に帰すべき事由により労働者が労働債務を履行することができない場合、使用者は賃金支払を拒むことができない。しかし、この規定は

両当事者の合意により排除することができ、また、使用者の責に帰すべき事由は労働基準法第26条より狭いので、民法の規定だけでは労働者保護に十分ではない。

2.　休業

休業手当の支払義務の対象となる「休業」とは、労働者が労働契約に従って労働の用意をなし、しかも労働の意思をもっているにもかかわらず、その給付の実現が拒否され、又は不可能となった場合をいうから、この「休業」には、事業の全部又は一部が停止される場合にとどまらず、使用者が特定の労働者に対して、その意思に反して、就業を拒否する場合も含まれる。 H27-5D

3.　休日の休業手当

法第26条の休業手当は、民法第536条第2項（債務者の危険負担等の規定）によって全額請求し得る賃金の中、平均賃金の100分の60以上を保障せんとする趣旨のものであるから、**労働協約、就業規則又は労働契約により休日と定められている日**については、**休業手当を支給する義務は生じない。** H27-5AC　H29-6E

(昭和24.3.22基収4077号)

4.　休業手当の支払時期

使用者の責に帰すべき事由による休業の場合における休業手当については支払期日に関する明文の定めがないが、休業手当を賃金と解し法第24条第2項に基づく所定賃金支払日に支払うべきものと解する。 R元-5E

(昭和25.4.6基収207号、昭和63.3.14基発150号)

5.　休業期間が1労働日に満たない場合の休業手当の額

法第26条は、使用者の責に帰すべき休業の場合においては、その休業期間中平均賃金の100分の60以上の休業手当を支払わなければならないと規定しており、従って1週の中ある日の所定労働時間がたまたま短く定められていても、その日の休業手当は平均賃金の100分の60に相当する額を支払わなければならない。

1日の所定労働時間の一部のみ使用者の責に帰すべき事由による休業がなされた場合にも、その日について平均賃金の100分の60に相当する金額を支払わなければならないから、現実に就労した時間に対して支払われる賃金が平均賃金の100分の60に相当する金額に満たない場合には、その差額を支払わなければならない。 H27-5B　R5-1A～E

(昭和27.8.7基収3445号)

6.　派遣労働者の休業手当支払いの要否

派遣中の労働者の休業手当について、法第26条の使用者の責に帰すべき事由が

あるかどうかの判断は、**派遣元**の使用者についてなされる。したがって、派遣先の事業場が、天災地変等の不可抗力によって操業できないために、派遣されている労働者を当該派遣先の事業場で就業させることができない場合であっても、それが使用者の責に帰すべき事由に該当しないこととは必ずしもいえず、**派遣元**の使用者について、当該労働者を他の事業場に派遣する可能性等を含めて判断し、その責に帰すべき事由に該当しないかどうかを判断することになる。

（昭和61.6.6基発333号）

7. 使用者の責に帰すべき事由

使用者の責に帰すべき事由による休業に該当するもの・該当しないものを例示すると次の通りである。

該当するもの	該当しないもの
・経営障害（材料不足・輸出不振・資金難・不況等）による休業 ・解雇予告又は解雇予告手当の支払なしに解雇した場合の予告期間中の休業 ・新規学卒採用内定者の自宅待機	・天災地変等の不可抗力による休業 ・労働安全衛生法の規定による健康診断の結果に基づく休業 H30-6E ・ロックアウトによる休業（社会通念上正当と認められるものに限る） ・代休付与命令による休業 ・休電（電力不足の緩和等のため送電を一時停止すること）による休業 H27-5E

（昭和23.6.16基収1935号他）

(1) 下請け工場の資材、資金難による休業

親会社からのみ資材資金の供給をうけて事業を営む下請工場において、現下の経済情勢から親会社自体が経営難のため資材資金の獲得に支障を来し、下請工場が所要の供給をうけることができずしかも他よりの獲得もできないため休業した場合、その事由は法第26条の「使用者の責に帰すべき事由による休業」に該当する。 R3-4D

（昭和23.6.11基収1998号）

(2) 作業所閉鎖（ロックアウト）と休業

労働者側の争議行為に対し、使用者側のこれに対抗する争議行為としての作業所閉鎖は、これが社会通念上正当と判断される限りその結果労働者が休業のやむなきに至った場合には、法第26条の「使用者の責に帰すべき事由による休業」とは認められない。

（昭和23.6.17基収1953号）

(3) 一部ストの場合の他の労働者の休業

一般的にいえば、労働組合が争議をしたことにより同一事業場の当該労働

組合員以外の労働者の一部が労働を提供し得なくなった場合にその程度に応じて労働者を休業させることは差し支えないが、その限度を超えて休業させた場合には、その部分については法第26条の使用者の責に帰すべき事由による休業に該当する。

（昭和24.12.2基収3281号）

参考 一部ストとは、事業場の一部の労働者で組織する労働組合が行うストライキをいう。

(4)　部分ストの場合のスト不参加労働者の休業

定期航空運輸事業を営む会社に職業安定法第44条違反の疑いがあったことから、労働組合がその改善を要求して部分ストライキを行った場合であっても、同社がストライキに先立ち、労働組合の要求を一部受け入れ、一応首肯しうる改善案を発表したのに対し、労働組合がもっぱら自らの判断によって当初からの要求の貫徹を目指してストライキを決行したなど判示の事情があるときは、右ストライキにより労働組合所属のストライキ不参加労働者の労働が社会観念上無価値となったため同社が右不参加労働者に対して命じた休業は、労働基準法第26条の「使用者の責に帰すべき事由」によるものということができない（当該労働者は同条に定める休業手当を請求することができない）。　R5-6E

（最二小昭和62.7.17ノース・ウエスト航空事件）

参考 部分ストとは、組合員の一部のみが参加するストライキをいう。

(5)　労働安全衛生法第66条の健康診断の結果に基づいて休業又は労働時間を短縮した場合

労働安全衛生法第66条の規定による健康診断の結果に基づいて使用者が労働時間を短縮させて労働させたときは、使用者は労働の提供のなかった限度において賃金を支払わなくても差し支えない。但し、使用者が健康診断の結果を無視して労働時間を不当に短縮もしくは休業させた場合には、法第26条の休業手当を支払わなければならない場合の生ずることもある。

（昭和23.10.21基発1529号、昭和63.3.14基発150号）

(6)　新規学卒採用内定者の自宅待機

新規学卒者のいわゆる採用内定については、遅くも、企業が採用内定通知を発し、学生から入社誓約書又はこれに類するものを受領した時点において、過去の慣行上、定期採用の新規学卒者の入社時期が一定の時期に固定していない場合等の例外的場合を除いて、一般には、当該企業の例年の入社時期を就労の始期とし、一定の事由による解約権を留保した労働契約が成立したとみられる場合が多いこと。したがって、そのような場合において、企業の都合によって就労の始期を繰り下げる、いわゆる自宅待機の措置をとると

きは、その繰り下げられた期間について、法第26条に定める休業手当を支給すべきものと解される。 R3-4E

(昭和63.3.14基発150号)

(7) 予告なしに解雇した場合の休業手当

　　使用者の法に対する無関心のために予告することなく労働者を解雇し、労働者は、当該解雇を有効であると思い離職後相当日数を経過し他事業場に勤務し、相当日数経過後当該事実が判明した場合、使用者の行った解雇の意思表示が解雇の予告として有効と認められ、かつ、その解雇の意思表示があったために予告期間中労働者が休業した場合には、使用者は解雇が有効に成立する日までの期間、休業手当を支払えばよい。

(昭和24.7.27基収1701号)

参考 (バックペイと中間利益)
使用者の責めに帰すべき事由によって解雇された労働者が解雇期間中に他の職に就いて利益を得たときは、使用者は、右労働者に解雇期間中の賃金を支払うに当たり右利益(「中間利益」という。)の額を賃金額から控除することができるが、右賃金額のうち労働基準法第12条第1項所定の平均賃金の**6割**に達するまでの部分については利益控除の対象とすることが禁止されているものと解するのが相当である。したがって、使用者が労働者に対して有する解雇期間中の賃金支払債務のうち平均賃金額の**6割**を超える部分から当該賃金の支給対象期間と時期的に対応する期間内に得た中間利益の額を控除することは許されるものと解すべきであり、右利益の額が平均賃金額の**4割**を超える場合には、更に平均賃金算定の基礎に算入されない賃金(労働基準法12条4項所定の賃金[臨時の賃金等])の全額を対象として利益額を控除することが許されるものと解せられる。 R元-選AB

(最一小昭和62.4.2あけぼのタクシー事件)

問題チェック H27-5B R5-1A〜E類題

　使用者の責に帰すべき事由により労働時間が4時間に短縮されたが、その日の賃金として7,500円の支払がなされると、この場合にあっては、使用者は、その賃金の支払に加えて休業手当を支払わなくても違法とならない。

なお、当該労働者の労働条件は次のとおりとする。

所定労働日：毎週月曜日から金曜日　　所定休日：毎週土曜日及び日曜日
所定労働時間：1日8時間　　　　　　賃金：日給15,000円
計算された平均賃金：10,000円

解答 ○　　法26条、昭和27.8.7基収3445号

　現実に就労した時間に対して支払われる賃金が平均賃金の100分の60に相当する金額に満たない場合には、その差額を支払わなければならないが、設問の場合、現実に就労した時間に対して支払われる賃金(7,500円)が平均賃金の100分の60に相当する金額(10,000×60％＝6,000円)を超えているため、休業手当を支払わなくてもよい。

❷ 出来高払制の保障給 （法27条） 重要度 A

★★★

出来高払制その他の請負制で使用する**労働者**については、**使用者**は、労働時間に応じ**一定額の賃金の保障**をしなければならない。

H28-3E　R元-選C　R4-6オ

趣旨

法第27条は、出来高払制その他の請負制で使用される労働者の賃金については、労働者が就業した以上は、たとえその出来高が少ない場合でも、労働した時間に応じて一定額の保障を行うべきことを使用者に義務づけたものである。

使用者が本条によって保障給の支払を義務づけられるのは、労働者が就業したにもかかわらず、材料不足のため多くの待ち時間を費やしたとか、あるいは原料粗悪のために出来高が減少した場合のように、その実収賃金が低下した場合である。

Check Point!

☐ 労働者が労働しない場合、それが労働者の責によるものであるときは、使用者は法第27条に規定する保障給を支払う必要はない。

(昭和23.11.11基発1639号)

・保障給の額

法第27条は労働者の責に基かない事由によって、実収賃金が低下することを防ぐ趣旨であるから、労働者に対し、常に通常の実収賃金と余りへだたらない程度の収入が保障されるように保障給の額を定めるように指導すること。

なお、本条の趣旨は全額請負給に対しての保障給のみならず一部請負給についても基本給を別として、その請負給について保障すべきものであるが、賃金構成からみて固定給の部分が賃金総額中の大半（概ね6割程度以上）を占めている場合には、本条のいわゆる「請負制で使用する」場合に該当しないと解される。

(昭和22.9.13発基17号、昭和63.3.14基発150号)

問題チェック　H17-1A

　ある会社で、出来高払制で使用する労働者について、保障給として、労働時間に応じ1時間当たり、過去3か月間に支払った賃金の総額をその期間の総労働時間数で除した金額の60パーセントを保障する旨を規定し、これに基づいて支払いを行っていた。これは、労働基準法第27条の出来高払制の保障給に関する規定に違反するものではない。

解答　○
法27条、昭和63.3.14基発150号

　保障給の額について法第27条では何ら規定していないが、同条の趣旨は、労働者の最低生活を保障することにあるから、「常に通常の実収賃金と余りへだたらない程度の収入が保障されるように保障給の額を定めるべき（昭和22.9.13発基17号）」であり、大体の目安としては、休業手当が平均賃金の100分の60以上の支払を要求していることからすれば、出来高払制の保障給についても少なくとも平均賃金の100分の60程度を保障することが妥当と考えられている。

第4章

労働時間、休憩、休日及び年次有給休暇

適用除外、労使協定、労働時間、休憩及び休日

労働時間等に関する規定の適用除外等及び労使協定

❶ 労働時間等に関する規定の適用除外
（法41条、則34条）重要度 A　★★★★

労働基準法第4章［**労働時間、休憩及び休日**］、第6章［**年少者**］及び第6章の2［**妊産婦等**］で定める**労働時間、休憩及び休日**に関する規定は、次のいずれかに該当する労働者については**適用しない**。

i 別表第1第6号（**林業を除く。**）［**農業**］又は第7号［**水産・畜産業**］に掲げる事業に従事する者

ii 事業の種類にかかわらず**監督若しくは管理の地位**にある者又は**機密の事務**を取り扱う者

iii **監視又は断続的労働**に従事する者で、**使用者**が**行政官庁**（所轄労働基準監督署長）の**許可を受けたもの**　R4-3A

概要

法第41条は、労働時間、休憩及び休日の規定を適用除外としているものであり、深夜業や年次有給休暇の関係規定は適用が排除されるものではない。したがって、法第41条により労働時間等の適用除外を受ける者であっても、深夜業に対する割増賃金は支払わなければならず、また、年次有給休暇を付与する義務もある。

ただし、労働協約、就業規則その他によって深夜業の割増賃金を含めて所定賃金が定められていることが明らかな場合には別に深夜業の割増賃金を支払う必要はない。（昭和22.11.26基発389号、昭和63.3.14基発150号、平成11.3.31基発168号）

Check Point!

☐ 林業に従事する者については、労働時間等に関する規定が適用される。

☐ 農業等従事者、管理監督者及び機密の事務を取り扱う者については、所轄労働基準監督署長の許可を受けることなく労働時間等に関する規定が

適用除外される。

□ 監視又は断続的労働従事者については、所轄労働基準監督署長の許可を
受けた者に限り、労働時間等に関する規定が適用除外される。

1. 監督又は管理の地位にある者

いわゆる「管理監督者」と呼ばれる者のことであるが、「部長、工場長等労働
条件の決定その他労務管理について**経営者と一体的な立場にある者**の意であり、
名称にとらわれず、実態に即して判断すべきものである」とされている。

（昭和22.9.13発基17号、昭和63.3.14基発150号）

(1) 管理監督者性の判断基準

管理監督者に該当するか否かについては、一般的には、次の要素を基準と
して判断される。

① 職務内容（責任と権限の程度）－経営方針の決定に参画したり、労務管
理上の指揮権限を有するなど、経営者と一体的な立場にあり、一定の裁量
的権限を有しているか。

② 勤務態様（勤務時間の自由度）－出退勤について厳格な規制や管理を受
けず、自己の勤務時間について自由裁量を有しているか。

③ 待遇（賃金等の待遇面での優遇度）－基本給や役職手当（管理職手当）
の支給、賞与等の待遇面において、一般従業員よりも優遇されているか。

(2) 管理監督者

労働基準法第41条第2号に規定する「監督若しくは管理の地位にある者」
（以下「管理監督者」という）は、同法が定める労働条件の最低基準である
労働時間、休憩及び休日に関する規定の適用が除外されるものである。

したがって、その範囲については、一般的には、部長、工場長等労働条件
の決定その他労務管理について経営者と一体的な立場にある者であって、労
働時間、休憩及び休日に関する規制の枠を超えて活動することが要請されざ
るを得ない、重要な職務と責任を有し、現実の勤務態様も、労働時間等の規
制になじまないような立場にある者に限定されなければならないものであ
る。具体的には、管理監督者の範囲については、資格及び職位の名称にとら
われることなく、**職務内容、責任と権限、勤務態様**に着目する必要があり、
賃金等の待遇面についても留意しつつ、総合的に判断することとしていると
ころである。

（平成20.4.1基監発0401001号）

⑶ **多店舗展開する小売業、飲食業等の店舗における管理監督者の具体的な判断要素について**

　管理監督者の「職務内容、責任と権限」「勤務態様」「賃金等の待遇」について、多店舗展開する小売業、飲食業等の店舗の実態を踏まえ、店長等の管理監督者性の判断に当たっての特徴的な要素を具体的に整理した通達が平成20年に発出された（次表参照）。

	管理監督者性を否定する重要な要素	管理監督者性を否定する補強要素
職務内容、責任と権限	①アルバイト・パート等の採用について責任と権限がない ②アルバイト・パート等の解雇について職務内容に含まれず、実質的にも関与せず ③部下の人事考課について職務内容に含まれず、実質的にも関与せず ④勤務割表の作成、所定時間外労働の命令について責任と権限がない	
勤務態様	①遅刻、早退等により減給の制裁、人事考課での負の評価など不利益な取扱いがされる	①長時間労働を余儀なくされるなど、実際には労働時間に関する裁量がほとんどない ②労働時間の規制を受ける部下と同様の勤務態様が労働時間の大半を占める
賃金等の待遇	①時間単価換算した場合にアルバイト・パート等の賃金額に満たない ②時間単価換算した場合に最低賃金額に満たない	①役職手当等の優遇措置が割増賃金が支払われないことを考慮すると十分でなく労働者の保護に欠ける ②年間の賃金総額が一般労働者と比べ同程度以下である

他の要素を含め総合的に判断

（平成20.9.9基発0909001号別添表）

2. 機密の事務を取り扱う者

　秘書その他職務が経営者又は監督若しくは管理の地位にある者の活動と一体不可分であって、厳格な労働時間管理になじまない者をいう。 H27-6エ

（昭和22.9.13発基17号）

3. 監視に従事する者

　監視に従事する者は、原則として、一定部署にあって監視するのを本来の業務とし、**常態として身体又は精神的緊張の少ないもの**について許可する。したがって、次のようなものは許可しない。

⑴ **交通関係の監視、車両誘導を行う駐車場等の監視等**精神的緊張の高い業務

⑵ プラント等における計器類を常態として監視する業務

(3) 危険又は有害な場所における業務　　(昭和22.9.13発基17号、昭和63.3.14基発150号)

4. 断続的労働に従事する者

(1) **休憩時間**は**少ない**が**手待時間**が**多い者**をいい、次のものであって**所轄労働基準監督署長の許可**を受けたものがこれに該当する。

　① 寄宿舎の管理人や賄人、修繕係、鉄道踏切番、**役員専属自動車運転手**等、本来の業務が断続的労働である者

　② 常態としては通常の業務をしているが、時間外又は休日に**宿直又は日直の勤務で断続的な業務を行う者** H27-6オ R4-3A

　　　一方、**タクシー運転手**や**常備消防職員**など相当の精神的緊張や危険を伴う業務に従事する者は断続的の労働に従事する者に該当せず、また、**新聞配達従業員**の労働も**断続的労働とは認められない**。

(則23条、昭和22.9.13発基17号、昭和23.4.5基収1372号、

昭和23.5.5基収1540号、昭和23.2.24基発356号、昭和34.3.9 33基収6763号)

(2) 宿直又は日直の勤務で断続的労働として許可されるためには、原則として、宿直勤務1回についての宿直手当（深夜割増賃金を含む）又は日直勤務1回についての日直手当の最低額が、当該事業場において宿直又は日直の勤務に就くことの予定されている同種の労働者に対して支払われている賃金（法第37条の割増賃金の基礎となる賃金に限る）の1人1日平均額の**3分の1を下らない**ことが必要であり、勤務回数が、原則として、宿直勤務については週1回、日直勤務については月1回を限度としていることが必要である。

(昭和22.9.13発基17号、昭和63.3.14基発150号)

問題チェック H25-3C

労働基準法施行規則第23条の規定に基づく断続的な宿直又は日直勤務としての許可は、常態としてほとんど労働する必要のない勤務のみを認めるものであり、定時的巡視、緊急の文書又は電話の収受、非常事態に備えての待機等を目的とするものに限って許可することとされている。

解答 ○　　　　　　　　　　　法41条3号、則23条、昭和63.3.14基発150号

問題チェック H24-選C

次の文中の　　　の部分を選択肢の中の最も適切な語句で埋め、完全な文章とせよ。

管理監督者であるかの判定に当たっては、（中略）賃金等の待遇面についても無視

し得ないものであること。この場合、定期給与である基本給、役付手当等において、□□□□待遇がなされているか否か、ボーナス等の一時金の支給率、その算定基礎賃金等についても役付者以外の一般労働者に比し優遇措置が講じられているか否か等について留意する必要があること。なお、一般労働者に比べ優遇措置が講じられているからといって、実態のない役付者が管理監督者に含まれるものではないこと。

選択肢
① その地位にふさわしい　　② 取締役に近い
③ 部下の割増賃金を上回る　④ 課長相当職以上の

解答 ① その地位にふさわしい　　　法41条２号、昭和63.3.14基発150号

---

❷ 高度プロフェッショナル制度
（法41条の2,1項、3項〜5項、則34条の2,1項）[重要度]**A**

★★★

Ⅰ **労使委員会**※が設置された事業場において、当該委員会がその委員の**５分の４以上**の多数による議決により一定事項に関する決議をし、かつ、使用者が、厚生労働省令で定めるところにより当該決議を**行政官庁（所轄労働基準監督署長）に届け出た**場合において、**対象労働者**であって**書面**その他の厚生労働省令で定める方法によりその**同意**（以下「**本人同意**」という。）**を得たもの**を当該事業場における**対象業務**に就かせたときは、労働基準法第４章で定める**労働時間、休憩、休日及び深夜の割増賃金**に関する規定は、**対象労働者**については**適用しない**。ただし、**健康管理時間の把握措置、休日確保措置又は選択的措置のいずれか**を使用者が講じていない場合は、この限りでない。

※ 労使委員会については、第４章第２節 **❸❹**「企画業務型裁量労働制」を参照

Ⅱ **厚生労働大臣**は、対象業務に従事する労働者の**適正な労働条件の確保**を図るために、**労働政策審議会**の意見を聴いて、**労使委員会が決議する事項**について指針を定め、これを**公表**するものとする。

Ⅲ　Ⅰの決議をする委員は、当該決議の内容がⅡの**指針**に**適合**したものとなるようにしなければならない。

Ⅳ　**行政官庁**は、Ⅱの**指針**に関し、Ⅰの決議をする委員に対し、**必要な助言**及び**指導**を行うことができる。

趣旨

　高度プロフェッショナル制度（特定高度専門業務・成果型労働制）は、高度の専門的知識等を有し、職務の範囲が明確で一定の年収要件を満たす労働者を対象として、**労使委員会の決議**及び**労働者本人の同意**を前提として、年間104日以上の休日確保措置や健康管理時間の状況に応じた健康・福祉確保措置等を講ずることにより、労働基準法に定められた労働時間、休憩、休日及び深夜の割増賃金に関する規定を適用しない制度である。

▌Check Point!▶

□　法41条該当者と異なり、高度プロフェッショナル制度の対象労働者は、深夜の割増賃金の支払義務の適用も除外される。

□　労使委員会の決議は、所轄労働基準監督署長に届出をしないとその効力が発生しない。R6-5オ

□　使用者が、健康管理時間の把握措置、休日確保措置及び選択的措置の3措置を講じていなければ、高度プロフェッショナル制度の下で労働者を使用することができない。

1．本人同意を得る方法

　使用者は、次に掲げる事項を明らかにした書面に対象労働者の**署名**を受け、当該**書面の交付**を受ける方法（当該対象労働者が**希望した場合**にあっては、当該書面に記載すべき事項を記録した**電磁的記録の提供**を受ける方法）により、労働者の本人同意を得なければならない（同意の撤回も可能）。

①　対象労働者が本人同意をした場合には、**労働時間、休憩、休日**及び**深夜の割増賃金に関する規定が適用されないこととなる旨**

②　本人同意の対象となる**期間**

③　②の期間中に支払われると見込まれる**賃金の額**　　　　（則34条の2,2項）

2. 労使委員会の決議事項

(1) 対象業務

　　高度の専門的知識等を必要とし、その性質上**従事した時間**と**従事して得た成果**との**関連性が通常高くない**と認められるものとして定める次の①から⑤までの業務のうち、労働者に就かせることとする業務〔当該業務に従事する時間に関し使用者から**具体的な指示**（業務量に比して著しく短い期限の設定その他の実質的に当該業務に従事する時間に関する指示と認められるものを含む。）を受けて行うものを**除く**。〕

① 　金融工学等の知識を用いて行う**金融商品の開発の業務**

② 　資産運用（指図を含む。以下②において同じ。）の業務又は有価証券の売買その他の取引の業務のうち、投資判断に基づく資産運用の業務、投資判断に基づく資産運用として行う有価証券の売買その他の取引の業務又は投資判断に基づき自己の計算において行う有価証券の売買その他の取引の業務…**金融商品のディーリング業務**

③ 　有価証券市場における相場等の動向又は有価証券の価値等の分析、評価又はこれに基づく投資に関する助言の業務…**アナリストの業務**

④ 　顧客の事業の運営に関する重要な事項についての調査又は分析及びこれに基づく当該事項に関する考案又は助言の業務…**コンサルタントの業務**

⑤ 　**新たな技術、商品又は役務の研究開発の業務**　　　　　　　(則34条の2,3項)

(2) 対象労働者の範囲

　　高度プロフェッショナル制度の規定により労働する期間において次の①②のいずれにも該当する労働者であって、対象業務に就かせようとするものの範囲

① 　使用者との間の書面その他の厚生労働省令で定める方法による合意に基づき職務が**明確に**定められていること

② 　労働契約により使用者から支払われると見込まれる賃金の額を1年間当たりの賃金の額に換算した額が基準年間平均給与額の**3倍**の額を相当程度**上回る水準**として厚生労働省令で定める額（**1,075万円**）以上であること。

　　　　　　　　　　　　　　　　　　(法41条の2,1項2号、則34条の2,6項)

参考（厚生労働省令で定める方法）

(2)①の厚生労働省令で定める方法とは、使用者が、次に掲げる事項を明らかにした書面に**対象労働者の署名**を受け、当該書面の交付を受ける方法（当該**対象労働者が希望した場合**にあっては、当該書面に記載すべき事項を記録した電磁的記録の提供を受ける方法）とする。

　・**業務の内容**
　・**責任の程度**

・職務において**求められる成果**その他の職務を遂行するに当たって**求められる水準**

（基準年間平均給与額）

基準年間平均給与額は、厚生労働省において作成する毎月勤労統計における毎月決まって支給する給与の額の1月分から12月分までの各月分の合計額とする。

（則34条の2,4項、5項）

(3) 健康管理時間の把握措置

対象業務に従事する対象労働者の健康管理を行うために当該対象労働者が**事業場内にいた時間**（労使委員会が**休憩時間**その他対象労働者が労働していない時間を除くことを決議したときは、当該決議に係る時間を除いた時間）**と事業場外において労働した時間**との**合計の時間**（以下「**健康管理時間**」という。）を把握する措置を当該決議で定めるところにより使用者が講ずること。

（法41条の2,1項3号、則34条の2,7項）

参考 (3)の健康管理時間を把握する措置は、タイムカードによる記録、パーソナルコンピュータ等の電子計算機の使用時間の記録等の客観的な方法によらなければならない。ただし、事業場外において労働した場合であって、やむを得ない理由があるときは、自己申告によることができる。

（則34条の2,8項）

(4) 休日確保措置

対象業務に従事する対象労働者に対し、**1年間を通じ104日以上、かつ、4週間を通じ4日以上**の休日を当該決議及び就業規則その他これに準ずるもので定めるところにより使用者が与えること。

（法41条の2,1項4号）

(5) 選択的措置

対象業務に従事する対象労働者に対し、次の**いずれか**に該当する措置を当該決議及び就業規則その他これに準ずるもので定めるところにより使用者が講ずること。

① 労働者ごとに**始業から24時間を経過**するまでに**11時間以上の継続した休息時間**を確保し、かつ、**深夜の時間帯**（原則午後10時から午前5時までの間）において労働させる回数を**1箇月**について**4回以内**とすること。

② 1週間当たりの**健康管理時間**が40時間を超えた時間を、**1箇月**について**100時間以内又は3箇月**について**240時間以内**とすること。

③ 1年に**1回以上の継続した2週間**（**労働者が請求**した場合においては、1年に**2回以上の継続した1週間**）（使用者が当該期間において、法第39条の規定による年次有給休暇を与えたときは、当該有給休暇を与えた日を**除く。**）について、**休日を与える**こと。

④ 1週間当たりの**健康管理時間**が40時間を超えた場合におけるその超えた時間が**1箇月**当たり**80時間を超えた**対象労働者又は**申出**があった対象労働者に次の項目を含む**臨時の健康診断**を実施すること。

第4章 第1節

ⓐ　労働安全衛生規則第44条第1項［定期健康診断］の以下の項目

既往歴及び業務歴の調査／自覚症状及び他覚症状の有無の検査／身長、体重及び腹囲の検査／血圧の測定／血中脂質検査／血糖検査／尿検査／心電図検査

ⓑ　労働安全衛生規則第52条の4［面接指導における確認事項］に掲げる以下の事項の確認

当該労働者の勤務の状況／当該労働者の疲労の蓄積の状況／その他当該労働者の心身の状況 　　　　　　　　　　　(法41条の2,1項5号、則34条の2,9項〜13項)

(6)　健康・福祉確保措置

対象業務に従事する対象労働者の**健康管理時間の状況**に応じた当該対象労働者の健康及び福祉を確保するための措置であって、当該対象労働者に対する**有給休暇**（法第39条の規定による年次有給休暇を**除く。**）の**付与、健康診断の実施**その他の厚生労働省令で定める措置のうち当該決議で定めるものを使用者が講ずること。 　　　　　　　　　　　　　　　　　　　(法41条の2,1項6号)

参考　健康・福祉確保措置として厚生労働省令で定める措置は、次の通りである。
①選択的措置であって、(5)の決議及び就業規則その他これに準ずるもので定めるところにより使用者が講ずることとした措置**以外**のもの
②健康管理時間が一定時間を超える対象労働者に対し、医師による面接指導（問診その他の方法により心身の状況を把握し、これに応じて面接により必要な指導を行うことをいい、労働安全衛生法第66条の8の4第1項の規定による面接指導を除く。）を行うこと。
③対象労働者の勤務状況及びその健康状態に応じて、**代償休日又は特別な休暇を付与**すること。
④対象労働者の心とからだの健康問題についての**相談窓口を設置**すること。
⑤対象労働者の**勤務状況**及びその**健康状態に配慮**し、必要な場合には適切な部署に**配置転換**をすること。
⑥産業医等による**助言**若しくは**指導**を受け、又は対象労働者に産業医等による**保健指導**を受けさせること。 　　　　　　　　　　　　　　　　　　(則34条の2,14項)

(7)　対象労働者の同意の撤回に関する手続 　　　　　　　(法41条の2,1項7号)

(8)　苦情処理措置

対象業務に従事する対象労働者からの苦情の処理に関する措置を当該決議で定めるところにより使用者が講ずること。 　　　　　　　　　　(法41条の2,1項8号)

(9)　不利益取扱いの禁止

使用者は、本人同意をしなかった対象労働者に対して解雇その他不利益な取扱いをしてはならないこと。 　　　　　　　　　　　　　　(法41条の2,1項9号)

(10)　その他次に掲げる事項

①　労使委員会の決議の**有効期間**の定め及び当該決議は**再度の決議をしない限り更新されない旨**

② 労使委員会の**開催頻度**及び**開催時期**

③ **常時50人未満**の労働者を使用する事業場である場合には、労働者の健康管理等を行うのに必要な知識を有する**医師を選任**すること。

④ 使用者は、ⓐからⓔまでに掲げる事項に関する対象労働者ごとの記録及びⓕに掲げる事項に関する記録を上記①の**有効期間中**及び当該**有効期間の満了後5年間**（当分の間、**3年間**）**保存**すること。

　ⓐ 本人同意及びその撤回

　ⓑ 合意に基づき定められた職務の内容

　ⓒ 支払われると見込まれる賃金の額

　ⓓ 健康管理時間の状況

　ⓔ 休日確保措置、選択的措置、健康・福祉確保措置及び苦情処理措置の実施状況

　ⓕ 上記③による医師の選任　　　（法41条の2,1項10号、則34条の2,15項、則附則71条）

3. 手続

2.の決議事項について、労使委員会でその委員の**5分の4以上**の多数による議決により決議し、当該決議を**所轄労働基準監督署長**に届け出ること。

（法41条の2,1項、則34条の2,1項）

4. 報告

労使委員会の決議の届出をした使用者は、決議の有効期間の始期から起算して**6箇月以内ごとに**、**健康管理時間の状況**並びに**休日確保措置**、**選択的措置**及び**健康・福祉確保措置**の**実施状況**について**所轄労働基準監督署長**に報告しなければならない。

（法41条の2,2項、則34条の2の2）

問題チェック 予想問題

労働基準法第41条の2第1項［高度プロフェッショナル制度］の規定により労使委員会の決議の届出をした使用者は、決議の有効期間の始期から起算して6箇月以内に、健康管理時間の状況並びに休日確保措置、選択的措置及び健康・福祉確保措置の実施状況について所轄労働基準監督署長に報告しなければならない。

解答 ✕　　　　　　　　　　　　　　　　　　　法41条の2,2項、則34条の2の2

「決議の有効期間の始期から起算して6箇月以内に」ではなく、「決議の有効期間の始期から起算して6箇月以内ごとに」である。

（右側縦書き）第4章　第1節

❸ 労使協定（法18条、法36条、則6条の2他）重要度 A

　労使協定については、既に、任意貯蓄や賃金の一部控除の規定で登場しているが、❸「変形労働時間制」以降で頻出するため、ここでその要件等を整理しておく。なお、労働基準法の条文においては、「労使協定」ではなく、下記Ⅰの表現になっているが、本書では、以下、単に「労使協定」と記載する。

★★★

Ⅰ　**労使協定**とは、「**当該事業場**に、**労働者の過半数で組織**する**労働組合がある場合**においてはその**労働組合**、**労働者の過半数で組織**する**労働組合がない場合**においては**労働者の過半数を代表する者**との**書面による協定**」をいう。

Ⅱ　労働基準法に規定する**労働者の過半数を代表する者**（以下「**過半数代表者**」という。）は、次のⅰ ⅱのいずれにも該当する者とする。

　ⅰ　法第41条第2号に規定する**監督又は管理の地位にある者でない**こと。

　ⅱ　法に規定する**協定等**をする者を**選出**することを明らかにして実施される**投票**、**挙手等の方法**による手続により**選出**された者であって、**使用者の意向**に基づき選出されたものでないこと。 R5-6B

Ⅲ　Ⅱ ⅰに該当する者がいない事業場※にあっては、次のⅰからⅳの事項についての**過半数代表者**は、Ⅱ ⅱに該当する者とする。

　※　**監督又は管理の地位にある者のみ**の事業場を指す。

　ⅰ　法第18条第2項［**任意貯蓄**］

　ⅱ　法第24条第1項ただし書［**賃金の一部控除**］ R5-6B

　ⅲ　法第39条第4項、第6項及び第9項ただし書［**時間単位年休、年次有給休暇の計画的付与及び年次有給休暇中の賃金**］

　ⅳ　法第90条第1項［**就業規則の意見聴取**］

Ⅳ　**使用者**は、**労働者が過半数代表者であること**若しくは**過半数代表者になろうとしたこと又は過半数代表者として正当な行為をしたことを理由**として**不利益な取扱い**をしないようにしなければならない。

Ⅴ　**使用者**は、**過半数代表者**が法に規定する協定等に関する**事務を円滑に遂行する**ことができるよう**必要な配慮**を行わなければならない。

概要

　労働基準法上の労使協定の効力は、その協定に定めるところによって労働させても**労働基準法に違反しない**という**免罰効果**をもつものであり、**労働者の民事上の義務**は当該協定から直接生じるものではなく、**労働協約、就業規則等の根拠が必要**である。

　例えば、36協定を締結し、その枠内で時間外労働をさせる限り、労働基準法違反とはならず、罰則等の刑事的責任を問われるものではないが、36協定には労働基準法の規制を解除する効力以上の効力があるわけではないので、労働者に実際に時間外労働をさせるためには、労働協約、就業規則等に規定されていることが必要となる。(昭和63.1.1基発1号)

　ただし、**「年次有給休暇の計画的付与」に係る労使協定**については、これを締結することにより、法第39条第5項[労働者の時季指定権と使用者の時季変更権]の効力は消滅することとされている(別途、**労働協約、就業規則等に規定しなくても、時季指定権・時季変更権の効力は消滅する**)。

　また、労使協定なしに任意貯蓄の管理をしたことについては労働基準法上の罰則がないため、「任意貯蓄」に係る労使協定は、罰則(法第117条以下)の適用を解除する効力**(免罰効果)は有しない**。

Check Point!

□ 「労働者の過半数」を判断する場合の労働者には管理監督者も含まれるが、管理監督者が「過半数代表者」になることはできない。

□ 本条が協定当事者の要件として要求している労働者の過半数を代表する者の要件(上記Ⅱⅰⅱ)は、労使協定の成立要件にとどまり、労使協定の存続要件ではないと解されている。したがって、例えば、労使協定締結後に過半数代表者が法第41条第2号に規定する監督又は管理の地位にある者に該当するに至ったとしても、労使協定の効力に影響を及ぼさない。

1. 事業場

　「事業場」とは、労働基準法の**適用事業として決定される単位**であり、したがって数事業場を擁する企業にあっても、協定はそれぞれの事業場ごとに締結されなければならないが、協定の締結単位と協定当事者を誰にするかとは別個の問題であり、数事業場を擁する企業において、各事業場の長ではなく、社長自らが協

定を締結し、あるいは各事業場ごとにみてその事業場の労働者の過半数で組織されている労働組合につき、支部の長ではなく本部の長が協定を締結することも可能であると解される（当該締結した協定書に基づき支店又は出張所がそれぞれ当該事業場の業務の種類、労働者数、所定労働時間等所要事項のみ記入して、所轄労働基準監督署長に届け出た場合、有効なものとして取り扱うこととされている）。 H29-4E R4-3E

（昭和24.2.9基収4234号、昭和63.3.14基発150号、婦発47号、平成11.3.31基発168号）

2. 労働者の過半数で組織する労働組合

(1) 労働者の範囲

労働組合との間に有効な労使協定を締結するためには、その労働組合がその事業場の労働者の過半数で組織されている必要がある。なお、労使協定にいう労働者とは、当該事業場に使用されているすべての労働者をいうので、**パート社員等**はもちろん**管理職社員**や**病欠、出張、派遣、休職期間中の者も含めなければならない。**
（昭和46.1.18 45基収6206号、平成11.3.31基発168号）

(2) 派遣労働者の場合

派遣元の使用者は、当該**派遣元**の事業に労働者の過半数で組織する労働組合がある場合にはその労働組合と協定をし、過半数で組織する労働組合がない場合には、労働者の過半数を代表する者と協定することになる。この場合の労働者とは、**当該派遣元の事業場すべての労働者**であり、**派遣中の労働者とそれ以外の労働者の両者を含む**ものである。
（昭和61.6.6基発333号）

(3) 労働組合

「労働組合」とは、単なる労働者の集団ではなく、労働組合法第2条に規定する要件を満たすものに限る。

(4) 過半数で組織する労働組合がある場合

事業場に2つの労働組合があるときには、その一方が労働者の過半数で組織していればその労働組合と労使協定を締結すれば足り、その効力は、他方の労働組合員にも当然に及ぶ。
（昭和23.4.5基発535号）

(5) 36協定の三者連名

2つの労働組合のいずれも労働者の過半数で組織していなければ労働者の過半数代表者を選出することになるが、2つの労働組合を合わせて過半数で組織していれば使用者側、第1組合及び第2組合の三者連名の協定であっても違法ではない。
（昭和28.1.30基収398号）

3．過半数代表者の要件

　事業場に労働者の過半数で組織する労働組合がない場合には、上記Ⅱⅰⅱのいずれにも該当するものから選出した「その事業場の労働者の過半数を代表する者」が協定当事者となる。

　上記Ⅱⅱの「投票、挙手等」の「等」には、労働者の話合い、持ち回り決議等労働者の過半数が当該者の選任を支持していることが明確になる**民主的な手続**が該当する。

（平成11.3.31基発169号）

4．効力が及ぶ人的適用範囲

　労使協定が有する労働基準法の規制を解除する**効力が及ぶ人的適用範囲**は、当該事業場の全労働者（労使協定において適用を受ける職種、人員等を制限している場合はその範囲内の全労働者）についてであり、労働者の過半数で組織する労働組合又は労働者の過半数を代表する者との間に締結された労使協定は、その**締結に反対している労働者にも及ぶ**。

5．有効期間

　次の労使協定（労働組合との間に締結され、労働協約となっている場合を除く※）については、有効期間の定めが必要となる。

　⑴　**時間外及び休日の労働**（36協定）

　⑵　**1箇月単位の変形労働時間制**

　⑶　**フレックスタイム制**（**清算期間1箇月超**）

　⑷　**1年単位の変形労働時間制**

　⑸　**事業場外労働**又は**専門業務型裁量労働のみなし労働時間制**

　※　労働組合法第15条により、労働協約に有効期間を定める場合は3年までに限られている。また、有効期間の定めをしない場合でも、当事者の一方が署名又は記名押印した文書によって、解約しようとする日の少なくとも90日前に相手方に予告すれば解約することができることになっている。

6．労使協定の届出

　労使協定の届出等についてまとめると次表の通りとなる。

締結事項		届出	有効期間の定め
①任意貯蓄※1		○	×
②賃金の一部控除		×	×
③1箇月単位の変形労働時間制※2		○	○
④フレックスタイム制	清算期間1箇月以内	×	×
	清算期間1箇月超※2	○	○
⑤1年単位の変形労働時間制※2		○	○
⑥1週間単位の非定型的変形労働時間制※2		○	×
⑦休憩の一斉付与の例外		×	×
⑧時間外及び休日の労働※3		○	○
⑨代替休暇		×	×
⑩事業場外労働のみなし労働時間制※2		○	○
⑪専門業務型裁量労働制※2		○	○
⑫時間単位年休		×	×
⑬年次有給休暇の計画的付与		×	×
⑭年次有給休暇中の賃金		×	×

○→必要　×→不要

※1　届出は必要であるが届出をしないことについて罰則は適用されないもの
　　・任意貯蓄
※2　届出をしなくても効力（免罰効果）が発生するもの
　　・1箇月単位の変形労働時間制 R3-5B R4-7B
　　・フレックスタイム制（清算期間1箇月超）
　　・1年単位の変形労働時間制
　　・1週間単位の非定型的変形労働時間制
　　・事業場外労働のみなし労働時間制
　　・専門業務型裁量労働制
　　【例】1年単位の変形労働時間制に係る労使協定は、所轄労働基準監督署長に届け出なければならず、届け出なかった場合には、届出を怠ったこと自体が30万円以下の罰金の対象とされる。しかし、届け出ていなくても効力（免罰効果）は発生するので、その協定に従って、労働者を1年単位の変形労働時間制により労働させたとしても、他の違反行為がない限り、法第32条［法定労働時間］違反にはならない。
※3　届出が必要であり、届出をしないと効力（免罰効果）が発生しないもの
　　・時間外及び休日の労働
　　【例】36協定は、1年単位の変形労働時間制に係る労使協定のように、締結した段

階で効力が発生するのではなく、所轄労働基準監督署長に届け出た段階で初めて効力（免罰効果）が発生する。したがって、締結した36協定を届け出ずに時間外労働をさせた場合は、36協定を締結せずに時間外労働をさせた場合と同様に、法第32条違反として6箇月以下の懲役又は30万円以下の罰金に処せられる。しかし、36協定については、労働基準法には「届出を怠ったことについての罰則規定」は特に設けられていないので、届け出なかったこと自体について罰則の適用を受けることはない。なお、前述した「高度プロフェッショナル制度に係る労使委員会の決議」の効力についても36協定の場合と同様の扱いとなっており、当該決議を行ったとしても届け出ていない限りその効力は発生せず、「高度プロフェッショナル制度」により労働者を労働させることは認められない（後述する「企画業務型裁量労働制」に係る労使委員会の決議についても同様）。

（平成12.1.1基発1号）

7. 労使委員会の決議、労働時間等設定改善委員会及び労働時間等設定改善企業委員会の決議による適用の特例

労使委員会又は労働時間等設定改善委員会が設置されている事業場においては、当該委員会の委員の**5分の4以上の多数**による議決による決議が行われたときは、当該決議は下記の労使協定等（労働時間等設定改善委員会の決議の場合は(11)を除く。）と同様の効果を有するものとされる。

(1) 1箇月単位の変形労働時間制

(2) フレックスタイム制

(3) 1年単位の変形労働時間制（対象期間を1箇月以上の期間に区分する場合の特例に係る「同意」を含む。）

(4) 1週間単位の非定型的変形労働時間制

(5) 休憩の一斉付与の例外

(6) 時間外及び休日の労働

(7) 代替休暇

(8) 事業場外労働又は専門業務型裁量労働のみなし労働時間制

(9) 時間単位年休

(10) 年次有給休暇の計画的付与

(11) 年次有給休暇中の賃金

また、労使協定により、当該事業場における労働時間等の設定の改善に関する事項について労働時間等設定改善企業委員会に調査審議させ、事業主に対して意見を述べさせることを定めている事業場においては、当該委員会の委員の**5分の4以上の多数**による議決による決議が行われたときは、当該決議は下記の労使協

第4章 第1節

定と同様の効果を有するものとされる。

(1) 代替休暇

(2) 時間単位年休

(3) 年次有給休暇の計画的付与

・労働時間等設定改善委員会及び労働時間等設定改善企業委員会については、「合格テキスト6 労働に関する一般常識」において学習する。

(法38条の4,5項、法41条の2,3項、労働時間等設定改善法7条、同法7条の2)

問題チェック H17-4D改題

労働基準法第39条第6項の規定に基づくいわゆる<u>労使協定による有給休暇を与える時季に関する定め</u>は、免罰的効力を有するに過ぎないので、同条第5項の規定に基づく個々の労働者のいわゆる時季指定権の行使を制約するには、さらに就業規則上の根拠を必要とする。

解答 ✕

法39条6項、昭和63.3.14基発150号

有給休暇を与える時季に関する定め（年次有給休暇の計画的付与）に係る労使協定は、これを締結することにより別途就業規則等に規定しなくても、法第39条第5項 [労働者の時季指定権と使用者の時季変更権] の効力は消滅することとされている。

労働時間

① 労働の定義 重要度 A ★★★

「**労働**」とは、一般的に、**使用者の指揮監督のもとにある**ことをいい、**必ずしも現実に精神又は肉体を活動**させていることを**要件とはしない**。

概要

　労働基準法第32条の労働時間とは、労働者が使用者の**指揮命令下**に置かれている時間をいい、右の労働時間に該当するか否かは、労働者の行為が使用者の**指揮命令下**に置かれたものと評価することができるか否かにより客観的に定まるものであって、**労働契約、就業規則、労働協約等の定めのいかんにより決定されるべきものではない**と解するのが相当である。そして、労働者が、就業を命じられた業務の準備行為等を事業所内において行うことを使用者から義務付けられ、又はこれを余儀なくされたときは、当該行為を所定労働時間外において行うものとされている場合であっても、当該行為は、特別の事情のない限り、使用者の**指揮命令下**に置かれたものと評価することができ、当該行為に要した時間は、それが社会通念上必要と認められるものである限り、労働基準法上の労働時間に該当すると解される。

H27-6ア H28-4A R6-選B （最一小平成12.3.9三菱重工業長崎造船所事件）

Check Point!

□ 労働時間の具体例について、主なものをまとめると、次の通りとなる。

労働時間になるもの	労働時間にならないもの
・自由利用が保障されていない場合の休憩時間（昼休み中の来客当番等）、出張旅行時間、事業場間の移動時間　R5-2オ ・手待時間 ・受講義務のある教育訓練時間 ・安全衛生教育時間　R4-2C ・安全・衛生委員会の会議時間 ・特殊健康診断の受診時間　R4-2A ・研究開発業務従事者に対する面接指導	・自由利用が保障されている休憩時間、出張旅行時間、事業場間の移動時間 ・受講義務のない教育訓練時間　R4-2C ・一般健康診断や二次健康診断の受診時間　R4-2A ・特定保健指導を受ける時間 ・長時間労働者に対する面接指導

1.　手待時間

　貨物取扱いの事業場において、貨物の積込係が、貨物自動車の到着を待機して身体を休めている場合とか、運転手が2名乗り込んで交替で運転に当たる場合において運転しない者が助手席で休息し、又は仮眠しているときであってもそれは労働であり、その状態にある時間（**手待時間**）**は労働時間である。**

H30-1イ　R2-6A　R4-2B　(昭和33.10.11基収6286号)

2.　安全衛生教育の時間

　労働安全衛生法第59条および第60条の安全衛生教育は、労働者がその業務に従事する場合の労働災害の防止を図るため、事業者の責任において実施されなければならないものであり、したがって、安全衛生教育については**所定労働時間内に行うのを原則**とする。また、**安全衛生教育の実施に要する時間は労働時間**と解されるので、当該教育が**法定時間外**に行われた場合には、当然**割増賃金が支払われなければならない**ものである。　R4-2C　　　　　　　　　　　　(昭和47.9.18基発602号)

3.　健康診断の受診時間　R4-2A

　健康診断の受診に要した時間についての賃金の支払いについては、労働者一般に対して行われる、いわゆる**一般健康診断**は、一般的な健康の確保を図ることを目的として事業者にその実施義務を課したものであり、業務遂行との関連において行われるものではないので、その受診のために要した時間については、当然には事業者の負担すべきものではなく労使協議して定めるべきものであるが、労働者の健康の確保は、事業の円滑な運営の不可欠な条件であることを考えると、その受診に要した時間の賃金を事業者が支払うことが望ましい。

特定の有害な業務に従事する労働者について行われる健康診断、いわゆる特殊健康診断は、事業の遂行にからんで当然実施されなければならない性格のものであり、それは所定労働時間内に行われるのを原則とする。また、**特殊健康診断の実施に要する時間は労働時間と解される**ので、当該健康診断が**時間外**に行われた場合には、当然**割増賃金を支払わなければならない**ものである。

（昭和47.9.18基発602号）

4．仮眠時間と休憩時間

　労働基準法第32条の労働時間とは、労働者が使用者の指揮命令下に置かれている時間をいい、実作業に従事していない仮眠時間（以下「不活動仮眠時間」という。）が労働基準法上の労働時間に該当するか否かは、労働者が不活動仮眠時間において使用者の指揮命令下に置かれていたものと評価することができるか否かにより客観的に定まるものというべきである。

　そして、不活動仮眠時間において、労働者が実作業に従事していないというだけでは、使用者の指揮命令下から離脱しているということはできず、当該時間に労働者が労働から離れることを保障されていて初めて、労働者が使用者の指揮命令下に置かれていないものと評価することができる。したがって、不活動仮眠時間であっても**労働からの解放**が保障されていない場合には労働基準法上の労働時間に当たるというべきである。そして、当該時間において労働契約上の役務の提供が義務付けられていると評価される場合には、**労働からの解放**が保障されているとはいえず、労働者は使用者の指揮命令下に置かれているというのが相当である。 R5-選C

　そこで、本件仮眠時間についてみるに、前記事実関係によれば、上告人らは、本件仮眠時間中、労働契約に基づく義務として、仮眠室における待機と警報や電話等に対して直ちに相当の対応をすることを義務付けられているのであり、実作業への従事がその必要が生じた場合に限られるとしても、その必要が生じることが皆無に等しいなど実質的に上記のような義務付けがされていないと認めることができるような事情も存しないから、本件仮眠時間は全体として労働からの解放が保障されているとはいえず、労働契約上の役務の提供が義務付けられていると評価することができる。したがって、上告人らは、本件仮眠時間中は不活動仮眠時間も含めて被上告人の指揮命令下に置かれているものであり、本件仮眠時間は労働基準法上の労働時間に当たるというべきである。 R4-2E

（最一小平成14.2.28大星ビル管理事件、最二小平成19.10.19大林ファシリティーズ事件）

5.　任意に出勤して従事した消火作業時間

　事業場に火災が発生した場合、すでに帰宅している所属労働者が任意に事業場に出勤し消火作業に従事した場合は、一般に労働時間と解される。 R4-2D

（昭和63.3.14基発150号）

参考 （訪問介護労働者の移動時間）
　訪問介護労働者に係る移動時間とは、事業場、集合場所、利用者宅の相互間を移動する時間をいい、この移動時間については、使用者が、業務に従事するために必要な移動を命じ、当該時間の**自由利用が労働者に保障されていない**と認められる場合には、**労働時間に該当する**ものである。
（平成16.8.27基発0827001号）

❷ 法定労働時間 （法32条、則25条の2,1項） 重要度 A

★★★

Ⅰ　**使用者**は、**労働者**に、**休憩時間を除き 1 週間**について**40時間を超えて**、労働させてはならない。 H30-1オ

Ⅱ　**使用者**は、**1 週間の各日**については、**労働者**に、**休憩時間を除き 1 日**について**8 時間を超えて**、労働させてはならない。

Ⅲ　**使用者**は、法別表第 1 第 8 号［**商業**］、第10号［**映画・演劇業**（映画の製作の事業を除く。）］、第13号［**保健衛生業**］及び第14号［**接客娯楽業**］に掲げる事業のうち**常時10人未満の労働者**を使用するものについては、Ⅰの規定にかかわらず、**1 週間について44時間**、**1 日**について**8 時間**まで**労働させることができる**。 H30-1ウ R4-7A

概要

　労働基準法で定める労働時間の最長限度を法定労働時間という。なお、この法定労働時間を基準として、**各事業所において定められている労働時間を所定労働時間**という。

▌Check Point!

□ 法定労働時間の原則と特例措置についてまとめると、次の通りである。

	対象事業	１週間の法定労働時間	１日の法定労働時間
原則	特例措置の対象事業に該当しないもの	休憩時間を除き**40時間**	休憩時間を除き**8時間**
特例措置	常時**10人未満**の労働者を使用する以下の事業（特例事業）が対象となる ・**商業** ・**映画・演劇業（映画の製作の事業を除く）** ・**保健衛生業** ・**接客娯楽業**	休憩時間を除き**44時間**	

□ 映画の製作の事業の１週間の労働時間の上限は、常時10人未満の労働者を使用する場合であっても40時間である。

1. 1週間

「１週間」とは、就業規則その他に別段の定めがない限り、日曜日から土曜日までのいわゆる暦週をいうものであること。 H30-1オ　　　（昭和63.1.1基発１号）

2. 1日

「１日」とは、午前０時から午後12時までのいわゆる暦日をいうものであり、継続勤務が２暦日にわたる場合には、たとえ暦日を異にする場合でも１勤務として取り扱い、当該勤務は始業時刻の属する日の労働として、当該日の「１日」の労働とすること。 R元-6A　　　（同上）

【例】 16時間隔日勤務制において労働時間が午前０時をはさんで前後８時間ずつある場合

暦日原則でみれば１日８時間と解せなくもないが、前日から続く16時間労働とする。

3. 3交替制連続作業における１日の取扱い

「１日」は、暦日を原則とするが、連続３交替勤務の場合の２暦日にわたる１勤務（次図３番方）は始業時刻の属する日の労働として、当該日の「１日」の労働とする。

【例】

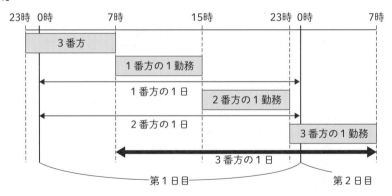

・1番方と2番方…2暦日にまたがって労働していない（第1日目の中で労働している）ので、第1日目の始まりから終わりまでが、1番方・2番方の1日となる。

・3番方（右端を参照）…第1日目の23時から第2日目の7時の間で労働している（2暦日にまたがって労働している）ので、始業時刻の属する日（第1日目）の労働時間を含む継続24時間を1日とする。　（昭和42.12.27基収5675号、平成11.3.31基発168号）

4. 労働時間及び休憩の特例

(1) 別表第1第1号から第3号まで、第6号及び第7号に掲げる事業（製造業、鉱業、建設業、農林業及び水産・畜産業）以外の事業で、公衆の不便を避けるために必要なものその他特殊の必要あるものについては、その必要避くべからざる限度で、第32条から第32条の5までの労働時間及び第34条の休憩に関する規定について、厚生労働省令で別段の定めをすることができる。

(2) (1)の規定による別段の定めは、労働基準法で定める基準に近いものであって、労働者の健康及び福祉を害しないものでなければならない。　（法40条）

❸ 時間計算 (法38条) 重要度 A ★★★

Ⅰ　**労働時間**は、事業場を異にする場合においても、**労働時間**に関する規定の適用については**通算**する。

Ⅱ　**坑内労働**については、**労働者が坑口に入った時刻から坑口を出た時刻までの時間を、休憩時間を含め労働時間とみなす**。但し、この場合においては、第34条第2項［**休憩の一斉付与**］及び第3項［**休**

憩の自由利用] の**休憩**に関する規定は**適用しない**。

概要

　例えば、ある労働者が午前中A社で３時間労働し、同じ日の午後にB社で５時間労働したような場合は、当該労働者のその日の労働時間は通算して８時間となる。

　休憩時間は原則として労働時間とされないが、坑内労働においては労働時間とみなされる。この結果、休憩については制限が加えられ、休憩を一斉に与えなくても、自由に利用させなくてもよいことになっている。

1. 事業場を異にする場合の意義

　「事業場を異にする場合」とは事業場内労働（内勤）と事業場外労働（外勤）をする場合だけでなく、事業主を異にする場合も含む。 R5-7C

(昭和23.5.14基発769号)

2. 複数の事業場に派遣される派遣労働者

　法第38条は、派遣中の労働者に関しても適用されるので一定期間に相前後して複数の事業場に派遣される派遣労働者の場合も、それぞれの派遣先の事業場において労働した時間が通算される。

(昭和61.6.6基発333号)

参考（通算されない規定）
　時間外労働（法第36条）のうち、法第36条第１項の協定（以下「36協定」という。）により延長できる時間の限度時間（同条第４項）、36協定に特別条項を設ける場合の１年についての延長時間の上限（同条第５項）については、個々の事業場における36協定の内容を規制するものであり、それぞれの事業場における延長時間を定めることとなる。
　また、36協定において定める延長時間が事業場ごとの時間で定められていることから、それぞれの事業場における時間外労働が36協定に定めた延長時間の範囲内であるか否かについては、自らの事業場における労働時間と他の使用者の事業場における労働時間とは通算されない。
　休憩（法第34条）、休日（法第35条）、年次有給休暇（法第39条）については、労働時間に関する規定ではなく、その適用において自らの事業場における労働時間及び他の使用者の事業場における労働時間は通算されない。 R5-7C 　　　(令和2.9.1基発0901第３号)

変形労働時間制

❶ 種類 重要度 A ★★★

変形労働時間制には、次の４種類がある。
i　１箇月単位の変形労働時間制
ii　フレックスタイム制
iii　１年単位の変形労働時間制
iv　１週間単位の非定型的変形労働時間制

趣旨

　変形労働時間制は、一定の条件のもとで、一定期間を平均し、１週間当たりの労働時間が法定労働時間を超えない範囲内において、特定の日又は週に法定労働時間を超えて労働させることができる仕組みであり、労働者の生活設計を損なわない範囲内において労働時間を弾力化し、週休２日制の普及、年間休日日数の増加、業務の繁閑に応じた労働時間の配分等を行うことによって労働時間を短縮することを目的として設けられたものである。

Check Point!

□ 変形労働時間制についてまとめると、次の通りとなる。

	1箇月単位	フレックスタイム 清算期間 1箇月以内	フレックスタイム 清算期間 1箇月超	1年単位	1週間単位
手続	労使協定 又は 就業規則等	就業規則等 +労使協定		労使協定	労使協定
労使協定の 届出	要	不要	要	要	
労使協定の 有効期間				要	不要
業種・規模 による制限	無				常時使用労働 者30人未満の 小売業、旅館、 料理店、飲食店
週平均 労働時間	40時間・ 44時間	40時間・ 44時間	40時間のみ	40時間のみ	
労働時間の 限度	無	無	1箇月ごと の週平均： 50時間	(原則) 1日： 10時間 1週： 52時間	1日： 10時間 1週： 40時間
連続労働 日数の限度	無			(原則) 連続6日 (特定期間) 1週につき 1日の休日 を確保	無

❷ 1箇月単位の変形労働時間制
（法32条の2、則12条の2の2、則25条の2,2項）[重要度 A]

★★★

Ⅰ　**使用者は、労使協定により、又は就業規則その他これに準ずるも
の**により、**1箇月以内の一定の期間を平均し1週間当たりの労働時
間が40時間**（**特例事業の場合は44時間。以下同じ。**）を超えない定
めをしたときは、その定めにより、**特定された週**において**40時間又
は特定された日において8時間**を超えて、労働させることができる。
[R元-2D] [R6-5ア]

Ⅱ　Ⅰの協定（**労働協約**による場合を除く。）には、**有効期間の定め**を
するものとする。

Ⅲ　**使用者**は、厚生労働省令で定めるところにより、Ⅰの**協定**を**行政
官庁**（**所轄労働基準監督署長**）に**届け出**なければならない。

▌Check Point!

□ 労使協定によらずに1箇月単位の変形労働時間制を採用する場合におい
ては、常時10人以上の労働者を使用する使用者については、就業規則の
作成義務があるため就業規則により定めることとなる（その他これに準
ずるものにおいて定めることはできない）。

1．採用要件

　1箇月単位の変形労働時間制を採用するためには、**労使協定又は就業規則その
他これに準ずるもの**において、次の事項を定める。[R元-2D]

(1) 変形期間（1箇月以内の一定期間）

　必ずしも「1箇月」である必要はなく、例えば、「15日」や「2週間」な
ども可能である。

(2) 変形期間の起算日

　変形期間をいつから開始するかについても定める必要がある。[R元-2A]

（則12条の2,1項）

(3) 変形期間を平均し1週間当たりの労働時間が週法定労働時間を超えない定め [R元-2E]

　変形期間における所定労働時間の合計を次の式によって計算される時間の

範囲内とすることが必要である。

$$
\begin{array}{c}
1\,週間の \\
\textbf{法定労働時間}^{※}
\end{array}
\times
\frac{変形期間の暦日数}{7\,日}
$$

※　**原則40時間・特例事業44時間**　　　　　（昭和63.1.1基発1号、平成9.3.25基発195号）

⑷　**変形期間における各日、各週の所定労働時間**

　　就業規則においては、各日の労働時間の長さだけではなく、**始業及び終業の時刻**も定める必要がある。

2.　労使協定

⑴　**所轄労働基準監督署長に届け出**なければならない。

⑵　**有効期間**を定めなければならない（労働協約である場合を除く）。

3.　就業規則その他これに準ずるもの（就業規則等）

　常時10人以上の労働者を使用する事業は、法第89条で就業規則の作成義務があるので、1箇月単位の変形労働時間制をとる場合（労使協定を締結する場合を除く）は、必ず就業規則でこれを定めなければならない。したがって、「その他これに準ずるもの」とは、法第89条の規定によって就業規則を作成する義務のない常時10人未満の労働者を使用する事業で1箇月単位の変形労働時間制を採用する場合を予定したものである。 R6-5ア

　なお、「その他これに準ずるもの」についても、就業規則と同様に**労働者に周知**するように定められており、**周知**しない場合は「就業規則に準ずる定め」とは認められない。

（昭和22.9.13発基17号、昭和29.6.29基発355号）

4.　労働時間の特定

　1箇月単位の変形労働時間制を採用する場合には、労使協定による定め又は就業規則その他これに準ずるものにより、変形期間における各日、各週の労働時間を具体的に定めることを要し、変形期間を平均し、週40時間の範囲内であっても使用者が業務の都合によって任意に労働時間を変更するような制度はこれに該当しない。 H27-6イ

（昭和63.1.1基発1号、平成9.3.25基発195号、平成11.3.31基発168号）

参考（特別の配慮を要する者に対する配慮）

　使用者は、**1箇月単位の変形労働時間制**、**1年単位の変形労働時間制**又は**1週間単位の非定型的変形労働時間制**の下で労働者を労働させる場合には、育児を行う者、老人等の介護を行う者、職業訓練又は教育を受ける者その他特別の配慮を要する者については、これらの者が育児等に必要な時間を確保できるような配慮をしなければならないこととされている。その場合に、法第67条［育児時間］の規定は、あくまでも最低基準を定めたものであるので、法第66条第1項［妊産婦の変形労働時間制の制限］の規定による請求をせずに変形労働時間制の下で労働し、1日の所定労働時間が8時間を超える場合には、具体的

状況に応じ法定以上の育児時間を与える等の配慮をすることが必要である。

（平成11.1.29基発45号）

（列車等乗務員の予備勤務者の労働時間）
使用者は、法別表第１第４号に掲げる事業（運輸交通業）において列車、気動車又は電車に乗務する労働者で予備の勤務に就くものについては、１箇月以内の一定の期間を平均し１週間当たりの労働時間が40時間を超えない限りにおいて、法第32条の２第１項の規定にかかわらず、１週間について40時間、１日について８時間を超えて労働させることができる。

（則26条）

問題チェック H27-6イ

労働基準法第32条の２に定めるいわゆる１か月単位の変形労働時間制が適用されるためには、単位期間内の各週、各日の所定労働時間を就業規則等において特定する必要があり、労働協約又は就業規則において、業務の都合により４週間ないし１か月を通じ、１週平均38時間以内の範囲内で就業させることがある旨が定められていることをもって、直ちに１か月単位の変形労働時間制を適用する要件が具備されているものと解することは相当ではないとするのが、最高裁判所の判例である。

解答 ○

最一小平成14.2.28大星ビル管理事件

Advice 判例からの出題であるが、「４.労働時間の特定」の記載を押さえておけば対応可能と考えられる。

❸ フレックスタイム制（法32条の3、法32条の3の2、則12条の3、則25条の2,3項、4項）重要度 A

★★★

Ⅰ 　**使用者は**、就業規則その他これに準ずるものにより、その**労働者**に係る**始業及び終業の時刻**をその労働者の決定に委ねることとした**労働者**については、**労使協定**により、ⅰからⅶに掲げる事項を定めたときは、次のようになる。

@**清算期間**が**1箇月以内**の場合	労使協定で清算期間として定められた期間を平均し**1週間**当たりの労働時間が**40時間**※（**特例事業**の場合は**44時間**。清算期間が1箇月を超える場合を除き以下同じ。）を超えない範囲内において、**1週間**において**40時間**又は**1日**において**8時間**を超えて、労働させることができる。
ⓑ**清算期間**が**1箇月を超える**場合	労使協定で清算期間として定められた期間を平均し**1週間**当たりの労働時間が**40時間**※を超えず、かつ、当該清算期間をその開始の日以後**1箇月**ごとに区分した各期間（最後に1箇月未満の期間を生じたときは、当該期間。以下ⓑにおいて同じ。）ごとに当該各期間を平均し**1週間**当たりの労働時間が**50時間を超えない**範囲内において、**1週間**において**40時間**又は**1日**において**8時間**を超えて、労働させることができる。

※　1週間の所定労働日数が**5日**の労働者については、**労使協定**により、労働時間の限度について、当該清算期間における所定労働日数を1日の法定労働時間（**8時間**）に乗じて得た時間とする旨を定めたときは、当該清算期間における日数を7で除して得た数をもってその時間を除して得た時間とする。

ⅰ　フレックスタイム制により労働させることができることとされる**労働者の範囲**

ⅱ　**清算期間**（その期間を平均し**1週間**当たりの**労働時間が40時間を超えない範囲内**において労働させる期間をいい、**3箇月以内**の期間に限るものとする。以下同じ。）

ⅲ　清算期間における**総労働時間**

ⅳ　**標準となる1日の労働時間**

ⅴ　労働者が労働しなければならない**時間帯**を定める場合には、その**時間帯の開始及び終了の時刻**

ⅵ　労働者がその選択により労働することができる**時間帯に制限を設ける場合**には、**その時間帯の開始及び終了の時刻**

ⅶ　**清算期間**が**1箇月を超える**ものである場合にあっては、**労使協定**（労働協約による場合を除く。）の**有効期間の定め**

Ⅱ　使用者は、厚生労働省令で定めるところにより、Ⅰの**協定**を行政官庁（**所轄労働基準監督署長**）に届け出なければならない。ただし、**清算期間**が**1箇月以内**のものであるときは、この限りでない。

Ⅲ　使用者が、**清算期間が１箇月を超える**ものであるときの当該**清算期間中**のⅠの規定により労働させた期間が当該**清算期間**より**短い労働者**について、当該労働させた期間を平均し**１週間当たり40時間を超えて**労働させた場合においては、その**超えた時間**（第33条又は第36条第１項の規定により延長し、又は休日に労働させた時間を除く。）の労働については、第37条の規定の例により**割増賃金**を支払わなければならない。

‖Check Point!▶

□　フレックスタイム制の下で労働する労働者が年次有給休暇を取得した場合には、当該日に「標準となる１日の労働時間」労働したものとして取り扱う。　　　　　　　　　（昭和63.1.1基発１号、婦発１号、平成9.3.25基発195号）

1．採用要件

フレックスタイム制を採用するには、**就業規則等及び労使協定**において、次の事項を定める必要がある。

(1)　就業規則等で定める事項

労働者に係る**始業及び終業の時刻をその労働者の決定に委ねる旨**を定める必要がある。 H30-2ｱ

なお、この場合、**始業及び終業の時刻の両方**を労働者の決定に委ねる必要があり、始業時刻又は終業時刻の一方についてのみ労働者の決定に委ねるのでは足りない。 H28-4B　　　　　　　（昭和63.1.1基発１号、平成11.3.31基発168号）

(2)　労使協定で定める事項

①　対象労働者の範囲

フレックスタイム制の対象となる労働者の範囲を定めなければならない。

②　清算期間（３箇月以内の一定期間）及びその起算日

フレックスタイム制において、労働契約上労働者が労働すべき期間を定めるものであり、その長さは**３箇月以内の期間**に限られる。さらに、就業規則等又は労使協定において、**清算期間の起算日**を明らかにすることとされている。

③ 清算期間における総労働時間

a 清算期間が1箇月以内の場合

清算期間における総労働時間（所定労働時間）の合計を次の式によって計算される時間の範囲内とすることが必要である。なお、清算期間における法定労働時間の総枠（次の式によって計算される時間）を超えて労働した時間が割増賃金の対象となる時間外労働時間になる。

$$\text{1週間の法定労働時間}^{※} \times \frac{\text{清算期間の暦日数}}{7\text{日}}$$

※ 原則40時間・特例事業44時間

b 清算期間が1箇月を超える場合

清算期間が1箇月を超える場合は、清算期間における総労働時間（所定労働時間）の合計が、上記**a**の式によって計算される時間の範囲を超えず、かつ、清算期間をその開始の日以後1箇月ごとに区分した各期間ごとに当該各期間を平均し1週間当たりの労働時間が50時間を超えない範囲内とすることが必要である（当該各期間を平均し**1週間当たり50時間を超えて労働させた場合**においては、その超えた時間について**割増賃金**を支払わなければならない）。R元-6B

次の**ア**及び**イ**を合計した時間が法定時間外労働となる。

ア

$$\text{清算期間を1箇月ごとに区分した期間の実労働時間数} - 50 \times \frac{\text{清算期間を1箇月ごとに区分した期間の暦日数}}{7\text{日}}$$

イ 清算期間における総労働時間のうち、当該清算期間の法定労働時間の総枠を超えて労働させた時間（ただし、上記**ア**の式で算定された時間外労働時間を除く。）

c 清算期間における法定労働時間の特例

完全週休2日制の下でフレックスタイム制を実施する場合、曜日のめぐりによっては、1日8時間の労働でも、清算期間における法定労働時間の総枠を超える場合がある（次図参照）。

月	火	水	木	金	土	日
1	2	3	4	5	6	7
8	9	10	11	12	13	14
15	16	17	18	19	20	21
22	23	24	25	26	27	28
29	30					

1日8時間働くと、
8×22＝176時間となり、
清算期間における法定労働時間の総枠（171.4時間）を超えてしまう

　この課題を解消するため、完全週休2日制の事業場において、**労使協定**により、所定労働日数に8時間を乗じた時間数を清算期間における法定労働時間の総枠とすることができる（次の式で計算した時間数を1週間当たりの労働時間の限度とすることができる）こととされている。

$$8 \times 清算期間の所定労働日数 \div \frac{清算期間の暦日数}{7日}$$

（例）清算期間の暦日数が30日、所定労働日数が22日の場合

$$8 \times 22 \div \frac{30}{7} = 41.066\cdots$$

　　　清算期間を平均し1週間当たり41.066…時間まで労働させることができる。

④　**標準となる1日の労働時間**

　　フレックスタイム制の下において、年次有給休暇を取得した際に支払われる賃金の算定基礎となる労働時間等となる労働時間の長さを定めるものであり、**単に労働時間数を定めれば足りる**ものである。清算期間における総労働時間を清算期間中の所定労働日数で除して得た時間を基準として定めることになる。

⑤　**コアタイム（労働者が労働しなければならない時間帯）を定める場合、または、フレキシブルタイム（労働者がその選択により労働することができる時間帯）に制限を設ける場合には、その時間帯の開始及び終了の時刻**

（則12条の2,1項、則12条の3、昭和63.1.1基発1号、平成9.3.25基発195号）

2.　労使協定

　届出及び有効期間は次の通りである。 R2-6B

清算期間	所轄労働基準監督署長への届出	有効期間
1箇月以内	不要	不要
1箇月超	必要	必要

（法32条の3,4項、則12条の3,1項4号）

3. 就業規則その他これに準ずるもの

❷「3.就業規則その他これに準ずるもの」と同様である。

4. 中途入社等の取扱い

清算期間が**1箇月を超える**場合でフレックスタイム制により労働させた期間が清算期間より短い場合（例えば、清算期間の途中で入社・退職した場合）には、当該労働者を労働させた期間を平均し**1週間当たり40時間を超えて**労働させたときは、その超えた時間について割増賃金を支払わなければならない。

5. 労働時間の把握義務

フレックスタイム制の場合にも、使用者に労働時間の把握義務がある。したがって、フレックスタイム制を採用する事業場においても、各労働者の各日の労働時間の把握をきちんと行うべきものである。

なお、清算期間が1箇月を超える場合には、対象労働者が自らの各月の時間外労働時間数を把握しにくくなることが懸念されるため、使用者は、対象労働者の各月の労働時間数の実績を対象労働者に通知等することが望ましい。

（昭和63.3.14基発150号、平成30.9.7基発0907第1号）

6. 派遣労働者に対するフレックスタイム制の適用

派遣労働者を**派遣先においてフレックスタイム制の下で労働させる場合**には、**派遣元**の使用者は、次のことを行う必要があるものであること。

(1) **派遣元**事業場の就業規則その他これに準ずるものにより、始業及び終業の時刻を派遣労働者の決定に委ねることを定めること。

(2) **派遣元**事業場において労使協定を締結し、所要の事項について協定すること。

(3) **労働者派遣契約**において当該労働者をフレックスタイム制の下で労働させることを定めること。

（昭和63.1.1基発1号）

7. 休憩時間の設定

フレックスタイム制を採用した場合でも、労働基準法の規定通りに休憩を与えなければならない。**一斉休憩が必要な場合**には、**コアタイム中**に休憩時間を定めるよう指導すること。

一斉休憩が必要ない事業において、休憩時間をとる時間帯を労働者に委ねる場合には、各日の休憩時間の長さを定め、それをとる時間帯は労働者に委ねる旨記載しておけばよい。

（昭和63.3.14基発150号）

8. 労働時間の繰越

(1) 総労働時間を超過した場合

　清算期間における実際の労働時間に過剰があった場合に、総労働時間として定められた時間分はその期間の賃金支払日に支払うが、それを超えて労働した時間分を次の清算期間中の総労働時間の一部に充当することは、その清算期間内における労働の対価の一部がその期間の賃金支払日に支払われないことになり、法第24条に違反し、許されないものである。 H30-1ア

(2) 総労働時間に不足する場合

　清算期間における実際の労働時間に不足があった場合に、総労働時間として定められた時間分の賃金はその期間の賃金支払日に支払うが、それに達しない時間分を、次の清算期間中の総労働時間に上積みして労働させることは、**法定労働時間の総枠の範囲内である限り**、その清算期間においては実際の労働時間に対する賃金よりも多く賃金を支払い、次の清算期間でその分の賃金の過払を清算するものと考えられ、法第24条に違反するものではない。

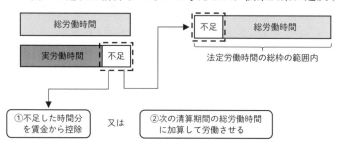

（昭和63.1.1基発 1 号、平成31.4.1基発0401第43号）

問題チェック　H13-6B

　フレックスタイム制を採用する場合には、始業及び終業の時刻を労働者の決定に委ねることとし、かつ、労使協定により、清算期間、清算期間における総労働時間、標準となる1日の労働時間、フレキシブルタイム及びコアタイムを定めなければならない。

解答 ✕

則12条の 3 、昭和63.1.1基発 1 号

　コアタイム及びフレキシブルタイムは、法令上必ず設けなければならないものでは

ない。なお、これを設ける場合には、労使協定において、その開始及び終了の時刻を定めなければならない。

❹ 1年単位の変形労働時間制 重要度 A

1 採用要件（法32条の4,1項、4項、則12条の4,1項、6項）

★★★

Ⅰ **使用者**は、**労使協定**により、次に掲げる事項を定めたときは、第32条の規定にかかわらず、その協定でⅱの**対象期間**として定められた期間を平均し**1週間当たりの労働時間が40時間を超えない範囲内**において、当該協定で定めるところにより、**特定された週**において**40時間**又は**特定された日**において**8時間を超えて**、労働させることができる。

　ⅰ　1年単位の変形労働時間制の規定により労働させることができることとされる**労働者の範囲**

　ⅱ　**対象期間**（その期間を平均し**1週間当たりの労働時間が40時間を超えない範囲内**において労働させる期間をいい、**1箇月を超え1年以内**の期間に限るものとする。）

　ⅲ　**特定期間**（対象期間**中の特に業務が繁忙な期間**をいう。）

　ⅳ　**対象期間**における**労働日**及び当該**労働日ごとの労働時間**

　ⅴ　当該**労使協定**（**労働協約による場合を除く。**）の有効期間の定め

Ⅱ　**使用者**は、Ⅰの協定を**行政官庁**（所轄労働基準監督署長）に**届け出**なければならない。

Check Point!

□ 1年単位の変形労働時間制を採用する場合は、法定労働時間の特例（週44時間）が適用される事業においても、1週間の労働時間の上限は40時間としなければならない。

1. 採用要件

1年単位の変形労働時間制を採用するためには、**労使協定**において、次の事項を定める必要がある。

⑴　**対象労働者の範囲**

　　対象労働者に関する制限はない（**対象期間途中の退職が明らかである者を
対象労働者としたり、採用・配置転換等により対象期間途中から適用するこ
とも可能である**）が、労使協定において、対象労働者の範囲を明確に定める
必要がある。 （平成6.1.4基発 1 号、平成11.3.31基発168号）

⑵　**対象期間及びその起算日**

　　対象期間は、 1 箇月を超え 1 年以内の期間に限るものとする。 1 箇月を超
え 1 年以内であればよいので、例えば、 9 箇月、10箇月でもよい。 H28-4C

⑶　**特定期間**

　　特定期間とは、対象期間中の特に業務が繁忙な期間をいう。対象期間中の
複数の期間を特定期間として定めることは可能であるが、対象期間中の相当
部分を特定期間とすることは法の趣旨に反するものである。

（平成11.1.29基発45号、平成11.3.31基発169号）

⑷　**対象期間における労働日及び当該労働日ごとの労働時間**

　　対象期間における所定労働時間の合計を次の式によって計算される時間の
範囲内とすることが必要である。

$$40\text{時間} \times \frac{\text{対象期間の暦日数}}{7\ \text{日}}$$

（平成6.1.4基発 1 号、平成9.3.25基発195号）

⑸　**有効期間の定め**

　　労働協約による場合を除き、有効期間の定めをする必要がある。

2.　労使協定

所轄労働基準監督署長に届け出なければならない。

3.　労働時間の特定

　　1 年単位の変形労働時間制を採用する場合には、労使協定により、変形期間に
おける労働日及び当該労働日ごとの労働時間を具体的に定めることを要し、使用
者が業務の都合によって任意に労働時間を変更するような制度は、これに該当し
ない。 （平成6.1.4基発 1 号、平成11.3.31基発168号）

参考 労働日を特定するということは反面、休日を特定することであるから、 7 月から 9 月まで
の間に労働者の指定する 3 日間について休日を与える制度がある場合のように、変形期間
開始後にしか休日が特定できない場合には、労働日が特定されたことにはならない。
H30-2ウ （平成6.5.31基発330号）

4. 複数の変形労働時間制

適用対象労働者が明確にされていれば、１つの事業場で複数の１年単位の変形労働時間制を採用することは可能であるが、その際、それぞれの１年単位の変形労働時間制ごとに労使協定を締結し、届け出ることが必要である。

（平成6.5.31基発330号）

5. 特定された時間の変更

労使双方が合意すれば、協定期間中であっても変形労働時間制の一部を変更することがある旨明記されていたとしても、これに基づき対象期間の途中で変更することはできない。

（昭和63.3.14基発150号、平成6.3.31基発181号）

2 労働日数及び労働時間等の限度
（法32条の4,3項、則12条の4,3項、4項、5項）★★★

Ⅰ　**厚生労働大臣**は、**労働政策審議会の意見を聴いて**、厚生労働省令で、**対象期間**における**労働日数の限度**並びに**１日及び１週間の労働時間の限度**並びに**対象期間**（**労使協定**で**特定期間**として定められた期間を除く。）及び**労使協定**で**特定期間**として定められた期間における**連続して労働させる日数の限度**を定めることができる。

Ⅱ　Ⅰの厚生労働省令で定める**労働日数の限度**は、**対象期間が３箇月を超える場合は対象期間**について**１年当たり280日**とする。

Ⅲ　Ⅰの厚生労働省令で定める**１日の労働時間の限度は10時間**とし、**１週間の労働時間の限度は52時間**とする。この場合において、**対象期間が３箇月を超える**ときは、次の i ii のいずれにも適合しなければならない。 H30-2イ

　i　**対象期間**において、その**労働時間が48時間を超える週**が**連続する**場合の**週数が３以下**であること。

　ii　**対象期間**をその**初日から３箇月ごとに区分した各期間**（**３箇月未満の期間**を生じたときは、当該期間）において、その**労働時間が48時間を超える週の初日の数が３以下**であること。

Ⅳ　Ⅰの厚生労働省令で定める**対象期間**における**連続して労働させる日数の限度は６日**とし、**労使協定**で**特定期間**として定められた期間

における**連続して労働させる日数の限度**は**1週間に1日の休日が確保できる日数**とする。

概要

労働日数の限度は、次表の通りである。

対象期間	労働日数の限度
1年	**280日**
3箇月を超え1年未満	$280日 \times \dfrac{対象期間の暦日数}{365日}$ （小数点以下の端数は切捨て）

（平成11.1.29基発45号）

Check Point!

□ 対象期間が3箇月以内の場合には、労働日数の限度を1年当たり280日にする必要はない。

---

1. 労働時間の限度

労働時間の限度をまとめると次表の通りである。

	対象期間が3箇月以下の場合	対象期間が3箇月超の場合
1日の上限		**10時間**[※1] H30-2イ
1週間の上限		**52時間** H30-2イ
48時間超の週数		・対象期間において、その労働時間が48時間を超える週数が連続3以下であること。 ・対象期間をその初日から3箇月ごとに区分した各期間（3箇月未満の期間を生じたときは、当該期間）において、その労働時間が48時間を超える週の初日の数が3以下[※2]であること。

※1　隔日勤務のタクシー運転者に対する暫定措置（後述 **参考** 参照）の適用を受ける者については、**16時間**とする。

※2　「週の初日の数が3以下」であるので、例えば、次のようになる。

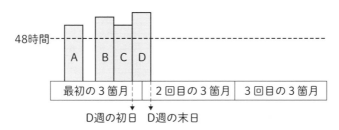

D週の初日 D週の末日

　D週の初日は「最初の３箇月」に属し、D週の末日は「２回目の３箇月」に属する。このような場合、D週が「最初の３箇月」に属するのか「２回目の３箇月」に属するのかという問題が発生するが、「48時間を超える週の初日の数が３以下」であるため、D週は「最初の３箇月」に加えられ、「最初の３箇月」において、48時間を超える週の初日の数が３を超えている（ABCD）ので、要件を満たしていないことになる。

（平成11.1.29基発45号）

参考（隔日勤務のタクシー運転者に対する暫定措置）
一般乗用旅客自動車運送事業（道路運送法第３条第１号ハの一般乗用旅客自動車運送事業をいう。以下この条において同じ。）における四輪以上の自動車（一般乗用旅客自動車運送事業の用に供せられる自動車であって、当該自動車による運送の引受けが営業所のみにおいて行われるものを除く。）の運転の業務に従事する労働者であって、次の(1)(2)のいずれにも該当する業務に従事するものについての法第32条の４第３項の厚生労働省令で定める１日の労働時間の限度は、則第12条の４第４項の規定にかかわらず、当分の間、**16時間**とする。
(1)当該業務に従事する労働者の労働時間（法第33条又は第36条第１項の規定により使用者が労働時間を延長した場合においては当該労働時間を、休日に労働させた場合においては当該休日に労働させた時間を含む。以下(1)において同じ。）の終了から次の労働時間の開始までの期間が継続して22時間以上ある業務であること。
(2)始業及び終業の時刻が同一の日に属しない業務であること。

（則附則66条）

2. 連続労働日数の限度

対象期間における連続労働日数の限度は、次表の通りである。

原則	６日
特定期間	１週間に１日の休日が確保できる日数

【例】

■対象期間における原則の連続労働日数の限度

日	月	火	水	木	金	土	日	月	火	水	木	金	土	日
休	出	出	出	出	出	出	休	出	出	出	出	出	出	休

◀───最長６日間───▶　　◀───最長６日間───▶

第４章　第１節

■特定期間における連続労働日数の限度

1週間（休日1日）　1週間（休日1日）

日	月	火	水	木	金	土	日	月	火	水	木	金	土
休	出	出	出	出	出	出	出	出	出	出	出	出	休

◀─────────最長12日間─────────▶

問題チェック H10-3B

隔日勤務のタクシー運転者や長距離トラックの運転者については、1年単位の変形労働時間制における1日の労働時間の限度は、当分の間、16時間とされている。

解答 ✕　　　　　　　　　　　　　法32条の4,3項、則12条の4,4項、則附則66条

設問の特例の対象者は、隔日勤務のタクシー運転者に限定される（長距離トラックの運転者については適用されない）ため、誤り。

③ 対象期間を1箇月以上の期間ごとに区分する場合の特例
（法32条の4,1項4号、2項）　★★★

Ⅰ　**使用者**は、**対象期間**を**1箇月以上の期間**ごとに区分することとした場合においては、**労使協定**に、当該区分による各期間のうち当該**対象期間の初日の属する期間**（以下「**最初の期間**」という。）における**労働日**及び当該**労働日**ごとの**労働時間**並びに当該**最初の期間を除く各期間**における**労働日数**及び**総労働時間**の定めをしなければならない。

Ⅱ　**使用者**は、**労使協定**でⅠの区分をし当該区分による各期間のうち**最初の期間を除く各期間**における**労働日数**及び**総労働時間**を定めたときは、当該**各期間の初日の少なくとも30日前**に、当該事業場に、**労働者の過半数**で組織する**労働組合**がある場合においてはその**労働組合**、**労働者の過半数**で組織する**労働組合**がない場合においては**労働者の過半数を代表する者**の同意を得て、厚生労働省令で定めるところにより、当該**労働日数**を超えない範囲内において当該**各期間**における**労働日**及び当該**総労働時間**を超えない範囲内において当該**各期間**における**労働日**ごとの**労働時間**を定めなければならない。

概要

　1年単位の変形労働時間制の労使協定には、原則として、「対象期間における労働日及び当該労働日ごとの労働時間」を定めなければならないが、対象期間を1箇月以上の期間ごとに区分する場合は、次のような方法も認められる。

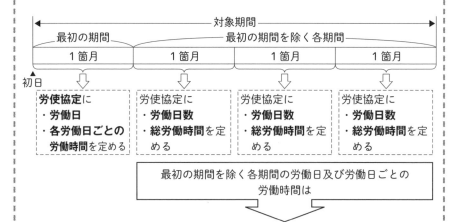

　最初の期間を除く各期間の労働日及び労働日ごとの労働時間は

- ・各期間の**初日の少なくとも30日前**に
- ・その事業場に、労働者の過半数で組織する労働組合があるときはその労働組合、ないときは労働者の過半数を代表する者の同意※1を得て
- ・書面※2により、各期間ごとに定めた労働日数及び総労働時間を超えない範囲内において、各期間における労働日及び労働日ごとの労働時間を定める。

（則12条の4,2項）

※1　当該同意が得られなかった場合は、区分された期間の労働日数及び総労働時間しか決定されておらず、労働日及び各労働日の労働時間が特定しないことから、当該区分についてあらかじめ労使協定において定めた労働日数及び総労働時間の範囲内で、原則的な労働時間を定めた法第32条の規定により労働させることとなる。
（平成6.5.31基発330号、平成11.3.31基発168号）

※2　当該書面は、所轄労働基準監督署長に届け出る必要はない。

---

4 賃金清算 （法32条の4の2） ★★★

　使用者が、**対象期間中**の**1年単位の変形労働時間制**の規定により**労働させた期間**が当該**対象期間**より**短い労働者**について、当該**労働させ**

た期間を平均し**1週間当たり40時間を超えて**労働させた場合において
は、その**超えた時間**（第33条又は第36条第1項の規定により延長し、
又は休日に労働させた時間を除く。）**の労働**については、第37条の規定
の例により**割増賃金**を支払わなければならない。

趣旨

　使用者が、実際に労働させた期間が1年単位の変形労働時間制の対象期間
よりも短い労働者（例えば対象期間の途中で退職した者、対象期間の途中か
ら採用された者などが該当する）について当該期間労働させた場合の清算の
方法を定めた規定である。この場合、労働させた期間を平均して1週間当た
り40時間を超えた時間に対し、法第37条第1項の割増賃金に係る規定の例
により割増賃金を支払わなければならない。

Check Point!

□　この割増賃金を支払わない場合は、法第24条［賃金の支払］の規定に違
反するものである。

(平成11.1.29基発45号)

・**休職者についての賃金清算の可否**

　法第32条の4の2［賃金清算］は、対象期間中に育児休業や産前産後休暇の取
得等により労働せず、実際の労働期間が対象期間よりも短かった者については適
用されない。

(平成11.3.31基発169号)

❺ 1週間単位の非定型的変形労働時間制
（法32条の5、則12条の5,1項、2項、4項）重要度A

★★★

Ⅰ　**使用者**は、**日ごとの業務に著しい繁閑の差が生ずる**ことが多く、
かつ、これを**予測した上で就業規則その他これに準ずるもの**により
各日の労働時間を特定することが**困難**であると認められる**小売業、
旅館、料理店及び飲食店の事業**であって、**常時使用する労働者の数
が30人未満**のものに従事する**労働者**については、当該**事業場**に、**労
使協定**があるときは、第32条第2項の規定にかかわらず、**1日につ**

いて**10時間**まで労働させることができる。

Ⅱ 　**使用者**は、Ⅰの規定により**労働者**に労働させる場合においては、厚生労働省令で定めるところにより、当該労働させる**1週間の各日の労働時間**を、**あらかじめ**、当該**労働者に通知**しなければならない。

Ⅲ 　**使用者**は、Ⅰの**協定**を**行政官庁**（所轄労働基準監督署長）に**届け出**なければならない。

趣旨

　1週間単位の非定型的変形労働時間制は、日ごとの業務に著しい繁閑が生じることが多く、かつ、その繁閑が定型的に定まっていない場合に、1週間を単位として、一定の範囲内で、就業規則その他これに準ずるものによりあらかじめ特定することなく、1日の労働時間を10時間まで延長することを認めることにより、労働時間のより効率的な配分を可能とし、全体として労働時間を短縮しようとするものである。

(昭和63.1.1基発1号)

Check Point!

□ 1週間単位の非定型的変形労働時間制を採用する場合は、法定労働時間の特例（週44時間）が適用される事業においても、1週間の労働時間の上限は40時間としなければならない。

□ 1週間単位の非定型的変形労働時間制は派遣労働者には適用されない。

(労働者派遣法44条2項)

1．採用要件

(1)　対象事業場

　常時使用する労働者数が**30人未満**の**小売業、旅館、料理店及び飲食店**の事業であること。 H28-4D

(2)　労使協定の締結

　労使協定において、1週間の所定労働時間として**40時間以内**の時間を定めること。

(3)　1週間の各日の労働時間を、あらかじめ、労働者に通知すること

①　1日の労働時間の上限

　1週間単位の非定型的変形労働時間制において、事前通知により労働させることができる1日の所定労働時間の上限は、**10時間**であること。

② **事前通知の方法**

事前通知の方法は、少なくとも、当該**1週間の開始する前**に、**書面**により行わなければならず、ただし、緊急でやむを得ない事由がある場合には、あらかじめ通知した労働時間を変更しようとする日の前日までに書面により労働者に通知することにより、当該あらかじめ通知した労働時間を変更することができるものであること。

なお、緊急やむを得ない事由がある場合とは、使用者の主観的な必要性でなく、台風の接近、豪雨等の天候の急変等客観的事実により、当初想定した業務の繁閑に大幅な変更が生じた場合が該当するものであること。

(昭和63.1.1基発1号)

2. 労使協定

(1) **所轄労働基準監督署長に届け出なければならない。**

(2) **有効期間**の定めは**不要**である。

休憩・休日

❶ 休憩 (法34条) 重要度 A ★★★

Ⅰ 　**使用者**は、**労働時間**が**6時間**を**超える**場合においては**少くとも45分**、**8時間**を**超える**場合においては**少くとも1時間**の**休憩時間**を労働時間の**途中**に**与えなければならない**。 R5-2エ R6-5イ

Ⅱ 　Ⅰの**休憩時間**は、**一斉に与えなければならない**。ただし、**労使協定**があるときは、この限りでない。 R5-2ア

Ⅲ 　**使用者**は、Ⅰの**休憩時間**を**自由に利用させなければならない**。

▌Check Point!▶

□ 休憩の付与について原則と例外をまとめると、次の通りとなる。

	原則	例外
付与義務	・労働時間が**6時間以内**のとき…付与しなくてもよい。 ・労働時間が**6時間**を超え**8時間以内**のとき…少くとも**45分**与えなければならない。 ・労働時間が**8時間**を超えるとき…少くとも**1時間**与えなければならない。	付与の必要がない者	①運輸交通業、郵便・信書便の事業における乗務員（一定の要件を満たした者に限る）※1 ②上記①に該当しない乗務員で、停車時間等が休憩時間に相当するとき※2 ③屋内勤務者**30人未満**の日本郵便株式会社の営業所（郵便窓口業務を行うものに限る）の職員 ④法41条該当者 ・農業、水産業等従事者 ・管理監督者・機密の事務取扱者 ・監視、断続的労働従事者で使用者が**所轄労働基準監督署長の許可**を受けた者 ⑤高度プロフェッショナル制度の対象労働者
	労働時間の**途中**に与える	

一斉に与える	①**労使協定がある場合**（届出は不要）　H29-1C ②次に掲げる業種　H29-1C　R5-2ア 　運輸交通業、商業、金融広告業、映画演劇業、通信業、保健衛生業、接客娯楽業、官公署 ③坑内労働　H29-1C
自由に利用させる	①警察官、消防吏員、常勤の消防団員、准救急隊員及び児童自立支援施設に勤務する職員で児童と起居をともにする者 ②乳児院、児童養護施設及び障害児入所施設に勤務する職員で児童と起居をともにする者（**所轄労働基準監督署長の許可が必要**） ③居宅訪問型保育事業に使用される労働者のうち、家庭的保育者として保育を行う者（同一の居宅において、一の児童に対して複数の家庭的保育者が同時に保育を行う場合を除く） ④坑内労働

※1　法別表第1第4号［運輸交通業］に掲げる事業又は郵便若しくは信書便の事業に使用される労働者のうち列車、気動車、電車、自動車、船舶又は**航空機の乗務員**（機関手、運転手、操縦士、車掌、列車掛、荷扱手、列車手、給仕、暖冷房乗務員及び電源乗務員）（**客室乗務員は含まれるが、列車内販売員は含まれない。**）で長距離にわたり継続して乗務（**運行の所要時間が6時間を超える区間について連続して乗務して勤務する場合をいう。**）するもの

（則32条1項、昭和29.6.29基発355号）

※2　上記※1の規定に該当しない乗務員で、その者の従事する業務の性質上、休憩時間を与えることができないと認められ、その勤務中における停車時間、折返しによる待合せ時間その他の時間の合計が法第34条第1項に規定する休憩時間に相当するもの

（則32条2項）

1.　休憩時間の意義

　休憩時間とは、単に作業に従事しない**手待時間を含まず**労働者が権利として労働から離れることを保障されている時間の意であって、その他の**拘束時間**は労働時間として取り扱うこと。　R5-2オ

（昭和22.9.13発基17号）

2．労働時間が8時間を超える場合の休憩時間

　法第34条における労働時間とは実労働時間の意であり、これが1日8時間を超える場合には、所定労働時間の途中に与えられる休憩時間を含めて少なくとも1時間の休憩時間が与えられなければならないものであること。

（昭和22.11.27基発401号、昭和26.10.23基収5058号）

【例】　所定労働時間7時間・休憩時間45分としている場合に、時間外労働により労働時間が8時間を超えた場合には、少なくとも更に15分の休憩時間を追加し、休憩時間の合計が少なくとも1時間になるようにしなければならない。

参考 （一昼夜交替勤務の場合）
　一昼夜交替勤務（後記❷3.参照）は2日分の所定労働時間を継続して勤務するが、法律上は、1勤務として勤務の途中に1時間の休憩を与えればよい。 R5-2イ

（昭和23.5.10基収1582号）

3．派遣労働者の場合

　休憩時間を一斉に与える義務は派遣先の使用者が負うこととされており、派遣先の使用者は、当該事業場の自己の労働者と派遣中の労働者とを含めて、全体に対して一斉に休憩を与えなければならない。ただし、法第34条第2項ただし書による労使協定を締結した場合及び則第31条において一斉休憩の原則が適用除外されている業種の事業に当たる場合は、この限りでない。

（昭和61.6.6基発333号、平成11.3.31基発168号）

4．自由利用の意義

　休憩時間の利用について事業場の規律保持上必要な制限を加えることは、休憩の目的を害わない限り差し支えない。 （昭和22.9.13発基17号）

5．休憩時間中の外出の許可制

　休憩時間中の外出を許可制とすることは、事業場内において自由に休息し得る場合には必ずしも違法にはならない。 R5-2ウ 　　　（昭和23.10.30基発1575号）

参考 （休憩の自由利用）
　休憩時間の自由利用といってもそれは時間を自由に利用することが認められたものにすぎず、その時間の自由な利用が企業施設内において行われる場合には、使用者の企業施設に対する管理権の合理的な行使として是認される範囲内の適法な規制による制約を免れることはできない。また、従業員は労働契約上企業秩序を維持するための規律に従うべき義務があり、休憩時間中は労務提供とそれに直接附随する職場規律に基づく制約は受けないが、それ以外の企業秩序維持の要請に基づく規律による制約は免れない。
　演説、集会、貼紙、掲示、ビラ配布等を行うことは、休憩時間中であっても、局所内の施設の管理を妨げるおそれがあり、更に、他の職員の休憩時間の自由利用を妨げ、ひいてはその後の作業能率を低下させるおそれがあって、その内容いかんによっては企業の運営に支障をきたし企業秩序を乱すおそれがあるのであるから、これを局所管理者の許可にかからせることは合理的な制約ということができる。 H28-4E

（最三小昭和52.12.13日黒電報電話局事件）

❷ 休日 （法35条） 重要度 A

★★★

Ⅰ　**使用者**は、**労働者**に対して、**毎週少くとも１回の休日**を与えなければならない。

Ⅱ　Ⅰの規定は、**４週間を通じ４日以上の休日**を与える**使用者**については適用しない。

‖Check Point!▶

□ 「休日の振替」により当初休日である日に労働したとしても休日労働に対する割増賃金の支払対象とはならない。

□ 「代休」を与えても、休日労働させたことに変わりはないので割増賃金の支払対象となる。

1.　休日とは

休日とは、労働契約において労働義務がないとされている日をいい、**原則として、暦日を指し午前０時から午後12時までの休業**のことである。 H29-1D

(昭和23.4.5基発535号)

2.　休日の付与

休日は、原則として少なくとも毎週１回与えなければならないが、４週間を通じ４日以上の休日を与える変形休日制を採用することもできる。

(1)　原則

毎週少なくとも１回の休日を付与しなければならない。（１週１日以上）

(2)　変形休日制

４週間を通じ４日以上の休日を付与する。（４週４日以上）

・特定の４週間に４日以上の休日があればよく、どの４週間を区切っても４日の休日が与えられていなければならない趣旨ではない。

(昭和23.9.20基発1384号)

・変形休日制を採用する場合には、使用者は、**就業規則その他これに準ずるもの**において、4日以上の休日を与えることとする**4週間の起算日**を明らかにして、**労働者に周知**させなければならない。

（法106条1項、則12条、則12条の2,2項）

3. 一昼夜交替勤務の場合

　例えば、午前8時から翌日の午前8時までの労働と、同じく午前8時から翌日の午前8時までの非番とを繰り返す一昼夜交替勤務の場合にも暦日休日制の原則が適用され、非番の継続24時間は休日と認めない。したがって、非番日の翌日にさらに休日を与えなければ、第35条の休日を与えたことにはならない。

（昭和23.11.9基収2968号）

4. 8時間3交替制の場合の休日

　第35条の休日は暦日によるべきことが原則であるが、例えば、8時間3交替連続作業のような場合において休日暦日制の解釈をとることは、連続24時間以上の休息が2暦日にまたがる際は1週2暦日の休日を与えなければならないこととなり、その結果は週休制をとった立法の趣旨に合致しないこととなる。そこで、番方編成による交替制における「休日」については、次のいずれにも該当するときに限り、継続24時間を与えれば差し支えないものとして取り扱われたい。

　⑴　番方編成による交替制によることが就業規則等により定められており、制度として運用されていること。

　⑵　各番方の交替が規則的に定められているものであって、勤務割表等によりその都度設定されるものではないこと。

（昭和63.3.14基発150号）

5. 休日の出張

　出張中の休日はその日に旅行する等の場合であっても、旅行中における物品の監視等別段の指示がある場合の外は休日労働として取り扱わなくても差し支えない。

（昭和23.3.17基発461号、昭和33.2.13基発90号）

6. 国民の祝日

　国民の祝日に関する法律は、国民の祝日に休ませることを強制的に義務づけをするのでなく、労働基準法は、毎週1回又は4週4日以上の休日を与えることを義務づけているが、この要件を満たすかぎり、国民の祝日に休ませなくても労働基準法違反とはならない。

（昭和41.7.14基発739号）

7.　休日の振替と代休

(1)　休日の振替

　　休日の振替とは、業務等の都合によりあらかじめ休日と定められた日を労働日とし、その代わりに他の労働日を休日とすることである。 H27-5C

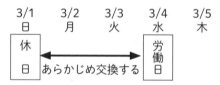

　　休日の振替を行う場合には、以下の要件を満たさなければならない。

①　**就業規則等**において、休日の振替ができる旨の規定を設けること。

②　休日を振り替える前に**あらかじめ振り替えるべき日を特定**すること。

③　**4週間を通じ4日以上の休日が確保**されていること。

（昭和23.4.19基収1397号、昭和63.3.14基発150号）

(2)　休日の振替の手続

　　業務等の都合によりあらかじめ休日と定められた日を労働日とし、その代わりに他の労働日を休日とするいわゆる休日の振替を行う場合には、就業規則等においてできる限り、休日振替の具体的事由と振り替えるべき日を規定することが望ましい。

　　なお、振り替えるべき日については、振り替えられた日以降できる限り近接している日が望ましい。 （昭和23.7.5基発968号、昭和63.3.14基発150号）

(3)　代休

　　代休とは、「休日の振替」の規定に基づきあらかじめ休日と特定の労働日とを振り替える措置をとらず、休日労働を行った後にその代償としてその後の特定の労働日の労働義務を免除することである。

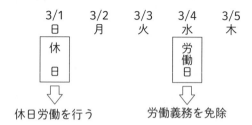

8.　休日の振替と時間外労働

　　就業規則に定める休日の振替規定により休日を振り替える場合、当該休日は労

働日となるので休日労働とはならないが、振り替えたことにより当該週の労働時間が１週間の法定労働時間を超えるときは、その超えた時間については時間外労働となり、時間外労働に関する36協定及び割増賃金の支払が必要である。

（昭和22.11.27基発401号、昭和63.3.14基発150号）

問題チェック H24-5C

労働基準法第35条に定める休日は、原則として暦日を意味するものと解されており、例えば、午前８時から翌日の午前８時までの労働と、同じく午前８時から翌日の午前８時までの非番とを繰り返す一昼夜交替勤務の場合に、非番の継続24時間の間労働義務がないとしても、同条の休日を与えたものとは認められない。

解答 ○

昭和23.11.9基収2968号

上記問題文の場合は、次の通りとなる。

　労働日　　⟵⟶　非番日

部分の継続24時間を休ませても休日を与えたことにはならないので、７日目の午前零時から継続した24時間（暦日・████部分）の休みが必要になる。

第4章 第2節

時間外・休日労働、割増賃金及びみなし労働時間制

時間外及び休日の労働

① 災害等による臨時の必要がある場合
（法33条1項、2項、則13条1項）重要度 A ★★★

> Ⅰ　**災害その他避けることのできない事由**によって、**臨時の必要が**ある場合においては、**使用者は、行政官庁（所轄労働基準監督署長）の許可を受けて**、その**必要の限度**において第32条から第32条の5まで若しくは第40条の**労働時間を延長**し、又は第35条の**休日**に**労働**させることができる。ただし、事態急迫のために**行政官庁（所轄労働基準監督署長）の許可を受ける暇がない**場合においては、事後に遅滞なく**届け出**なければならない。R6-5イ
>
> Ⅱ　Ⅰただし書の規定による**届出**があった場合において、**行政官庁（所轄労働基準監督署長）**がその**労働時間の延長又は休日の労働を不適当**と認めるときは、その後に**その時間に相当する休憩又は休日を与える**べきことを、命ずることができる。

┃Check Point!┃

□　派遣先の使用者は、派遣先の事業場において、災害その他避けることのできない事由により臨時の必要がある場合には、派遣中の労働者に法定時間外又は法定休日に労働させることができる。この場合に、事前に所轄労働基準監督署長の許可を受け、又はその暇がない場合に事後に遅滞なく届出をする義務を負うのは、派遣先の使用者である。

（昭和61.6.6基発333号）

---

1. 災害その他避けることのできない事由

災害その他避けることのできない事由に該当するか否かは、次のような取扱いとされている。

災害等に該当するもの	災害等に該当しないもの
①地震、津波、風水害、雪害、爆発、火災等の災害への対応（差し迫った恐れがある場合における事前の対応を含む。）、急病への対応その他の人命又は公益を保護するための必要がある場合 ②事業の運営を不可能ならしめるような突発的な機械・設備の故障の修理、保安やシステム障害の復旧（サーバーへの攻撃によるシステムダウンへの対応等） ③上記①及び②について、他の事業場からの協力要請に応じる場合において、人命又は公益の確保のために協力要請に応じる場合や協力要請に応じないことで事業運営が不可能となる場合	①単なる業務の繁忙その他これに準ずる経営上の必要がある場合 ②通常予見される機械・設備の故障の部分的な修理、定期的な保安

（令和元.6.7基発0607第1号）

第4章 第2節

2. 手続

　災害等による臨時の必要がある場合に時間外・休日労働をさせるためには、次の手続が必要となる。

原則	事態急迫のために所轄労働基準監督署長の許可を受ける暇がない場合
所轄労働基準監督署長の**許可**を受けること	事後に**遅滞なく**、所轄労働基準監督署長に**届け出る**こと

3. 代休付与命令による休業

　事態急迫のために所轄労働基準監督署長の許可を受ける暇がなかった場合は、事後に遅滞なく届け出ることとされているが、その時間外労働や休日労働が不適当と認められた場合には、代休付与命令が出される。

　なお、この代休付与命令による休憩又は休日は、法第26条［**休業手当**］に規定する使用者の責に帰すべき休業ではない（**休業手当の支払は不要**である）。

（昭和23.6.16基収1935号）

❷ 公務のため臨時の必要がある場合

（法33条3項）[重要度 B]　★★

　公務のために**臨時の必要**がある場合においては、第33条第1項［災害等による臨時の必要がある場合］の規定にかかわらず、**官公署の事業**（別表第1に掲げる事業を除く。）に従事する**国家公務員**及び**地方公務員**については、第32条から第32条の5まで若しくは第40条の**労働時間を延長**し、又は第35条の**休日に労働**させることができる。

概要

　公務のため臨時の必要がある場合にも、法定労働時間を超えて、又は法定の休日に労働させることができる。この場合、単に公務のため臨時の必要があればよく、また必要性の判断について行政官庁の許可・事後の届出も必要としない。

（昭和23.7.5基収1685号、平成11.3.31基発168号）

❸ 労使協定（36協定）による時間外及び休日の労働 [重要度 A]

① 協定事項等

（法36条1項、2項、則16条1項、則17条1項、2項、則附則71条）

★★★

Ⅰ　**使用者**は、**労使協定**をし、厚生労働省令で定めるところによりこれを**行政官庁（所轄労働基準監督署長）に届け出た場合**においては、第32条から第32条の5まで若しくは第40条の**労働時間**又は第35条の**休日**に関する規定にかかわらず、その**協定**で定めるところによって**労働時間を延長**し、又は**休日に労働**させることができる。[R4-3D]

Ⅱ　Ⅰの**協定**においては、次に掲げる事項を定めるものとする。

　ⅰ　第36条の規定により**労働時間を延長**し、又は**休日に労働**させることができることとされる**労働者の範囲**

　ⅱ　**対象期間**（第36条の規定により**労働時間を延長**し、又は**休日に労働**させることができる期間をいい、**1年間**に限るものとする。

ivにおいて同じ。）

iii　**労働時間を延長**し、又は**休日に労働**させることができる**場合**

iv　**対象期間**における**1日、1箇月及び1年**のそれぞれの期間について**労働時間を延長**して労働させることができる**時間**又は労働させることができる**休日の日数**

v　**労働時間の延長**及び**休日の労働**を**適正**なものとするために必要な事項として厚生労働省令で定める事項

Ⅲ　Ⅱvの厚生労働省令で定める事項は、次に掲げるものとする。ただし、ivからviiまでの事項については、労使協定に②Ⅲ〔臨時的に限度時間を超えて労働させる必要がある場合〕に規定する事項に関する定めをしない場合においては、この限りでない。

i　労使協定（労働協約による場合を除く。）の**有効期間**の定め

ii　Ⅱivの**1年の起算日**

iii　②Ⅳii及びiiiに定める要件を満たすこと。

iv　**時間外労働の限度時間**（以下Ⅲにおいて「**限度時間**」という。）を超えて労働させることができる**場合**

v　限度時間を超えて労働させる労働者に対する**健康及び福祉を確保するための措置**

vi　限度時間を超えた労働に係る**割増賃金の率**

vii　限度時間を超えて労働させる場合における**手続**

Ⅳ　使用者は、Ⅲvに掲げる措置の**実施状況に関する記録**をⅢiの**有効期間中及び当該有効期間の満了後5年間**（当分の間、**3年間**）**保存**しなければならない。

▌Check Point!▶

□　36協定は所轄労働基準監督署長に届出をしなければ、その効力は発生しない。 R3-5A

---

1. 36協定における協定事項

(1) 労働者の範囲

36協定の対象となる「業務の種類」及び「労働者数」を協定する。

(2)　**対象期間**

　　36協定により労働時間を延長し、又は休日に労働させることができる期間をいい、36協定において、１年間の上限を適用する期間を協定する。

　　なお、事業が完了し、又は業務が終了するまでの期間が１年未満である場合においても、36協定の対象期間は１年間とする必要がある。

(3)　**労働時間を延長し、又は休日に労働させることができる場合**

(4)　**対象期間における１日、１箇月及び１年のそれぞれの期間について労働時間を延長して労働させることができる時間又は労働させることができる休日の日数**

(5)　**労働時間の延長及び休日の労働を適正なものとするために必要な事項として厚生労働省令で定める事項**

　　上記Ⅲ ⅵの割増賃金の率については、**１箇月及び１年**のそれぞれについて定めなければならず、法第89条第２号の「賃金の決定、計算及び支払の方法」として就業規則に記載する必要がある。

（平成30.9.7基発0907第1号）

参考 フレックスタイム制を導入している場合における法第36条による時間外労働に関する協定においては、上記(4)中１日について延長することができる時間を協定する必要はなく、１箇月及び１年について協定すれば足りる。 R3-5E　R5-7A　（平成30.12.28基発1228第15号）

2.　労使協定の効力

　労働基準法上の労使協定の効力は、通常その協定に定めるところによって労働させても労働基準法に違反しないという**免罰効果**をもつものであり、労働者の民事上の義務は、当該協定から直接生じるものではなく、労働協約、就業規則等の根拠が必要である。

（昭和63.1.1基発１号）

3.　時間外・休日労働義務の発生要件

　使用者が36協定を締結し、これを所轄労働基準監督署長に届け出た場合において、使用者が当該事業場に適用される就業規則に当該36協定の範囲内で一定の業務上の事由があれば労働契約に定める労働時間を延長して労働させることができる旨定めているときは、当該就業規則の規定の内容が**合理的な**ものである限り、それが具体的労働契約の内容をなすから、右就業規則の規定の適用を受ける労働者は、その定めるところに従い、労働契約に定める労働時間を超えて労働をする義務を負う。 H27-6ウ

（最一小平成3.11.28日立製作所武蔵工場事件）

4.　36協定の更新

　36協定を更新しようとするときは、使用者は、その旨の協定を**所轄労働基準監督署長に届け出る**ことによって、36協定の届出に代えることができる。（則16条３項）

則第16条第3項は、協定を更新する場合における届出の手続を定めたものであるが、協定の有効期間について自動更新の定めがなされている場合においては、則第16条第3項の届出は、当該協定の更新について労使両当事者のいずれからも**異議の申出がなかった事実を証する書面を届け出**ることで足りる。

（昭和29.6.29基発355号）

2 時間外労働の限度時間
（法36条2項2号カッコ書、3項〜6項、11項）　★★★

Ⅰ　**1**Ⅱivの**労働時間を延長**して労働させることができる時間は、当該**事業場の業務量、時間外労働の動向**その他の事情を考慮して**通常予見される**時間外労働の範囲内において、**限度時間を超えない時間**に限る。

Ⅱ　Ⅰの**限度時間**は、**1箇月**について**45時間**及び**1年**について**360時間**（1年単位の変形労働時間制の対象期間として**3箇月を超える**期間を定めて当該変形労働時間制の規定により労働させる場合にあっては、**1箇月**について**42時間**及び**1年**について**320時間**）とする。 R2-6C

Ⅲ　第36条第1項の**協定（36協定）**においては、**1**Ⅱⅰからⅴに掲げるもののほか、当該事業場における**通常予見することのできない業務量の大幅な増加**等に伴い**臨時的**にⅠの**限度時間**を超えて労働させる必要がある場合において、**1箇月**について**労働時間を延長して労働させ**、及び**休日**において**労働**させることができる時間（**1**Ⅱivに関して協定した時間を含め**100時間未満**の範囲内に限る。）並びに**1年**について**労働時間を延長**して労働させることができる時間（**1**Ⅱivに関して**協定**した時間を含め**720時間**を超えない範囲内に限る。）を定めることができる。この場合において、第36条第1項の**協定（36協定）**に、併せて**1**Ⅱ ⅱの**対象期間**において**労働時間を延長して労働させる**時間が**1箇月**について**45時間**（1年単位の変形労働時間制の対象期間として**3箇月を超える**期間を定めて当該変形労働時間制の規定により労働させる場合にあっては、**1箇月**について**42時間**）を超えることができる**月数**（**1年**について**6箇月以内**に限る。）を定めなければならない。

Ⅳ　使用者は、第36条第１項の**協定**（**36協定**）で定めるところによって**労働時間を延長**して労働させ、又は**休日において労働**させる場合であっても、次のⅰからⅲに掲げる時間について、当該ⅰからⅲに定める要件を満たすものとしなければならない。

ⅰ	**坑内労働**その他厚生労働省令で定める健康上特に有害な業務について、**１日**について労働時間を延長して労働させた時間	**2時間を**超えないこと
ⅱ	**１箇月**について**労働時間を延長**して労働させ、及び**休日において労働**させた時間	**100時間未満**であること
ⅲ	**対象期間**（第36条の規定により**労働時間を延長**し、又は**休日に労働**させることができる期間をいい、**１年**間に限るものとする。）の**初日**から１箇月ごとに区分した各期間に当該各期間の直前の１箇月、２箇月、３箇月、４箇月及び５箇月の期間を加えたそれぞれの期間における**労働時間を延長**して労働させ、及び**休日に**おいて労働させた時間の**１箇月**当たりの平均時間	**80時間を**超えないこと

Ⅴ　ⅠからⅢまで及びⅣ（ⅱ及びⅲに係る部分に限る。）の規定は、**新たな技術、商品又は役務の研究開発に係る業務**については**適用しない**。

趣旨

　法第36条は、時間外・休日労働を無制限に認める趣旨ではなく、時間外・休日労働は本来は、臨時的なものとして必要最小限にとどめられるべきものであり、労使当事者は、36協定を締結するに当たり、次の時間外・休日労働の限度時間等の範囲でこれを定めるものとされている。

【時間外・休日労働の限度時間等】

	原則	臨時的に限度時間を超えて労働させる必要がある場合
１箇月	**45時間**	**100時間未満**（**休日労働時間含む**） R4-3B
１年	**360時間**	**720時間以内** R4-3B

┃Check Point!

□　新たな技術、商品又は役務の研究開発に係る業務については上記「時間外・休日労働の限度時間等」の表の規定は適用されない。

1. 時間外労働の限度時間

36協定に定める「**1日、1箇月及び1年のそれぞれの期間について労働時間を延長して労働させることができる時間**」は、原則として、次の限度時間の範囲内でなければならない。

限度時間	
1箇月（時間外労働時間）	**45時間**（42時間[※]）
1年（時間外労働時間）	**360時間**（320時間[※]）

※　1年単位の変形労働時間制（対象期間3箇月超）が適用される場合

2. 36協定に特別条項を設ける場合

通常予見することのできない業務量の大幅な増加等に伴い臨時的に1.の限度時間を超えて労働させる必要がある場合には、特別条項を設けることができる。

この特別条項に定める「**1箇月について労働時間を延長して労働させ、休日において労働させることができる時間**」及び「**1年について労働時間を延長して労働させることができる時間**」は、次表の時間の範囲内でなければならない。

特別条項で定めることができる時間の範囲	
1箇月（時間外労働時間＋休日労働時間）	**100時間未満**
1年（時間外労働時間）	**720時間以内**

また、併せて「**限度時間〔45時間（42時間）〕を超えることができる月数**」を**1年につき6回**の範囲内で定める必要がある。

3. 実労働時間の制限

36協定で定めるところにより時間外・休日労働を行わせる場合であっても、次の①から③の要件を満たすものとしなければならず、これに違反した使用者は、**6箇月以下の懲役又は30万円以下の罰金**に処せられる。

①　坑内労働等**健康上特に有害な業務**に係る**1日の時間外労働時間は2時間以内**とすること

②　**1箇月**における**時間外労働時間数**及び**休日労働時間数を100時間未満**とすること

③　**2箇月～6箇月**における**時間外労働時間数**及び**休日労働時間数の1箇月平均を80時間以内**とすること（2箇月、3箇月、4箇月、5箇月、6箇月のいずれの期間においても、月平均80時間以内とすること） `R4-3B`

4. 健康上特に有害な業務の時間外労働

法第36条第1項に基づいて手続した場合においても、坑内労働その他厚生労働

省令で定める健康上特に有害な業務の1日における労働時間数が、1日についての法定労働時間数に2時間を加えて得た時間数を超えてはならない。

(1)　1日について2時間

　1日について2時間を超えてはならないとは、必ずしも8時間を超える部分についてのみでなく、変形労働時間制を定める場合は、その特定の日の所定労働時間を超える部分についても適用される。

（昭和22.11.21基発366号、平成11.3.31基発168号）

【例1】法定労働時間が8時間の場合

　・1日について坑内労働（有害業務）を11時間行った場合

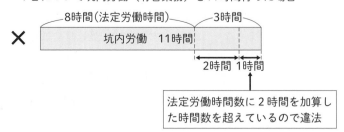

　・1日について坑内労働（有害業務）を8時間と有害業務以外の業務を3時間行った場合 H29-4B

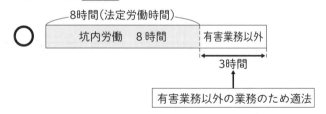

【例2】変形労働時間制を採用している場合

　・変形労働時間制を採用した特定の日の所定労働時間が10時間であり、坑内労働を13時間行った場合

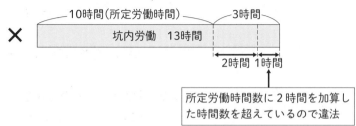

・変形労働時間制を採用した特定の日の所定労働時間が10時間であり、坑内労働を12時間行った場合

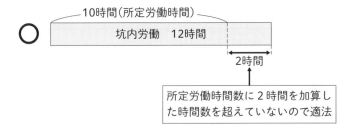

所定労働時間数に2時間を加算した時間数を超えていないので適法

(2) 有害業務の休日労働

労働基準法第36条第6項第1号は、通常の労働日においては原則として最長10時間を限度とする規定であるから、休日においては10時間を超えて休日労働をさせることを禁止する法意であると解される。 H29-4C

（平成11.3.31基発168号）

(3) 健康上特に有害な業務

健康上特に有害な業務に該当するものとしては、**坑内労働**の他に次のようなものがある。

① 多量の高熱物体を取り扱う業務及び著しく暑熱な場所における業務
② 多量の低温物体を取り扱う業務及び著しく寒冷な場所における業務
③ ラジウム放射線、エックス線その他の有害放射線にさらされる業務
④ 土石、獣毛等のじんあい又は粉末を著しく飛散する場所における業務
⑤ 異常気圧下における業務
⑥ 削岩機等の使用によって身体に著しい振動を与える業務
⑦ 重量物の取扱い等重激なる業務
⑧ ボイラー製造等強烈な騒音を発する場所における業務
⑨ 鉛等の有害物の粉じん、蒸気又はガスを発散する場所における業務（地下駐車場の業務のうち、入庫受付業務、出庫受付業務、料金徴収業務、自動車誘導等の場内業務、洗車等のサービス業務もこれに含まれる）

（則18条、昭和43.7.24基発472号、平成11.3.31基発168号）

問題チェック H15-7B改題

労働基準法第36条第6項第1号においては、36協定を締結し、所轄労働基準監督署長に届け出た場合であっても、坑内労働その他厚生労働省令で定める危険な業務又は健康上特に有害な業務の労働時間の延長は、1日について2時間を超えてはならないとされている。

解答 ✕

法36条6項1号

　36協定を締結し所轄労働基準監督署長に届け出た場合であっても1日についての延長時間が2時間を超えてはならない業務の中に「危険な業務」は含まれていない。

参考（指針等）

1．厚生労働大臣は、労働時間の延長及び休日の労働を適正なものとするため、36協定で定める労働時間の延長及び休日の労働について留意すべき事項、当該労働時間の延長に係る割増賃金の率その他の必要な事項について、労働者の健康、福祉、時間外労働の動向その他の事情を考慮して指針を定めることができる。
2．36協定をする使用者及び労働組合又は労働者の過半数を代表する者は、当該協定で労働時間の延長及び休日の労働を定めるに当たり、当該協定の内容が1.の指針に適合したものとなるようにしなければならない。
3．行政官庁は、1.の指針に関し、36協定をする使用者及び労働組合又は労働者の過半数を代表する者に対し、必要な助言及び指導を行うことができる。
4．3.の助言及び指導を行うに当たっては、労働者の健康が確保されるよう特に配慮しなければならない。

（法36条7項〜10項）

割増賃金

① 割増賃金の支払義務
（法37条1項、2項、4項） 重要度 A

★★★

Ⅰ　**使用者**が、第33条［臨時の必要］又は第36条第1項［36協定］の規定により**労働時間を延長**し、又は**休日に労働**させた場合においては、その**時間**又はその**日**の**労働**については、**通常の労働時間又は労働日の賃金の計算額**の**2割5分以上5割以下**の範囲内でそれぞれ政令で定める率以上の率で計算した**割増賃金**を支払わなければならない。ただし、当該**延長して労働させた時間**が**1箇月について60時間を超えた場合**においては、その**超えた時間の労働**については、通常の労働時間の賃金の計算額の**5割以上の率**で計算した**割増賃金**を支払わなければならない。 R3-選B

Ⅱ　Ⅰの政令は、**労働者の福祉、時間外又は休日の労働の動向**その他の事情を考慮して定めるものとする。

Ⅲ　**使用者**が、**午後10時から午前5時**まで（**厚生労働大臣**が必要であると認める場合においては、その定める**地域又は期間**については**午後11時から午前6時**まで）の間において労働させた場合においては、その時間の労働については、**通常の労働時間の賃金の計算額**の**2割5分以上の率**で計算した**割増賃金**を支払わなければならない。

趣旨

　法第37条は、時間外労働・休日労働・深夜業に対して割増賃金を支払うべきことを使用者に義務づけることによって、労働基準法が規定する法定労働時間制及び週休制の原則の維持を図るとともに、過重な労働に対する労働者への補償を行うことを目的とした規定である。

　法第32条第1項で1週間の法定労働時間を規定し、同条第2項で1日の法定労働時間を規定することとしたが、これは、労働時間の規制は1週間単

位の規制を基本として1週間の労働時間を短縮し、1日の労働時間は1週間の労働時間を各日に割り振る場合の上限として考えるという考え方によるものである。

　1週間の法定労働時間と1日の法定労働時間との項を分けて規定することとしたが、いずれも法定労働時間であることに変わりはなく、使用者は、労働者に、法定除外事由なく、1週間の法定労働時間及び1日の法定労働時間を超えて労働させてはならないものである。　H30-3E 　　（昭和63.1.1基発1号）

Check Point!

□　通常の労働時間又は労働日の賃金の計算額に乗じる率は、次の通りである。

	割増率	60時間超／月 時間外労働させた場合の割増率
時間外労働	25％以上	50％以上
休日労働	35％以上	
深夜業	25％以上	
休日労働 ＋時間外労働※	35％以上 H29-1E 　H30-3A	
時間外労働 ＋深夜業	50％以上 （25％以上＋25％以上）	75％以上 （50％以上＋25％以上）
休日労働 ＋深夜業	60％以上 （35％以上＋25％以上）	

※　休日労働に係る時間外労働という概念はない。休日に8時間以上労働したからといっても、それは時間外労働ではなくあくまで休日労働なので、割増率は35％のままである。ただし、それが深夜業に及んだときには60％になる。

（昭和22.11.21基発366号、平成11.3.31基発168号）

1.　割増賃金の対象となる労働

(1)　法定労働時間を超えて労働させた場合

　　割増賃金の対象となる時間外労働は、法定労働時間を超えた時間外労働である。例えば、次図のケースの場合、法定内時間外労働である1時間については、割増賃金の対象とはならず、法定労働時間を超えた2時間が割増賃金の対象となる。　R4-3D

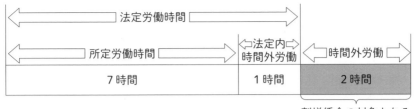

割増賃金の対象となる
時間外労働

(2)　**法定休日に労働させた場合**

　　法第35条に規定する週1回又は4週4回の法定休日に労働させた場合に割増賃金の支払が必要となる。所定休日（就業規則等で定める休日）に労働させたとしても、法定休日が確保されている場合は、休日労働に対する割増賃金の支払は必要ない。
（昭和23.4.5基発537号、昭和63.3.14基発150号）

(3)　**深夜業に従事させた場合**

　　午後10時から午前5時（一定の地域については午後11時から午前6時）の時間帯に労働させた場合は、深夜業に対する割増賃金の支払が必要となる。

(4)　**黙示の指示による労働時間**

　　使用者の具体的に指示した仕事が、客観的にみて正規の勤務時間内ではなされ得ないと認められる場合の如く、超過勤務の黙示の指示によって法定労働時間を超えて勤務した場合には、時間外労働となる。　（昭和25.9.14基収2983号）

(5)　**始業終業時刻の変更**

　　交通機関の早朝ストライキ等のため始業終業時刻を繰り下げたり、繰り上げたりすることは、労働時間が通算して1日8時間又は週の法定労働時間以内の場合には割増賃金の支払を要しない。
（昭和22.12.26基発573号、昭和33.2.13基発90号）

(6)　**遅刻時間に相当する時間延長**

　　労働者が遅刻をした場合その時間だけ通常の終業時刻を繰り下げて労働させる場合には、割増賃金の支払の必要はない。 `H29-4D` `R4-3C`
（昭和29.12.1基収6143号、平成11.3.31基発168号）

2.　派遣労働者の割増賃金支払義務

　　派遣中の労働者について、法定時間外労働等を行わせるのは**派遣先の使用者**であり、**派遣先の使用者**が派遣中の労働者に法定時間外労働等を行わせた場合に、**派遣元の使用者が割増賃金の支払義務を負う**ことになる。この割増賃金の支払は、派遣中の労働者に法定時間外労働等を行わせたという事実があれば法律上生

じる義務であり、当該派遣中の労働者に法定時間外労働等を行わせることが労働基準法違反であるかどうか、又は労働者派遣契約上派遣先の使用者に法定時間外労働等を行わせる権限があるかどうかを問わないものである。　(昭和61.6.6基発333号)

3.　違法な時間外・休日労働の割増賃金

(1)　法第37条は強行規定なので、たとえ、その時間外労働等が臨時の必要や36協定によらず違法なものであっても、あるいは、労使合意の上で割増賃金を支払わない申し合わせをしても割増賃金を支払わなければならない。

(昭和24.1.10基収68号、昭和63.3.14基発150号)

(2)　法第37条第1項は、第33条［臨時の必要］又は第36条［時間外・休日労働］所定の条件が充足された場合たると否とにかかわらず、時間外労働等に対し、割増賃金支払義務を認めた趣意と解するを相当とする。 R2-6D

(最一小昭和35.7.14小島撚糸事件)

4.　時間外労働が継続して翌日の所定労働時間に及んだ場合の割増賃金

法第36条第1項による時間外労働が継続して翌日の所定労働時間に及んだ場合（勤務が終了した数時間後に緊急事態発生のために特別勤務をする場合を含む）は、翌日の所定労働時間の始期までの超過時間に対して、法第37条の割増賃金を支払えば同条の違反にはならない。 H30-3C

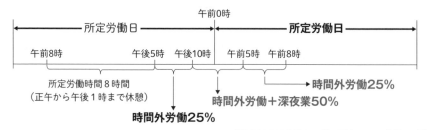

(昭和26.2.26基収3406号、昭和28.3.20基発136号)

5.　法定休日における割増賃金の考え方

法定休日である日の午前0時から午後12時までの時間帯に労働した部分が休日労働となる。したがって、法定休日の前日の勤務が延長されて法定休日に及んだ場合及び法定休日の勤務が延長されて翌日に及んだ場合のいずれの場合においても、法定休日の日の午前0時から午後12時までの時間帯に労働した部分が3割5分以上の割増賃金の支払いを要する休日労働時間となる。 H30-3BD

(平成6.5.31基発331号)

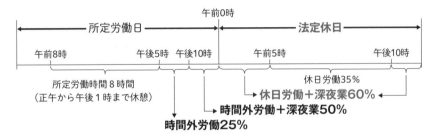

6. 1箇月60時間を超える時間外労働

1箇月について60時間を超える時間外労働については、その超えた時間について、50%以上の率で計算した割増賃金を支払わなければならない。

■時間外労働に係る割増賃金の率

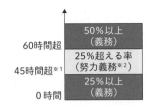

※1 45時間＝時間外労働の1月の限度時間
※2 巻末の資料編第4章**6**(3)**③**参照。

7. 変形労働時間制を採用している場合の時間外労働

(1) 1箇月単位の変形労働時間制の場合

① 1日については、次の時間が時間外労働時間となる。

a 所定労働時間が8時間を超える日は、所定労働時間を超えて労働した時間 H29-1A

b 所定労働時間が8時間以内の日は、8時間を超えて労働した時間 R元-2C

② 1週間については、次の時間から①の時間外労働時間を差し引いた時間が時間外労働時間となる。R元-2C

a 所定労働時間が40（44）時間を超える週は、所定労働時間を超えて労働した時間

b 所定労働時間が40（44）時間以内の週は、40（44）時間を超えて労働した時間 H29-1A

③ 変形期間については、変形期間における法定労働時間の総枠（40（44）×変形期間の暦日数／7）を超えて労働した時間から①及び②の時間外労働時間を差し引いた時間が時間外労働時間となる。

（休日の振替と日法定労働時間の関係）
　休日振替の結果、就業規則で１日８時間を超える所定労働時間が設定されていない日に１日８時間を超えて労働させることになる場合には、その超える時間は時間外労働となる。

H29-1B（平成6.3.31基発181号）

（休日の振替と週法定労働時間の関係）
　完全週休２日制を採用している場合に、ある週の休日を他の週に振り替えることは、休日の規定との関係では問題はないが、例えば１日の休日を他の週に振り替えた場合には、当該週２日の休日があった週に８時間×６日＝48時間労働させることになり、あらかじめ特定されていない週に週40時間を超えて労働させることになるので、８時間分は時間外労働となる。

(同上)

⑵　１年単位の変形労働時間制の場合

　１箇月単位の変形労働時間制と同様の方法で算定するが、１週間の法定労働時間は40時間のみ（特例の適用なし）になる。

(則25条の2,4項)

⑶　１週間単位の非定型的変形労働時間制の場合

　１箇月単位の変形労働時間制と同様の方法で算定するが、１週間の法定労働時間は40時間のみ（特例の適用なし）になり、変形期間は１週間なので⑴③の計算は不要となる。

(同上)

⑷　フレックスタイム制の場合

　清算期間における法定労働時間の総枠を超えて労働した時間が時間外労働時間になる。詳細については、第１節 **3** **❸**「フレックスタイム制」を参照。

(昭和63.1.1基発１号、平成11.3.31基発168号、平成30.9.7基発0907第１号)

問題チェック H29-1B

　１か月単位の変形労働時間制により、毎週日曜を起算日とする１週間について、各週の月曜、火曜、木曜、金曜を所定労働日とし、その所定労働時間をそれぞれ９時間、計36時間としている事業場において、あらかじめ<u>水曜の休日を前日の火曜に、火曜の労働時間をその水曜に振り替えて９時間の労働</u>をさせたときは、水曜の労働はすべて法定労働時間内の労働になる。

解答 ✕

平成6.3.31基発181号

　設問の場合、水曜日は、１日８時間を超える所定労働時間が設定されていない日に８時間を超えて労働させたことになるため、その超える時間（９時間－８時間＝１時間）が時間外労働になる。

曜日	日	月	火	水	木	金	土	合計
所定労働時間	休	9 h	9 h	休	9 h	9 h	休	36 h
実労働時間	休	9 h	休 ⟷ 9 h		9 h	9 h	休	36 h

振替

❷ 除外賃金 （法37条5項、則21条） Ａ ★★★

割増賃金の基礎となる賃金には、次に掲げる賃金は、**算入しない**。

- ⅰ 　**家族手当**
- ⅱ 　**通勤手当**
- ⅲ 　**別居手当**
- ⅳ 　**子女教育手当**
- ⅴ 　**住宅手当**
- ⅵ 　**臨時に支払われた賃金**
- ⅶ 　**1箇月を超える期間**ごとに支払われる賃金

‖Check Point!▶

☐ 住宅手当と称していても、住宅に要する費用以外の費用に応じて算定される手当や、住宅に要する費用にかかわらず一律に定額で支給される手当は、割増賃金の基礎となる賃金に算入しなければならない。

（平成11.3.31基発170号）

☐ 家族手当と称していても、家族数に関係なく一律に支給していれば割増賃金の算定基礎となる賃金に算入しなければならない。また、通勤手当のうち一定額が最低額として距離にかかわらず支給される場合は、その一定額も算入しなければならない。　（昭和22.11.5基発231号、昭和23.2.20基発297号）

1．制限的列挙

　割増賃金の算定の基礎となる賃金は、原則として、**通常の労働時間又は労働日の賃金**であるが、上記ⅰからⅶの賃金は除外される。この除外する賃金については、制限的列挙であるとされているので、例えば、法定時間外において危険作業や特殊作業に従事した場合、その作業に対して支給される危険作業手当や特殊作業手当などは、割増賃金の算定の基礎となる賃金に算入しなければならない。

（昭和23.11.22基発1681号）

2．家族手当、通勤手当、別居手当、子女教育手当、住宅手当

　これらの手当については、労働と直接的な関係が薄く**個人的事情**に基づいて支給されている賃金であるため、割増賃金の基礎から除外されている。

3. 臨時に支払われた賃金、1箇月を超える期間ごとに支払われる賃金

臨時に支払われた賃金とは、例えば**祝金**や**見舞金**などをいう。**1箇月を超える期間ごとに支払われる賃金**とは、**賞与**などをいう。これらの賃金については、主として計算技術上の困難があるために割増賃金の基礎となる賃金から除外されている。

4. 年俸制の場合

年俸制で毎月払い部分と賞与部分を合計して予め年俸額が確定している場合の賞与部分は、「臨時に支払われた賃金」及び「1箇月を超える期間ごとに支払われる賃金」のいずれにも該当しないものであるから、割増賃金の算定基礎から除外することはできず、賞与部分を含めて当該確定した年俸額を算定の基礎として割増賃金を支払わなければならない。

(平成12.3.8基収78号)

❸ 割増賃金の計算の基礎となる賃金額の計算
（則19条）　重要度 A

★★★

法第37条第1項［割増賃金］の規定による**通常の労働時間又は通常の労働日の賃金の計算額**は、次の i から vii の金額に法第33条［臨時の必要］若しくは法第36条第1項［36協定］の規定によって**延長した労働時間数若しくは休日の労働時間数**又は**午後10時から午前5時**（厚生労働大臣が必要であると認める場合には、その定める地域又は期間については午後11時から午前6時）までの**労働時間数**を乗じた金額とする。

- i **時間**によって定められた賃金については、**その金額**
- ii **日**によって定められた賃金については、**その金額を1日の所定労働時間数**（日によって所定労働時間数が異なる場合には、**1週間における1日平均所定労働時間数**）で除した金額
- iii **週**によって定められた賃金については、**その金額を週における所定労働時間数**（週によって所定労働時間数が異なる場合には、**4週間における1週平均所定労働時間数**）で除した金額
- iv **月**によって定められた賃金については、**その金額を月における所定労働時間数**（月によって所定労働時間数が異なる場合には、

1年間における**1月平均所定労働時間数**）で除した金額 H28-6A〜E

v **月、週以外の一定の期間**によって定められた賃金については、
iからivに準じて算定した金額

vi **出来高払制その他の請負制**によって定められた賃金については、
その賃金算定期間（賃金締切日がある場合には、賃金締切期間、
以下同じ。）において**出来高払制その他の請負制**によって計算され
た賃金の総額を当該賃金算定期間における、**総労働時間数**で除し
た金額

vii 労働者の受ける賃金がiからviの**2以上**の賃金よりなる場合に
は、その部分についてiからviによってそれぞれ算定した金額の
合計額

‖Check Point!▶

□ 例えば、法定時間外労働を行った者についての賃金の計算方法（時間外
労働に対する割増率は25％のケースとする）を、賃金支払形態ごとにま
とめると、原則として、次の通りとなる。

時間給制	時間給額×時間外労働時間数×1.25
日給制	日給額÷１日の所定労働時間数×時間外労働時間数×1.25
週給制	週給額÷週所定労働時間数×時間外労働時間数×1.25
月給制	月給額÷月所定労働時間数×時間外労働時間数×1.25
出来高払制	出来高払総額÷**総労働時間数**×時間外労働時間数×**0.25**[※]

※ 時間外、休日又は深夜労働の時間については、一般的には、通常賃金額と割
増賃金額とを合わせて「通常賃金額の125％（休日労働の場合は135％）」以上
の金額を支払わなければならない。

ただし、「請負制によって賃金が定められている場合」は、「通常賃金額部分
（100％部分）」については、すでに「請負制によって計算された賃金の総額」
の中に含まれている（支払われている）から、時間外、休日又は深夜労働の時
間については、単に「加給額部分（25％又は35％部分）」のみを支払う（加給
する）ことで足りる。

・割増賃金の定額支給

(1)　要件

割増賃金を毎月定額の手当で支払うことは、次の要件を満たす限り、違法ではないと解されている。

① 　基本給のうち、割増賃金に当たる部分が**明確に区分**されていること。

② 　その手当が時間外労働に対する対価としての実質を有すること。

③ 　実際の時間外労働に対する割増賃金額がその手当の額の範囲内であること（実際の時間外労働に対する割増賃金額がその手当の額を上回るときには、その差額を支払うこととすること）。

(2)　**割増賃金を含めた年俸**

年俸制において、年俸に割増賃金を含むものとしている場合、一般的には、年俸に時間外労働等の割増賃金が含まれていることが労働契約の内容であることが明らかであって、割増賃金相当部分と通常の労働時間に対応する賃金部分とに区別することができ、かつ、割増賃金相当部分が法定の割増賃金額以上支払われている場合は法第37条［割増賃金］に違反しない。 R4-7C

（平成12.3.8基収78号）

参考 (割増賃金を含めた年俸)
医療法人と医師との間の雇用契約において時間外労働等に対する割増賃金を年俸に含める旨の合意がされていたとしても、当該年俸のうち時間外労働等に対する割増賃金に当たる部分が明らかにされておらず、通常の労働時間の賃金に当たる部分と割増賃金に当たる部分とを判別することができないという事情の下では、当該年俸の支払により、時間外労働等に対する割増賃金が支払われたということはできない。 R4-7C

（最二小平成29.7.7医療法人社団康心会事件）

(3)　**監視断続労働者の深夜業の割増賃金**

法第41条は深夜業の規定の適用を排除していないから、24時間交替勤務することを条件として賃金が定められている労働者について、法第41条第3号によって使用者が行政官庁の許可を受けて使用する場合にあっても、使用者は深夜業の割増賃金を支払わなければならない。ただし、労働協約、就業規則その他によって深夜の割増賃金を含めて所定賃金が定められていることが明らかな場合には、別に深夜業の割増賃金を支払う必要はない。

（昭和23.10.14基発1506号）

(4)　**歩合給**

労働基準法上の時間外及び深夜労働が行われたときにも金額が増加せず、また、この歩合給のうちで通常の労働時間の賃金に当たる部分と時間外及び深夜の割増賃金に当たる部分とを判別することもできない場合には、その歩合給の支給により時間外及び深夜の割増賃金が支払われたとすることは困難

であり、使用者は、時間外及び深夜労働につき、労働基準法第37条及び労働基準法施行規則第19条第1項第6号（**❸**vi）の規定に従った割増賃金を支払う義務を負う。

（最二小平成6.6.13高知県観光事件）

参考 使用者が労働者に対して労働基準法37条の定める割増賃金を支払ったとすることができるか否かを判断するためには、割増賃金として支払われた金額が、**通常の労働時間の賃金**に相当する部分の金額を基礎として、労働基準法37条等に定められた方法により算定した割増賃金の額を下回らないか否かを検討することになるところ、その前提として、労働契約における賃金の定めにつき、**通常の労働時間の賃金**に当たる部分と同条の定める割増賃金に当たる部分とを判別することができることが必要である。そして、使用者が、労働契約に基づく特定の手当を支払うことにより労働基準法37条の定める割増賃金を支払ったと主張している場合において、上記の判別をすることができるというためには、当該手当が時間外労働等に対する対価として支払われるものとされていることを要するところ、当該手当がそのような趣旨で支払われるものとされているか否かは、当該労働契約に係る契約書等の記載内容のほか諸般の事情を考慮して判断すべきであり、その判断に際しては、当該手当の名称や算定方法だけでなく、**当該労働契約の定める賃金体系全体における当該手当の位置付け等**にも留意して検討しなければならないというべきである。 R3-選BC

（最一小令和2.3.30国際自動車事件）

問題チェック H15-3C

労働基準法第37条は、使用者が第33条又は第36条第1項の規定により労働時間を延長した場合においては、その時間の労働については、一定の方法により計算した割増賃金を支払わなければならない旨規定しているが、これは当然に通常の労働時間に対する賃金を支払うべきことを前提とするものであるから、月給制により賃金が支払われる場合であっても、当該時間外労働については、その労働時間に対する通常の賃金を支払わなければならない。

解答 ○

法37条、昭和23.3.17基発461号

設問の時間外労働の時間については、一般的には、通常賃金額と割増賃金額とを合わせて「通常賃金額の125％」以上の金額を支払わなければならない。

問題チェック R元-6D

「いわゆる定額残業代の支払を法定の時間外手当の全部又は一部の支払とみなすことができるのは、定額残業代を上回る金額の時間外手当が法律上発生した場合にその事実を労働者が認識して直ちに支払を請求することができる仕組み（発生していない場合にはそのことを労働者が認識することができる仕組み）が備わっており、これらの仕組みが雇用主により誠実に実行されているほか、基本給と定額残業代の金額のバランスが適切であり、その他法定の時間外手当の不払や長時間労働による健康状態の悪化など労働者の福祉を損なう出来事の温床となる要因がない場合に限られる。」とするのが、最高裁判所の判例である。

解答 ✕　　　　　　　　　　　　　　　最一小平成30.7.19日本ケミカル事件

　最高裁判所の判例においては、時間外労働の対価が支払われているか否かは、雇用契約書等の記載内容のほか、具体的事案に応じ、使用者の労働者に対する当該手当や割増賃金に関する説明の内容、労働者の実際の労働時間等の勤務状況などの事情を考慮して判断すべき、とした上で設問に記載する定額残業代の有効要件は、「必須のものとしているとは解されない」としている。

❹ 代替休暇（法37条3項）　重要度 A　★★★

　使用者が、**労使協定**により、第37条第1項ただし書［時間外労働が1箇月60時間を超えた場合］の規定により**割増賃金**を支払うべき**労働者**に対して、当該**割増賃金**の支払に代えて、**通常の労働時間の賃金が支払われる休暇**（**年次有給休暇を除く。**）を厚生労働省令で定めるところにより与えることを定めた場合において、当該**労働者**が当該**休暇**を取得したときは、当該**労働者**に**1箇月**について**60時間を超えて延長して労働させた時間の労働**のうち当該**取得した休暇**に対応するものとして厚生労働省令で定める時間の労働については、当該**割増賃金を支払うことを要しない**。

趣旨

　労働者の健康を確保する観点から、特に長い時間外労働をさせた労働者に休息の機会を与えることを目的として、1箇月について**60時間を超えて**時間外労働を行わせた労働者について、**労使協定**により、法定割増賃金率の引上げ分の割増賃金の支払に代えて、有給の休暇を与えることができることとされている。

（平成21.5.29基発0529001号）

▌Check Point！

□　個々の労働者が実際に代替休暇を取得するか否かは、労働者の意思によるものである（労働者に代替休暇の取得を義務付けることはできない）。

（同上）

□　「代替休暇以外の通常の労働時間の賃金が支払われる休暇」と「代替休暇」とを合わせて与えた場合において、50％以上の率で計算した割増賃

> 金の支払に代えることができるのは、代替休暇の部分に限られる。（同上）

1．代替休暇の範囲

　1箇月について60時間を超えた時間外労働に係る割増賃金であっても、「**通常の時間外労働に対する割増賃金の率（2割5分以上の率）**」に係る部分については、割増賃金として、当該割増賃金が発生した賃金計算期間に係る賃金支払日に支払うことが必要であり、これを**代替休暇の付与に代えることはできない**。

（法37条3項、平成21.5.29基発0529001号）

2．就業規則への記載

　労使協定の締結によって代替休暇を実施する場合には、代替休暇に関する事項を法第89条第1号の「休暇」として就業規則に記載する必要がある。

（平成21.5.29基発0529001号）

3．労使協定で定める事項

　則第19条の2第1項においては、代替休暇を実施する場合には、労使協定で次の3つの事項を定めなければならないとしている。

労使協定で
定める事項
── 代替休暇として与えることができる時間の時間数の算定方法
── 代替休暇の単位
── 代替休暇を与えることができる期間

(1)　代替休暇として与えることができる時間の時間数の算定方法

　当該算定方法は、労働者に1箇月について60時間を超えて時間外労働させた時間数に、換算率（労働者が代替休暇を取得しなかった場合に支払うこととされている割増賃金率と、労働者が代替休暇を取得した場合に支払うこととされている割増賃金率との差に相当する率をいう。）を乗じるものとしなければならない。

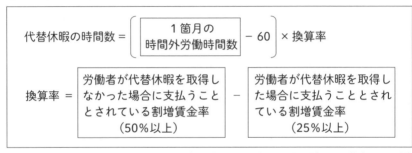

（則19条の2,1項1号、2項、平成21.5.29基発0529001号）

【例】　１箇月に76時間の法定時間外労働を行った場合

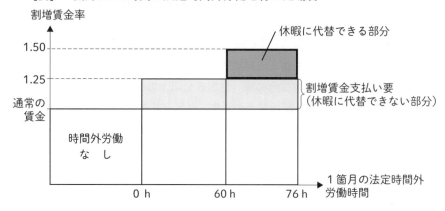

上記の場合、換算率は25％（50％－25％）、代替休暇時間数が４時間〔(76時間－60時間)×25％〕となる。

したがって、月60時間を超える16時間分の割増賃金の引上げ分25％（50％－25％）の支払に代えて、有給休暇付与（４時間）も可能である。ただし、76時間×1.25の賃金の支払は必要である。　　　　　　　（厚生労働省「改正労働基準法のポイント」Ｐ４）

(2)　**代替休暇の単位**

代替休暇の単位については、まとまった単位で与えられることにより労働者の休息の機会とする観点から、**１日又は半日**※（代替休暇以外の通常の労働時間の賃金が支払われる休暇と合わせて与えることができる旨を定めた場合においては、当該休暇と合わせた１日又は半日を含む。）とされており、労使協定では、その一方又は両方を代替休暇の単位として定める必要がある。　　　　　　　（則19条の2,1項２号、平成21.5.29基発0529001号）

※　「１日」とは労働者の１日の所定労働時間をいい、「半日」とはその２分の１をいう。「半日」については、必ずしも厳密に１日の所定労働時間の２分の１とする必要はないが、その場合には労使協定で当該事業場における「半日」の定義を定めておく。　　　　　　　　　　　　　（平成21.5.29基発0529001号）

【例】　１日の所定労働時間が８時間、代替休暇の時間数が10時間ある場合

①　**１日（８時間）の代替休暇を取得し、端数２時間は割増賃金で支払う方法**

② 1日（8時間）の代替休暇と、2時間の代替休暇に2時間の他の有給休暇を合わせて半日の休暇を取得する場合

(3) 代替休暇を与えることができる期間

当該期間は、時間外労働が1箇月について**60時間を超えた当該1箇月の末日の翌日から2箇月以内**としなければならない。 R4-7D （則19条の2,1項3号）

【例】 5月に6時間分、6月に2時間分の代替休暇に相当する法定時間外労働を行った場合

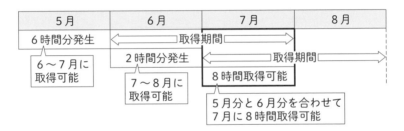

4. 50％以上の率で計算した割増賃金の支払が不要となる時間

労働者が代替休暇を取得した場合、労働者に1箇月について60時間を超えて延長して労働させた時間のうち、「労働者が取得した代替休暇の時間数を換算率で除して得た時間数の時間」については、50％以上の率で計算した割増賃金の支払を要しない（25％以上の率で計算した割増賃金を支払えばよい）こととなる。

（則19条の2,3項）

$$\begin{matrix}50％以上の率で計算した \\ 割増賃金の支払が不要となる時間\end{matrix} = \begin{matrix}労働者が取得した \\ 代替休暇の時間数\end{matrix} ÷ 換算率$$

【例】 ① 月60時間を超える時間外労働時間が40時間

② 換算率25％

③ 1日の所定労働時間が8時間（半日4時間）

以上のケースの場合、代替休暇として与えることができる時間は10時間（40時間×25％）となる。この10時間のうち、4時間を代替休暇として消

化し、残りの6時間を金銭で取得した場合、次のようになる。

←────────── 10時間 ──────────→	
半日の代替休暇（4時間）	6時間＝金銭

50％以上の率で計算した割増賃金の支払が不要となる時間

＝4時間（労働者が取得した代替休暇時間数）÷25％＝16時間

・この場合、代替休暇を取得していない24時間分（金銭で支払われた6時間÷25％）の時間外労働については、50％以上の率で計算した割増賃金の支払が必要となる。

みなし労働時間制

❶ 共通事項（昭和63.1.1基発1号、昭和63.3.14基発150号、平成12.1.1基発1号）重要度 A ★★★

みなし労働時間制には、次の3種類がある。
i 事業場外労働のみなし労働時間制
ii 専門業務型裁量労働制
iii 企画業務型裁量労働制

概要

みなし労働時間制に関する規定は、法第4章の労働時間に関する規定の適用に係る労働時間の算定について適用されるものであり、法第6章の**年少者**や法第6章の2の**妊産婦等**の労働時間に関する規定に係る労働時間の算定については**適用されない**。

また、みなし労働時間制が適用される場合であっても、休憩、深夜業、休日に関する規定の適用は排除されず、みなし労働時間制によって算定される労働時間が法定労働時間を超える業務に従事させる場合には、**36協定の締結・届出、割増賃金の支払が必要**となる。

Check Point！

☐ みなし労働時間制を採用していても、休憩や休日を与えなかったり、休日労働や深夜業に対する割増賃金を支払わなかったりするようなことはできない。

（昭和63.1.1基発1号、昭和63.3.14基発150号、平成12.1.1基発1号）

❷ 事業場外労働のみなし労働時間制
（法38条の2、則24条の2,2項、3項）重要度 B ★★

I 　**労働者**が**労働時間の全部又は一部**について**事業場外**で業務に従事

した場合において、**労働時間を算定し難いときは、所定労働時間労働したものとみなす**。ただし、当該**業務を遂行**するためには**通常所定労働時間を超えて労働することが必要**となる場合においては、当該業務に関しては、厚生労働省令で定めるところにより、当該**業務の遂行に通常必要とされる時間労働したものとみなす**。 H27-選A

Ⅱ　Ⅰただし書の場合において、当該業務に関し、**労使協定があるとき**は、その**協定で定める時間**をⅠただし書の当該**業務の遂行**に**通常必要とされる時間**とする。

Ⅲ　**使用者**は、Ⅱの協定で定める時間が**法定労働時間以下**である場合を除き、同**協定**を**行政官庁（所轄労働基準監督署長）に届け出**なければならない。

Ⅳ　Ⅱの**協定（労働協約**による場合を**除く。）**には、**有効期間の定め**をするものとする。

▐Check Point!▶

☐ 労使協定で定める時間が法定労働時間以下である場合には、所轄労働基準監督署長への届出は不要である。 R元-6C

☐ 労使協定に定めることができるのは、事業場外で従事した業務についての時間であり、事業場内で業務に従事した時間を含めて協定することはできない。

（昭和63.3.14基発150号）

1.　事業場外労働の範囲

　事業場外労働のみなし労働時間制の対象となるのは、事業場外で業務に従事し、かつ、**使用者の具体的な指揮監督が及ばず、労働時間を算定することが困難**な場合である。

　したがって、次のように、事業場外で業務に従事する場合にあっても、使用者**の具体的な指揮監督が及んでいる**ときは、労働時間の算定が可能であるので、みなし労働時間制の**適用はない**。

(1)　何人かのグループで事業場外労働に従事する場合で、そのメンバーの中に労働時間の管理をする者がいる場合

(2)　事業場外で業務に従事するが、無線や携帯電話等によって随時使用者の指示を受けながら労働している場合

(3) 事業場において、訪問先、帰社時刻等当日の業務の具体的指示を受けたのち、事業場外で指示通りに業務に従事し、その後事業場にもどる場合

(昭和63.1.1基発1号)

2. 労働者が情報通信技術を利用して行う事業場外勤務（テレワーク）の取扱い

テレワークにおいて、次の(1)(2)をいずれも満たす場合には、事業場外労働のみなし労働時間制を適用することができる。 R6-5ウ

(1) 情報通信機器が、使用者の指示により常時通信可能な状態におくこととされていないこと

(2) 随時使用者の具体的な指示に基づいて業務を行っていないこと

(令和3.3.25基発0325第2号・雇均発0325第3号)

参考 1. 以下の場合については、いずれも上記(1)を満たすと認められ、情報通信機器を労働者が所持していることのみをもって、制度が適用されないことはない。
  ・勤務時間中に、労働者が自分の意思で通信回線自体を切断することができる場合
  ・勤務時間中は通信回線自体の切断はできず、使用者の指示は情報通信機器を用いて行われるが、労働者が情報通信機器から自分の意思で離れることができ、応答のタイミングを労働者が判断することができる場合
  ・会社支給の携帯電話等を所持していても、その応答を行うか否か、又は折り返しのタイミングについて労働者において判断できる場合
2. 以下の場合については上記(2)を満たすと認められる。
  ・使用者の指示が、業務の目的、目標、期限等の基本的事項にとどまり、1日のスケジュール（作業内容とそれを行う時間等）をあらかじめ決めるなど作業量や作業の時期、方法等を具体的に特定するものではない場合 (同上)

3. 事業場外労働における労働時間の算定の方法

(1) **原則**

労働時間の全部又は一部について事業場外で業務に従事した場合において、労働時間を算定し難いときは、所定労働時間労働したものとみなされ、労働時間の一部について事業場内で業務に従事した場合には、当該**事業場内の労働時間を含めて、所定労働時間労働したものとみなされる。**

【例1】全部事業場外労働・所定労働時間が8時間の場合

【例２】一部事業場外労働・所定労働時間が８時間の場合

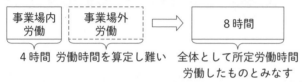

（昭和63.1.1基発１号）

(2)　**当該業務を遂行するためには通常所定労働時間を超えて労働することが必要となる場合**

　　この場合は、当該業務の遂行に**通常必要とされる時間**労働したものとみなされる。

　　なお、労働時間の一部について事業場内で業務に従事した場合には、みなし労働時間制による労働時間の算定の対象となるのは、**事業場外で業務に従事した部分**であり、事業場内で労働した時間については、別途把握しなければならない。そして、労働時間の一部を事業場内で労働した日の労働時間は、みなし労働時間制によって算定される事業場外で業務に従事した時間と、別途把握した事業場内における労働時間とを加えた時間となる。

【例１】全部事業場外労働・所定労働時間８時間・通常必要とされる時間が９時間の場合

【例２】一部事業場外労働・所定労働時間８時間・通常必要とされる時間が６時間の場合

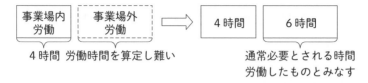

（昭和63.3.14基発150号）

(3)　**労使協定が締結された場合**

　　(2)の当該業務の遂行に通常必要とされる時間を労使協定で定めた場合には、当該時間が「当該業務の遂行に通常必要とされる時間」とされる。

　　なお、この場合も「当該業務」とは事業場外において従事する業務をいう

ので、労働時間の一部について事業場内で業務に従事した場合には、別途把握した「事業場内での労働時間」と「労使協定で定めた時間」とを加えた時間労働したものとみなされる。

(昭和63.3.14基発150号)

当該労使協定（労働協約による場合を除く。）には、有効期間の定めをするものとする。また、当該労使協定で定める時間が**法定労働時間を超える場合**には、**所轄労働基準監督署長に届け出**なければならない。

(則24条の2.2項、3項)

❸ 専門業務型裁量労働制
（法38条の3、則24条の2の2,3項3号、4項）

⭐⭐⭐

I　**使用者**が、**労使協定**により、次に掲げる事項を定めた場合において、労働者を下記 i に掲げる業務に就かせたときは、当該**労働者**は、厚生労働省令で定めるところにより、その**協定で定める時間**（下記 ii に掲げる時間）**労働したものとみなす。**

i　**業務の性質上**その遂行の方法を**大幅に**当該業務に従事する**労働者の裁量にゆだねる必要**があるため、当該業務の遂行の手段及び時間配分の決定等に関し**使用者**が具体的な指示をすることが困難なものとして厚生労働省令で定める業務のうち、労働者に就かせることとする業務（以下❸において「**対象業務**」という。）

ii　**対象業務**に従事する**労働者**の**労働時間**として算定される時間

iii　**対象業務**の遂行の手段及び時間配分の決定等に関し、当該**対象業務**に従事する**労働者**に対し**使用者**が具体的な指示をしないこと。

iv　**対象業務**に従事する**労働者**の労働時間の状況に応じた**当該労働者の健康及び福祉を確保するための措置**を当該協定で定めるところにより**使用者が講ずる**こと。

v　**対象業務**に従事する**労働者**からの苦情の処理に関する措置を当該**協定**で定めるところにより**使用者が講ずる**こと。

vi　i から v に掲げるもののほか、厚生労働省令で定める事項

II　I の協定（**労働協約**による場合を**除く。**）には、**有効期間の定め**をするものとする。

> **Ⅲ** **使用者**は、厚生労働省令で定めるところにより、Ⅰの**協定を行政官庁**（所轄労働基準監督署長）に**届け出**なければならない。

▌Check Point!▶

□ 事業場外労働のみなし労働時間制に係る労使協定は、労使協定で定める時間が法定労働時間以下である場合は届け出なくてもよいが、専門業務型裁量労働制に係る労使協定は、当該協定で定める時間の長さにかかわらず、所轄労働基準監督署長に届け出なければならない。

□ 派遣先における派遣労働者の対象業務に係る労働は、派遣元の労使協定で定める時間労働したものとみなされることになる。（労働者派遣法44条5項）

1. 対象業務（厚生労働省令で定める業務）

専門業務型裁量労働制の対象業務は、次の通りである。

(1) 新商品若しくは新技術の研究開発又は人文科学若しくは自然科学に関する研究の業務

(2) 情報処理システムの分析又は設計の業務

(3) 新聞若しくは出版の事業における記事の取材若しくは編集の業務又は放送番組の制作のための取材若しくは編集の業務

(4) 衣服、室内装飾、工業製品、広告等の新たなデザインの考案の業務

(5) 放送番組、映画等の制作の事業におけるプロデューサー又はディレクターの業務

(6) その他厚生労働大臣の指定する業務

コピーライター、システムコンサルタント、インテリアコーディネーター、ゲーム用ソフトウェアの創作、証券アナリスト、金融商品の開発、学校教育法に規定する大学における教授研究（主として研究に従事するものに限る。）、公認会計士、弁護士、建築士、不動産鑑定士、弁理士、税理士、中小企業診断士の各業務、銀行又は証券会社における顧客の合併及び買収に関する調査又は分析及びこれに基づく合併及び買収に関する考案及び助言の業務

(則24条の2の2,2項、令和5.3.30厚労告115号、平成18.2.15基発0215002号、令和5.3.30基発0330第1号)

2. 労使協定に定める事項

専門業務型裁量労働制を採用するためには、**労使協定**に次の(1)から(9)の事項を

定めなければならない。また、当該協定については、当該協定で定める時間が法定労働時間以下であっても、所轄労働基準監督署長に届け出なければならない。

(1) 対象業務

(2) 対象業務に従事する労働者の労働時間として算定される**1日当たりの労働時間数**

(3) 対象業務の遂行の手段及び時間配分の決定等に関し、当該対象業務に従事する労働者に対し使用者が具体的な指示をしないこと

(4) 対象業務に従事する労働者の労働時間の状況に応じた当該**労働者の健康及び福祉を確保するための措置**を当該協定で定めるところにより使用者が講ずること

(5) 対象業務に従事する労働者からの**苦情の処理に関する措置**を当該協定で定めるところにより使用者が講ずること

(6) その他厚生労働省令で定める次の①から④の事項

  ① 使用者は、労働者を対象業務に就かせたときは労使協定で定める時間労働したものとみなすことについて当該**労働者の同意**を得なければならないこと及び当該同意をしなかった当該労働者に対して**解雇**その他**不利益な取扱いをしてはならないこと** R6-5エ

  ② ①の**同意の撤回**に関する手続

  ③ 当該協定の**有効期間の定め**（当該協定が労働協約である場合を除く。）

  ④ 使用者は、次の事項に関する労働者ごとの記録を③の**有効期間中及び当該有効期間の満了後5年間**（当分の間、**3年間**）**保存**すること

    a (4)の対象業務に従事する労働者の**労働時間の状況**並びに当該**労働者の健康及び福祉を確保するための措置の実施状況**

    b (5)の対象業務に従事する労働者からの**苦情の処理に関する措置の実施状況**

    c ①の**同意及びその撤回** （則24条の2の2,3項、則附則71条、平成12.1.1基発1号）

3. 記録の作成・保存

使用者は、「2.労使協定に定める事項(6)④aからc」に関する**労働者ごとの記録**を作成し、当該協定の**有効期間中及びその満了後5年間**（当分の間、**3年間**）保存しなければならない。 （則24条の2の2の2、則附則71条）

❹ 企画業務型裁量労働制 重要度 A

1 企画業務型裁量労働制
（法38条の4,1項、3項、則24条の2の3,1項、3項3号）　★★★

Ⅰ　労使委員会が設置された事業場において、当該委員会がその**委員の5分の4以上の多数による議決**により、所定の事項に関する**決議**をし、かつ、**使用者**が、当該決議を行政官庁（**所轄労働基準監督署長）に届け出**た場合において、**対象業務**を適切に遂行するための知識、経験**等**を有する**労働者**を当該事業場における**対象業務**に就かせたときは、当該**労働者**は、当該**決議**で定める時間**労働したものとみなす**。

Ⅱ　「**対象業務**」とは、**事業の運営**に関する事項についての**企画、立案、調査及び分析の業務**であって、当該**業務の性質上**これを適切に遂行するにはその**遂行の方法を大幅に労働者の裁量に委ねる必要が**あるため、当該**業務の遂行の手段及び時間配分の決定**等に関し**使用者が具体的な指示をしないこととする業務**をいう。H28-選C

Ⅲ　厚生労働大臣は、**対象業務**に従事する**労働者の適正な労働条件の確保を図る**ために、**労働政策審議会の意見を聴いて**、当該委員会が**決議**する事項について**指針**を定め、これを**公表**するものとする。

Ⅳ　Ⅰの**決議**には、**有効期間の定め**をするものとする。

▌Check Point！

- □ 労使委員会の決議は、所轄労働基準監督署長に届出をしなければならず、この届出を行わなければ、法第38条の4第1項による企画業務型裁量労働制の効力は発生しない。　(平成12.1.1基発1号)

- □ 派遣労働者に企画業務型裁量労働制を適用することはできない（他のみなし労働時間制については、派遣労働者に適用することができる。）。

(労働者派遣法44条、平成12.3.28基発180号)

---

1. 採用要件

　企画業務型裁量労働制を採用するためには、事業場に労使委員会を設置し、当該労使委員会がその委員の**5分の4以上の多数による議決**により次の事項に関す

る決議をし、かつ、使用者が当該**決議を所轄労働基準監督署長に届け出る**ことが必要である。

⑴　対象業務

⑵　対象労働者の範囲

⑶　対象労働者の**1日当たり**の労働時間数

⑷　対象労働者の労働時間の状況に応じた当該**労働者の健康及び福祉を確保するための措置**を当該決議で定めるところにより使用者が講ずること

⑸　対象労働者からの**苦情の処理に関する措置**を当該決議で定めるところにより使用者が講ずること

⑹　使用者は、対象労働者を対象業務に就かせたときは、当該決議で定める時間労働したものとみなすことについて当該**労働者の同意**を得なければならないこと及び当該同意をしなかった当該労働者に対して**解雇**その他**不利益な取扱い**をしてはならないこと

⑺　その他厚生労働省令で定める次の①から④の事項

　①　対象労働者の⑹の**同意の撤回**に関する手続

　②　使用者は、対象労働者に適用される**評価制度**及びこれに対応する**賃金制度**を変更する場合にあっては、**労使委員会**に対し、当該変更の内容について**説明**を行うこと。

　③　決議の**有効期間**の定め

　④　使用者は、次に掲げる事項に関する労働者ごとの記録を③の**有効期間中**及び当該有効期間の満了後**5年間**（当分の間、**3年間**）**保存**すること。

　　a　⑷の**対象労働者の労働時間の状況**並びに当該**労働者の健康及び福祉を確保するための措置の実施状況**

　　b　⑸の対象労働者からの苦情の処理に関する措置の実施状況

　　c　⑹の**同意及びその撤回**

（法38条の4,1項各号、則24条の2の3,3項、則附則71条、令和5.3.30厚労告115号）

2．記録の作成・保存

　使用者は、「1.採用要件⑺④aからc」に関する**労働者ごとの記録**を作成し、決議の**有効期間中**及び**その満了後5年間**（当分の間、**3年間**）**保存**しなければならない。

（則24条の2の3の2、則附則71条）

3．決議の方法

　「委員の5分の4以上の多数による議決」とは、労使委員会に出席した委員の

５分の４以上の多数による議決で足りる。

（平成12.1.1基発１号、平成15.12.26基発1226002号）

4.　安全配慮義務

　企画業務型裁量労働制の対象労働者については、業務の遂行の方法を大幅に労働者の裁量に委ね、使用者が具体的な指示をしないこととなるが、使用者は、このために当該対象労働者について、**労働者の生命、身体及び健康を危険から保護すべき義務（いわゆる安全配慮義務）**を免れるものではないことに留意することが必要である。

（労働基準法第38条の４第１項の規定により同項第１号の業務に従事する労働者の適正な
労働条件の確保を図るための指針第3,4(2)イ）

5.　報告

　法第38条の４第１項の規定による労使委員会の決議の届出をした使用者は、当該決議の有効期間の始期から起算して**6箇月以内に１回、及びその後１年以内ごとに１回**、次の事項を行政官庁（**所轄労働基準監督署長**）に**報告**しなければならない。

- (1)　対象労働者の**労働時間の状況**
- (2)　対象労働者の**健康及び福祉を確保するための措置の実施状況**
- (3)　労使委員会の決議で定める時間労働したものとみなすことについての**対象労働者の同意**及びその**撤回**の実施状況　　　　（法38条の4,4項、則24条の２の５）

---

[2] **労使委員会**（法38条の4,1項、2項、法41条の2,1項、3項、則24条の2の4,2項、4項、7項、則34条の2の3、則附則71条）　★★★

> Ⅰ　「**労使委員会**」とは、**賃金、労働時間**その他の当該事業場における**労働条件**に関する事項を**調査審議**し、**事業主**に対し当該事項について意見を述べることを目的とする**委員会**（**使用者**及び**当該事業場の労働者を代表する者**を**構成員**とするものに限る。）をいう。
>
> Ⅱ　**労使委員会**は、次のⅰからⅲに適合するものでなければならない。
>
> 　ⅰ　当該**委員会**の委員の**半数**については、当該**事業場**に、**労働者の過半数で組織する**労働組合がある場合においてはその**労働組合**、**労働者の過半数で組織する**労働組合がない場合においては**労働者**

の過半数を代表する者に任期を定めて**指名**されていること。

ⅱ　当該**委員会**の**議事**について、**議事録**が**作成**され、かつ、**5年間**（当分の間、**3年間**）**保存**されるとともに、当該**事業場**の**労働者**に対する**周知**が図られていること。

ⅲ　当該委員会の運営に関する事項として次に掲げるものに関する規程が定められていること（**第4章第1節 1 2 高度プロフェッショナル制度**における労使委員会については、ⓘ**及び**ⓥに関する規程が定められていること）。

　　ⓘ　当該委員会の**招集**、**定足数**及び**議事**に関する事項

　　ⓘⓘ　対象労働者に適用される**評価制度**及びこれに対応する**賃金制度**の内容の**使用者からの説明**に関する事項

　　ⓘⓘⓘ　制度の趣旨に沿った**適正な運用の確保**に関する事項

　　ⓘⓥ　開催頻度を**6箇月以内ごとに1回**とすること。

　　ⓥ　ⓘからⓘⓥまでに掲げるもののほか、労使委員会の運営について必要な事項

Ⅲ　使用者は、Ⅱⅰにより指名された委員が労使委員会の決議等に関する事務を円滑に遂行することができるよう必要な配慮を行わなければならない。

┃Check Point!▶

□　協定代替決議のうち「時間外及び休日の労働（36協定）」に係るものについてのみ、所轄労働基準監督署長への届出が必要である（労働時間等設定改善委員会による協定代替決議の場合も同様）。 **H29-4A**

---

1. 労使委員会の委員の指名

　上記Ⅱⅰの規定による指名は、法第41条第2号に規定する監督又は管理の地位にある者以外の者について行わなければならず、また、使用者の意向に基づくものであってはならない。 （則24条の2の4,1項、則34条の2の3）

2. 議事録の作成及び保存

　労使委員会の議事録の作成及び保存については、使用者は、労使委員会の開催の都度その議事録を作成して、これをその開催の日（決議が行われた会議の議事録にあっては、当該決議に係る書面の完結の日）から起算して**5年間**（当分の

間、**3年間**）**保存**しなければならない。 (則24条の2の4,2項、則附則71条)

3.　労使委員会の決議の効果

　労使委員会において、次の規定（特定条項）について、当該規定に係る労使協定に代えて委員の**5分の4以上の多数による議決による決議**（以下「**協定代替決議**」という。）を行うことができる。

(1)　1箇月単位の変形労働時間制

(2)　フレックスタイム制

(3)　1年単位の変形労働時間制（対象期間を1箇月以上の期間に区分する場合の特例に係る「同意」を含む。)

(4)　1週間単位の非定型的変形労働時間制

(5)　休憩の一斉付与の適用除外

(6)　時間外及び休日の労働

(7)　代替休暇

(8)　事業場外労働又は専門業務型裁量労働のみなし労働時間制

(9)　時間単位年休

(10)　年次有給休暇の計画的付与

(11)　年次有給休暇中の賃金

　協定代替決議の中で、労使協定であれば行政官庁に届出を要するもののうち、次のものについては**届出を要しない**((6)についてのみ届出を要する)。

(1)　**1箇月単位の変形労働時間制**、(2)　**フレックスタイム制（清算期間1箇月超）**、(3)　**1年単位の変形労働時間制**、(4)　**1週間単位の非定型的変形労働時間制**、(8)　**事業場外労働又は専門業務型裁量労働のみなし労働時間制** (法38条の4,5項)

第4章 第3節

年次有給休暇

年次有給休暇

❶ 発生要件（法39条1項、10項）🅰 ★★★

Ⅰ　**使用者**は、その**雇入れの日**から起算して**6箇月間継続勤務**し**全労働日の8割以上出勤**した**労働者**に対して、**継続**し、又は**分割した10労働日**の**有給休暇**を与えなければならない。

Ⅱ　**労働者**が**業務上負傷**し、又は**疾病**にかかり**療養のために休業した期間**及び**育児休業**、**介護休業**等**育児又は家族介護**を行う労働者の福祉に関する法律第2条第1号に規定する**育児休業**又は同条第2号に規定する**介護休業**をした期間並びに**産前産後の女性**が第65条の規定によって**休業した期間**は、Ⅰの**発生要件**及び第39条第2項［**付与日数**］の規定の適用については、これを**出勤したものとみなす**。 R6-6E

趣旨

労働者の心身の疲労を回復させ、労働力の維持培養を図り、ゆとりある生活の実現に資する趣旨から、毎年一定日数の有給休暇（年次有給休暇）を付与するものとされている。この年次有給休暇の権利は、法第39条で定める所定の要件を満たしたときに**法律上当然**に発生する。 R4-7E

▌Check Point!▶

□　「全労働日」「出勤日」の範囲をまとめると次の通りとなる。

◄────────雇入れの日から6箇月間（算定期間）の総暦日数────────►			
全労働日			**全労働日に含まれない日**
出勤日		欠勤した日	・**所定の休日（休日労働日含む）**
実際に出勤した日	欠勤したが出勤日に含める日		・不可抗力による休業日
・出勤した日（休日労働日除く）	・**業務上傷病休業日** ・**育児休業日** ・**介護休業日** ・**産前産後休業日** `R6-6E` ・**年休取得日** ・労働者の責に帰すべき事由によるとはいえない不就労日※	・その他の休業日 ・私傷病休業日 ・生理休暇取得日 ・慶弔休暇取得日等 `R6-6E`	・使用者側に起因する経営、管理上の障害による休業日 ・正当な同盟罷業その他正当な争議行為により労務の提供が全くなされなかった日 ・公民権の行使・公の職務執行による休業日 ・**代替休暇取得日**

※　全労働日に含まれない日以外の日であって、労働者が使用者から正当な理由なく就労を拒まれたために就労することができなかった日等が該当する。

□　$\dfrac{出勤日}{全労働日} \geqq 80\%$　になった場合に年次有給休暇の発生要件を満たしたことになる。

1. 雇入れの日から起算して6箇月間の継続勤務

(1) 基準日

　　初年度の年次有給休暇の権利は、労働者の雇入れの日から起算して6箇月を経過した日（**6箇月間継続勤務した日の翌日**＝基準日）に発生する。

(2) 継続勤務

　　「継続勤務」とは、労働契約の存続期間、すなわち、**在籍期間**をいい、実質的に**労働関係が継続**している限り「継続勤務」として勤務年数を通算しなければならない。

　　したがって、次の場合も「継続勤務」に含まれる。

① **定年退職による退職者を引き続き嘱託等として再採用している場合**（退職手当規程に基づき、所定の退職手当を支給した場合を含む）。ただし、退職と再採用との間に相当期間が存し、客観的に労働関係が断続していると認められる場合はこの限りでない。

② 法第21条［解雇予告の適用除外］に該当する者（臨時的・短期的に雇用される者）でも、その実態より見て引き続き使用されていると認められる

場合

③　臨時工が一定月ごとに雇用契約を更新され、6箇月以上に及んでいる場合であって、その実態より見て引き続き使用されていると認められる場合

④　在籍型の出向をした場合

⑤　休職とされていた者が復職した場合

⑥　**臨時工、パート等を正規職員に切り替えた場合**

⑦　会社が解散し、従業員の待遇等を含め権利義務関係が新会社に包括承継された場合

⑧　全員を解雇し、所定の退職金を支給し、その後改めて一部を再採用したが、事業の実体は人員を縮小しただけで、従前とほとんど変わらず事業を継続している場合

（昭和63.3.14基発150号）

2.　全労働日

出勤率の基礎となる「全労働日」は、次の算式で求められる。

（昭和63.3.14基発150号、平成21.5.29基発0529001号他）

雇入れ日から6箇月間（算定期間）の総暦日数	－	・所定の休日（休日労働日を含む） H28-7B ・不可抗力による休業日 ・使用者側に起因する経営、管理上の障害による休業日 ・正当な同盟罷業その他正当な争議行為により労務の提供が全くなされなかった日 ・公民権の行使・公の職務執行による休業日 ・代替休暇取得日

年次有給休暇の請求権の発生について、法第39条が全労働日の8割出勤を条件としているのは、労働者の勤怠の状況を勘案して、特に出勤率の低い者を除外する立法趣旨であることから、全労働日の取扱いについては、次のとおりとする。

(1)　年次有給休暇算定の基礎となる全労働日の日数は就業規則その他によって定められた所定休日を除いた日をいい、各労働者の職種が異なること等により異なることもあり得る。

したがって、**所定の休日に労働させた場合**には、その日は、**全労働日に含まれない**ものである。

(2)　**労働者の責に帰すべき事由によるとはいえない不就労日**は、(3)に該当する場合を除き、出勤率の算定に当たっては、**出勤日数に算入すべきものとして全労働日に含まれる**ものとする。

例えば、裁判所の判決により解雇が無効と確定した場合や、労働委員会に

よる救済命令を受けて会社が解雇の取消しを行った場合の解雇日から復職日までの不就労日のように、**労働者が使用者から正当な理由なく就労を拒まれたために就労することができなかった日**が考えられる。

(3)　労働者の責に帰すべき事由によるとはいえない不就労日であっても、次に掲げる日のように、当事者間の衡平等の観点から出勤日数に算入するのが相当でないものは、**全労働日に含まれない**ものとする。

　①　**不可抗力による休業日**

　②　**使用者側に起因する経営、管理上の障害による休業日**

　③　**正当な同盟罷業その他正当な争議行為により労務の提供が全くなされなかった日**
（平成25.7.10基発0710第3号）

(4)　**代替休暇取得日**

　　労働者が代替休暇を取得して終日出勤しなかった日については、正当な手続により労働者が労働義務を免除された日であることから、年次有給休暇の算定基礎となる全労働日に含まないものとして取り扱うこと。
（平成21.5.29基発0529001号）

3.　出勤した日

出勤率の基礎となる「出勤した日」は、次の算式で求められる。

実際に出勤した日（休日労働日除く）	＋	・業務上**負傷し又は疾病にかかり療養のために休業した期間** ・**育児休業期間** ・**介護休業期間** ・産前産後の休業期間 ・年次有給休暇**取得日** H28-7C ・**労働者の責に帰すべき事由によるとはいえない不就労日**

(1)　**年次有給休暇としての休業日数の取扱い**

　　年次有給休暇としての休業日数は、法第39条第1項及び第2項［年次有給休暇の要件及び付与日数］の規定の適用については出勤したものとして取り扱う。
（昭和22.9.13発基17号、平成6.3.31基発181号）

(2)　**出勤率の計算における生理日に就業しなかった日の扱い**

　　法第39条第1項［年次有給休暇］の規定の適用について、生理日の就業が著しく困難な女性が休暇を請求して就業しなかった期間は労働基準法上出勤したものとはみなされないが、当事者の合意によって出勤したものとみなすことも、もとより差し支えない。 R6-6E
（昭和23.7.31基収2675号、平成22.5.18基発0518第1号）

(3) 予定日に遅れた出産と出勤率の計算

産前の休業は、産前6週間について取得することができるが、予定の出産日より遅れて分娩し、結果的には産前6週間を超える休業となった場合でもその休業期間は出勤したものとみなす。

（昭和23.7.31基収2675号）

問題チェック H23-選B改題 R4-7E類題

次の文中の _____ の部分を選択肢の中の最も適切な語句で埋め、完全な文章とせよ。

年次有給休暇の権利は、労働基準法第39条第1項及び第2項の要件が充足されることによって法律上当然に労働者に生ずる権利であって、労働者の請求をまって初めて生ずるものではない。労働者がその有する休暇日数の範囲内で、具体的な休暇の始期と終期を特定して時季指定をしたときは、客観的に同条第5項ただし書［使用者の時季変更権］所定の事由が存在し、かつ、これを理由として<u>使用者が時季変更権の行使をしない限り、当該指定によって年次有給休暇が成立し</u>、当該労働日における就労義務が消滅するものと解するのが相当である。すなわち、これを端的にいえば、休暇の時季指定の効果は、使用者の適法な時季変更権の行使を _____ として発生するのであって、年次有給休暇の成立要件として、労働者による「休暇の請求」や、これに対する使用者の「承認」の観念を容れる余地はないものといわなければならない。

選択肢

① 解除条件　② 事後的調整事由　③ 事前の調整事由　④ 停止条件

解答 ① 解除条件 法39条、最二小昭和48.3.2白石営林署事件

なお、「解除条件」とは、既に生じている法律行為の効力を消滅させる条件をいい、「停止条件」とは、一定の事項が成就するまで法律行為の効力の発生を停止する条件をいう。

問題チェック H18-6D

労働者派遣法の規定によるいわゆる紹介予定派遣により派遣されていた派遣労働者が、引き続いて当該派遣先に雇用された場合には、労働基準法第39条の年次有給休暇の規定の適用については、当該派遣期間については、年次有給休暇付与の要件である継続勤務したものとして<u>取り扱わなければならない</u>。

解答 ✕　　　　　　　　　　法39条1項、昭和63.3.14基発150号

「継続勤務」とは、労働契約の存続期間すなわち事業場における在籍期間を意味するものと解されている。設問の派遣期間は派遣元での在籍期間であり、派遣先における在籍期間にはあたらないので、継続勤務したものとして取り扱う義務はない。

❷ 付与日数 (法39条2項) 重要度 A ★★★

　使用者は、**1年6箇月以上継続勤務**した労働者に対しては、**雇入れの日**から起算して**6箇月**を超えて**継続勤務する日**（以下「**6箇月経過日**」という。）から起算した**継続勤務年数1年**ごとに、法第39条第1項の日数（**10労働日**）に、次の表の上欄に掲げる**6箇月経過日**から起算した**継続勤務年数**の区分に応じ同表の下欄に掲げる労働日を加算した有給休暇を与えなければならない。ただし、**継続勤務**した期間を**6箇月経過日**から**1年**ごとに区分した各期間（最後に1年未満の期間を生じたときは、当該期間）の初日の前日の属する期間において**出勤した日数**が**全労働日**の**8割未満**である者に対しては、当該初日以後の**1年間**においては有給休暇を与えることを要しない。

6箇月経過日から起算した継続勤務年数	1年	2年	3年	4年	5年	6年以上
加算すべき労働日	1労働日	2労働日	4労働日	6労働日	8労働日	10労働日

┃Check Point!

☐ 付与日数についてまとめると次の通りとなる。

継続勤務年数	0.5年	1.5年	2.5年	3.5年	4.5年	5.5年	6.5年以上
付与日数	10日	11日	12日	14日	16日	18日	20日

・8割以上出勤しなかった場合の付与日数

　出勤率が8割未満であるときは、その年の分の年次有給休暇は付与されないが、そのことにより付与日数が変わるわけではない。

　例えば、雇入れ後の6箇月間（次図中①）及び次の1年間（次図中②）の出勤率が8割未満であると、年次有給休暇の権利は発生しない。その次の1年間（次

図中③）の出勤率が８割以上であれば初めて年次有給休暇の権利を取得するが、付与日数は10労働日ではなく、雇入れから２年６箇月経過日における付与日数である12労働日としなければならない。

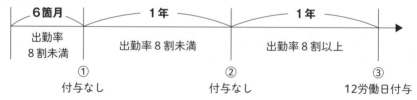

参考（年次有給休暇の斉一的取扱い）
年次有給休暇について法律どおり付与すると年次有給休暇の基準日が複数となる等から、その斉一的取扱い（原則として全労働者につき一律の基準日を定めて年次有給休暇を与える取扱いをいう。）や分割付与（初年度において法定の年次有給休暇の付与日数を一括して与えるのではなく、その日数の一部を法定の基準日以前に付与することをいう。）が問題となるが、以下の要件に該当する場合には、そのような取扱いをすることも差し支えない。
⑴斉一的取扱いや分割付与により法定の基準日以前に付与する場合の年次有給休暇の付与要件である８割出勤の算定は、短縮された期間は全期間出勤したものとみなす。
⑵次年度以降の年次有給休暇の付与日についても、初年度の付与日を法定の基準日から繰り上げた期間と同じ又はそれ以上の期間、法定の基準日より繰り上げる。
　例えば次のような場合である。
　①斉一的取扱いとして、４月１日入社した者に入社時に10日、１年後である翌年の４月１日に11日付与とする場合
　②分割付与として、４月１日入社した者に入社時に５日、法定の基準日である６箇月後の10月１日に５日付与し、次年度の基準日は本来翌年10月１日であるが、初年度に10日のうち５日分について６箇月繰り上げたことから同様に６箇月繰り上げ、４月１日に11日付与する場合
（平成6.1.4基発１号）
（１勤務が２日にわたる場合の年次有給休暇）
法第39条の「労働日」は原則として暦日計算によるべきものであるから、一昼夜交替制の如き場合においては、１勤務を２労働日として取り扱うべきである。また、交替制における２日にわたる１勤務については、当該勤務時間を含む継続24時間を１労働日として取り扱って差し支えない。
（昭和26.9.26基収3964号、昭和63.3.14基発150号）
（半日単位による付与）
年次有給休暇の半日単位による付与については、年次有給休暇の取得促進の観点から、労働者がその取得を希望して時季を指定し、これに使用者が同意した場合であって、本来の取得方法による休暇取得の阻害とならない範囲で適切に運用される限りにおいて、認められる。 R元-6E
（平成21.5.29基発0529001号）

❸ 比例付与 （法39条３項、則24条の３） [重要度 A]

★★★

　次に掲げる**労働者**（**１週間**の**所定労働時間**が**30時間以上**の者を**除く。**）の**有給休暇の日数**については、第39条第１項及び第２項の規定に

よる**有給休暇の日数**を基準とし、**通常の労働者**の**１週間の所定労働日数**として厚生労働省令で定める日数（**5.2日**）と当該**労働者**の**１週間の所定労働日数**又は**１週間当たりの平均所定労働日数**との比率を考慮して厚生労働省令で定める日数とする。

ⅰ　**１週間の所定労働日数**が**４日以下**の**労働者**

ⅱ　**週以外**の期間によって**所定労働日数**が定められている**労働者**については、**１年間の所定労働日数**が**216日以下**の**労働者**

概要

　パートタイム労働者等のうち、通常の労働者と比して週所定労働日数等が相当程度少ない者については、その所定労働日数に比例した日数の年次有給休暇を付与（比例付与）することとされている。

　比例付与の対象となる労働者は、基準日（雇入れの日から起算して６箇月間継続勤務した日等の翌日）において、次のいずれかに該当する者である。

(1)　１週間の所定労働時間が**30時間未満**で、かつ、１週間の所定労働日数が**４日以下**の労働者 `R6-6AB`

(2)　週以外の期間によって所定労働日数が定められている場合には、１週間の所定労働時間が**30時間未満**で、かつ、１年間の所定労働日数が**216日以下**の労働者

・比例付与の日数

　比例付与の対象となる労働者については、その所定労働日数に応じ次の日数の年次有給休暇を付与することになる。

所定労働日数		継続勤務年数に応じた付与日数						
週	１年間	0.5年	1.5年	2.5年	3.5年	4.5年	5.5年	6.5年
４日	169日〜216日	７日	８日	９日	10日	12日	13日	15日
３日	121日〜168日	５日	６日	６日	８日	９日	10日	11日
２日	73日〜120日	３日	４日	４日	５日	６日	６日	７日
１日	48日〜72日	１日	２日	２日	２日	３日	３日	３日
通常の労働者		10日	11日	12日	14日	16日	18日	20日

付与日数の計算方法は次の通りである。

【例】週４日勤務の場合

　入社して６箇月後に付与される日数は、

$10 \times \dfrac{4}{5.2} = 7$ 日（1日未満切捨て）となる。

入社して1年6箇月後に付与される日数は、

$11 \times \dfrac{4}{5.2} = 8$ 日（1日未満切捨て）となる。

問題チェック H14-5A

　使用者は、その事業場に、同時に採用され、6か月間継続勤務し、労働基準法第39条所定の要件を満たした週の所定労働時間15時間（勤務形態は1日3時間、<u>週5日勤務</u>）の労働者と週の所定労働時間28時間（勤務形態は1日7時間、<u>週4日勤務</u>）の労働者の2人の労働者がいる場合、前者に対しては、後者より多くの日数の年次有給休暇を付与しなければならない。

解答 ○

法39条3項、則24条の3,1項、4項

　「週の所定労働時間15時間（勤務形態は1日3時間、週5日勤務）の労働者」は、週の所定労働日数が4日以下ではないため、通常の労働者と同じ年次有給休暇が付与されるのに対し、「週の所定労働時間28時間（勤務形態は1日7時間、週4日勤務）の労働者」は、週の所定労働日数が4日以下であり、かつ、週の所定労働時間が30時間未満であるため、比例付与の対象となる。したがって、前者に対しては、後者より多くの日数の年次有給休暇を付与しなければならない。

❹ 時間単位年休（法39条4項、則24条の4）重要度 A

★★★

　使用者は、**労使協定**により、次の ⅰ からⅳの事項を定めた場合において、ⅰの**労働者の範囲**に属する**労働者**が**有給休暇**を**時間を単位**として**請求**したときは、**有給休暇の日数**のうち、ⅱの**日数**については、当該協定で定めるところにより**時間を単位**として**有給休暇**を与えることができる。H28-7E

　ⅰ　**時間を単位**として**有給休暇**を与えることができることとされる**労働者の範囲**

　ⅱ　**時間を単位**として与えることができることとされる**有給休暇の日数**（**5日以内に限る。**）

　ⅲ　**時間を単位**として与えることができることとされる**有給休暇1日の時間数**〔1日の**所定労働時間数**（日によって**所定労働時間数**

　が異なる場合には、1年間における**1日平均所定労働時間数**。iv において同じ。）を下回らないものとする。〕

　iv　**1時間以外**の**時間を単位**として**有給休暇**を与えることとする場合には、その**時間数**（**1日の所定労働時間数**に満たないものとする。）

趣旨

　まとまった日数の休暇を取得するという年次有給休暇制度本来の趣旨を踏まえつつ、**仕事と生活の調和**を図る観点から、年次有給休暇を有効に活用できるようにすることを目的として、**労使協定**により、**年に5日を限度**として、時間単位で年次有給休暇を取得することができることとされている。

（平成21.5.29基発0529001号）

　時間単位年休に係る労使協定は、当該事業場において、労働者が時間単位による取得を請求した場合において、労働者が請求した時季に時間単位により年次有給休暇を与えることができることとするものであり、個々の労働者に対して時間単位による取得を義務付けるものではない。労使協定が締結されている事業場において、個々の労働者が**時間単位により取得するか日単位により取得するかは、労働者の意思による**ものである。 R3-2E　（同上）

　時間単位年休は、年次有給休暇を有効に活用できるようにすることを目的として、原則となる取得方法である日単位による取得の例外として認められるものであり、1日の年次有給休暇を取得する場合には、原則として時間単位ではなく日単位により取得するものである。 （同上）

■Check Point!

□ 時間単位年休に係る労使協定の届出は不要である。
□ 比例付与の対象となっている労働者（短時間労働者）も、労使協定を締結すれば、年次有給休暇を時間単位で取得することができる。

・労使協定で定める事項

　労使協定で定める事項は次の4つである。

労使協定で
定める事項
- 時間単位年休の**対象労働者の範囲**
- 時間単位年休の**日数**
- 時間単位年休**1日の時間数**
- **1時間以外の時間**を単位とする場合の時間数

(1) 時間単位年休の対象労働者の範囲

　年次有給休暇の時間単位による取得は、例えば一斉に作業を行うことが必要とされる業務に従事する労働者等にはなじまないことが考えられる。このため、事業の正常な運営との調整を図る観点から、労使協定では、時間単位年休の対象労働者の範囲を定めることとされている。

　なお、年次有給休暇を労働者がどのように利用するかは労働者の自由であることから、**利用目的によって時間単位年休の対象労働者の範囲を定めることはできない。**
（法39条4項1号、平成21.5.29基発0529001号）

(2) 時間単位年休の日数

　時間単位年休の日数は、**5日以内**で定めなければならない。

　「5日以内」とは、労働者に与えられる1年間の年次有給休暇の日数のうち5日以内をいうものである。

　5日に満たない日数の年次有給休暇が比例付与される労働者については、労使協定では、当該比例付与される日数の範囲内で定めることとなる。

　当該年度に取得されなかった年次有給休暇の残日数・時間数は、次年度に繰り越されることとなるが、当該次年度の時間単位年休の日数は、**前年度からの繰越分も含めて5日の範囲内となる**ものである。

（法39条4項2号、平成21.5.29基発0529001号）

(3) 1時間以外の時間を単位とする場合の時間数

　例えば2時間や3時間といったように、1時間以外の時間を単位として時間単位年休を与えることとする場合には、**1日の所定労働時間数に満たない範囲内**で、その時間数を定めなければならない※。

※　1時間以外の時間を単位とする場合に「1日の所定労働時間数に満たない範囲内」で時間数を定めることとしているのは、1日の所定労働時間数と同じ又はこれを上回る時間数を時間単位年休の単位とすると、時間単位年休の取得が事実上不可能になるからである。
（則24条の4,2号、平成21.5.29基発0529001号）

参考（時間単位年休1日の時間数）
　1日分の年次有給休暇が何時間分の時間単位年休に相当するかについては、当該労働者の1日の所定労働時間数※を基に定めることとなるが、所定労働時間数に1時間に満たない時間数がある労働者にとって不利益とならないようにする観点から、1日の所定労働時間数を下回らないものとされており、労使協定では、これに沿って定める必要がある。具体的には、1時間に満たない時間数については、時間単位に切り上げる必要がある。
※「1日の所定労働時間数」については、日によって所定労働時間数が異なる場合には、1年間における1日平均所定労働時間数を用いることとされているが、1年間における総所定労働時間数が決まっていない場合には、所定労働時間数が決まっている期間における1日平均所定労働時間数を用いる。

【例】 1日の所定労働時間が7時間30分で5日分の時間単位年休がある場合
7時間30分を切り上げて1日8時間とする。
8時間×5日＝40時間分の時間単位年休
（7時間30分×5日＝37時間30分を切り上げて38時間ではない）

（則24条の4,1号、平成21.5.29基発0529001号）

問題チェック H28-7E

所定労働時間が年の途中で1日8時間から4時間に変更になった。この時、変更前に年次有給休暇の残余が10日と5時間の労働者であった場合、当該労働者が変更後に取得できる年次有給休暇について、日数の10日は変更にならないが、時間数の方は5時間から3時間に変更される。

解答 ○

法39条、平成21.10.5基発1005第1号

年の途中で所定労働時間数の変更があった場合、時間単位年休として取得できる範囲のうち、1日に満たないため時間単位で保有している部分については、当該労働者の1日の所定労働時間の変動に比例して時間数が変更されることとなる〔設問の場合、5時間×4時間/8時間（1時間未満の端数切上げ）＝3時間となる〕。

⑤ 時季の指定 重要度A

① 労働者の時季指定権と使用者の時季変更権（法39条5項）

★★★

使用者は、第39条第1項から第4項までの規定による有給休暇を労働者の請求する時季に与えなければならない。ただし、請求された時季に有給休暇を与えることが事業の正常な運営を妨げる場合においては、他の時季にこれを与えることができる。

Check Point!

□ 派遣中の労働者の年次有給休暇について、法第39条の事業の正常な運営が妨げられるかどうかの判断は、派遣元の事業についてなされる。派遣中の労働者が派遣先の事業において就労しないことが派遣先の事業の正常な運営を妨げる場合であっても、派遣元の事業との関係においては事業の正常な運営を妨げる場合に当たらない場合もありうるので、代替労働者の派遣の可能性も含めて派遣元の事業の正常な運営を妨げるかどうかを判断することとなる。 H27-選B

（昭和61.6.6基発333号）

209

1. 時季変更権の行使

　事業の正常な運営を保持するために必要な場合は、たとえそれが労働者の意に反する場合であっても、その時季を変更することができ、また、年度を超えて変更することもできる。

　「事業の正常な運営を妨げる場合」とは、個別的、具体的に客観的に判断されるべきものであると共に、事由消滅後はできる限り速やかに休暇を与えなければならない。

（昭和23.7.27基収2622号）

2. 解雇予定日を超える時季変更権の行使

　年次有給休暇の権利が労働基準法に基づくものである限り、当該労働者の解雇予定日を超えての時季変更は行えないものと解する。

（昭和49.1.11基収5554号）

3. 時間単位年休と時季変更権

　時間単位年休についても、法第39条第5項の規定により、使用者の**時季変更権の対象となる**ものであるが、労働者が時間単位による取得を請求した場合に日単位に変更することや、日単位による取得を請求した場合に時間単位に変更することは、時季変更に当たらず、認められない。また、事業の正常な運営を妨げるか否かは、労働者からの具体的な請求について個別的、具体的に客観的に判断されるべきものであり、あらかじめ労使協定において時間単位年休を取得することができない時間帯を定めておくこと、所定労働時間の中途に時間単位年休を取得することを制限すること、1日において取得することができる時間単位年休の時間数を制限すること等は認められない。　R3-2E

（平成21.5.29基発0529001号）

参考（時季変更権と使用者の配慮）
年次有給休暇の権利は労働基準法が労働者に特に認めた権利であり、その実効を確保するために付加金及び刑事罰の制度が設けられていること、及び**休暇の時季の選択権が第一次的に労働者に与えられている**ことにかんがみると、同法の趣旨は、使用者に対し、できる限り労働者が指定した時季に休暇を取ることができるように、状況に応じた配慮をすることを要請しているものとみることができ、そのような配慮をせずに時季変更権を行使することは、同法の趣旨に反するものといわなければならない。

（最二小昭和62.7.10弘前電報電話局事件）

（長期休暇と時季変更権）
労働者が長期かつ連続の年次有給休暇を取得しようとする場合においては、それが長期のものであればあるほど、使用者において**代替勤務者**を確保することの困難さが増大するなど事業の正常な運営に支障をきたす蓋然性が高くなり、使用者の業務計画、他の労働者の休暇予定等との事前の調整を図る必要が生ずるのが通常である。しかも、使用者にとっては、…（略）…事業活動の正常な運営の確保にかかわる諸般の事情について、これを正確に予測することは困難であり、当該労働者の休暇の取得がもたらす事業運営への支障の有無、程度につき、蓋然性に基づく判断をせざるを得ないことを考えると、労働者が、右の調整［事前の調整］を経ることなく、その有する年次有給休暇の日数の範囲内で始期と終期を特定して長期かつ連続の年次有給休暇の時季指定をした場合には、これに対する使用者の時季変更権の行使については、右休暇［当該年次有給休暇］が事業運営にどのような

支障をもたらすか、右休暇［当該年次有給休暇］の時期、期間につきどの程度の修正、変更を行うかに関し、使用者にある程度の裁量的判断の余地を認めざるを得ない。

H29-選AB（最三小平成4.6.23時事通信社事件）

参考（年次有給休暇期間開始後等の時季変更権の効力）

労働者の年次有給休暇の請求（時季指定）に対する使用者の時季変更権の行使が、労働者の指定した休暇期間が開始し又は経過した後にされた場合であっても、労働者の休暇の請求自体がその指定した休暇期間の始期にきわめて接近してされたため使用者において時季変更権を行使するか否かを事前に判断する時間的余裕がなかったようなときには、それが事前にされなかったことのゆえに直ちに時季変更権の行使が不適法となるものではなく、客観的に右時季変更権を行使しうる事由が存し、かつ、その行使が遅滞なくされたものである場合には、適法な時季変更権の行使があったものとしてその効力を認めるのが相当である。**R5-選B**（最一小昭和57.3.18此花電報電話局事件）

問題チェック H27-選B R5-7D類題

労基法39条3項〔現行5項〕ただし書にいう「事業の正常な運営を妨げる場合」か否かの判断に当たって、□□□配置の難易は、判断の一要素となるというべきであるが、特に、勤務割による勤務体制がとられている事業場の場合には、重要な判断要素であることは明らかである。したがって、そのような事業場において、使用者としての通常の配慮をすれば、勤務割を変更して□□□を配置することが客観的に可能な状況にあると認められるにもかかわらず、使用者がそのための配慮をしないことにより□□□が配置されないときは、必要配置人員を欠くものとして事業の正常な運営を妨げる場合に当たるということはできないと解するのが相当である。

選択肢
① 代替休暇　　② 時間単位の有給休暇　　③ 代替勤務者　　④ 非常勤職員

解答 ③ 代替勤務者　　最二小昭和62.7.10弘前電報電話局事件

---

2 計画的付与（法39条6項） ★★★

使用者は、労使協定により、第39条第1項から第3項までの規定による有給休暇を与える時季に関する定めをしたときは、これらの規定による有給休暇の日数のうち5日を超える部分については、第39条第5項［労働者の時季指定権と使用者の時季変更権］の規定にかかわらず、その定めにより有給休暇を与えることができる。

趣旨

計画的付与は、年次有給休暇の取得率を向上させ、労働時間短縮を推進す

るためには、職場において、労働者が自己の業務を調整しながら、気がねなく年次有給休暇を取得できることとすることが有効であることから設けられた制度であり、労働者が保有する年次有給休暇の日数のうち、**5日を超える部分**については労使協定で定めた時季に与えることができるとするものである。

　計画的付与の方法については、例えば、次のようなものがある。

(1)　事業場全体の休業による一斉付与方式

(2)　班別の交替制付与方式

(3)　年次有給休暇付与計画表による個人別付与方式

（昭和63.1.1基発１号、平成22.5.18基発0518第１号）

▌Check Point!▶

□ 計画的付与の規定は、法第39条第５項［時季指定権・時季変更権］に対する例外規定であり、計画的付与として時季を指定した時点で、年次有給休暇の計画的付与部分に対する労働者の時季指定権と使用者の時季変更権は消滅する。 （昭和63.3.14基発150号）

□ 計画的付与に係る労使協定の届出は不要である。

□ 計画的付与の対象となる年次有給休暇の日数には、前年繰越分も含まれる。 （同上）

□ 労使協定の効力は、労使協定を締結しなかった少数組合の組合員にも及ぶ。したがって、当該組合員の場合も、労使協定に定める時季に取得しなければならず、変更することもできない。

1.　時間単位年休と計画的付与の関係

　時間単位年休は、労働者が時間単位による取得を請求した場合において、労働者が請求した時季に時間単位により年次有給休暇を与えることができるものであり、法第39条第６項の規定による**計画的付与として時間単位年休を与えることは認められない**。

（平成21.5.29基発0529001号）

2.　一斉付与の場合の年休のない者の取扱い

　事業場全体の休業による一斉付与の場合、年次有給休暇の権利のない者を休業させれば、その者に、法第26条の**休業手当を支払わなければならない**。

（昭和63.3.14基発150号）

3. 退職予定者の計画的付与

　計画的付与は、当該付与日が労働日であることを前提に行われるものであり、その前に退職することが予定されている者については、退職後を付与日とする計画的付与はできない。したがって、退職予定者が計画的付与前に計画日数分の年次有給休暇を請求した場合には、これを拒否できない。　　　　（昭和63.3.14基発150号）

❻ 使用者による時季指定（法39条7項、8項、則24条の6）[重要度 A] ★★★

Ⅰ　使用者は、第39条第1項から第3項［日単位年休］までの規定による**有給休暇**（これらの規定により使用者が与えなければならない**有給休暇**の日数が**10労働日以上**である労働者に係るものに限る。以下Ⅰ及びⅡにおいて同じ。）の日数のうち**5日**については、**基準日**〔継続勤務した期間を**6箇月経過日**から**1年**ごとに区分した各期間（最後に1年未満の期間を生じたときは、当該期間）の**初日**をいう。以下Ⅰにおいて同じ。〕から**1年以内**の期間に、**労働者ごとにその時季を定める**ことにより与えなければならない。ただし、第39条第1項から第3項［日単位年休］までの規定による**有給休暇**を当該**有給休暇**に係る**基準日より前の日**から与えることとしたときは、厚生労働省令で定めるところにより、**労働者ごとにその時季を定める**ことにより与えなければならない。

Ⅱ　Ⅰの規定にかかわらず、❺①②（**時季指定権・時季変更権**又は**計画的付与**）の規定により第39条第1項から第3項［日単位年休］までの規定による**有給休暇**を与えた場合においては、当該与えた**有給休暇**の日数（当該日数が**5日**を超える場合には、**5日**とする。）分については、時季を定めることにより与えることを要しない。

Ⅲ　**使用者**は、Ⅰの規定により労働者に有給休暇を**時季を定めること**により与えるに当たっては、**あらかじめ**、Ⅰの規定により当該有給休暇を与えることを当該**労働者に明らか**にした上で、その**時季**について当該**労働者の意見を聴か**なければならない。 R2-6E

Ⅳ　**使用者**は、Ⅲの規定により**聴取した意見を尊重**するよう**努めなけ**

ればならない。 R2-6E

概要

　使用者は、**10日以上**の年次有給休暇が付与される労働者に対し、5日について、毎年、時季を指定して与えなければならない。

【例】

　4月1日入社の場合、通常次の通りとなる。

Check Point!

☐ 労働者の時季指定や計画的付与により取得された年次有給休暇の日数分については、使用者による時季指定の必要はない。

☐ 「使用者による時季指定」の規定に違反した場合、使用者は、30万円以下の罰金に処せられる。

・時間単位年休との関係 R6-6D

　時間単位年休については、使用者による時季指定の対象とはならず、労働者が自ら取得した場合にも、その時間分を5日から控除することはできない。

　なお、時季指定に当たって、労働者の意見を聴いた際に、半日単位での年次有給休暇の取得の希望があった場合には、半日（0.5日）単位で指定することは差し支えない。また、労働者自ら半日単位の年次有給休暇を取得した場合には、取得1回につき0.5日として、使用者が時季を指定すべき年5日の年次有給休暇から控除することができる。

（平成30.12.28基発1228第15号）

参考（年次有給休暇を基準日より前の日から与える場合の取扱い）

(1)10労働日以上の年次有給休暇を前倒しで付与する場合の取扱い

　　使用者は、年次有給休暇を当該年次有給休暇に係る基準日より前の日から10労働日以上与えることとしたときは、当該年次有給休暇の日数のうち5日については、基準日より前の日であって、10労働日以上の年次有給休暇を与えることとした日（以下「第1基準日」という。）から1年以内の期間に、その時季を定めることにより与えなければならない。

【前倒しの場合の取扱い】 R6-6C

10 労働日付与

4/1（第 1 基準日）　　　10/1（基準日）　　　　　3/31

入社　　この期間内に 5 労働日取得させる

⑵付与期間に重複が生じる場合の特例

(1)にかかわらず、使用者が10労働日以上の年次有給休暇を基準日又は第 1 基準日に与えることとし、かつ、当該基準日又は第 1 基準日から 1 年以内の特定の日（以下「第 2 基準日」という。）に新たに10労働日以上の年次有給休暇を与えることとしたときは、履行期間（基準日又は第 1 基準日を始期として、第 2 基準日から 1 年を経過する日を終期とする期間をいう。）の月数を12で除した数に 5 を乗じた日数について、当該履行期間中に、その時季を定めることにより与えることができる。

【重複が生じる場合の取扱い】

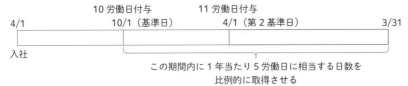

10 労働日付与　　　　　11 労働日付与

4/1　　　　10/1（基準日）　　4/1（第 2 基準日）　　　3/31

入社

この期間内に 1 年当たり 5 労働日に相当する日数を
比例的に取得させる

（則24条の5,1項、 2 項、平成30.9.7基発0907第 1 号）

❼ 年次有給休暇中の賃金
（法39条9項、則25条2項、 3 項）重要度 A ★★★

　使用者は、第39条第 1 項から第 3 項［日単位年休］までの規定による有給休暇の期間又は第 4 項［時間単位年休］の規定による有給休暇の時間については、就業規則その他これに準ずるもので定めるところにより、それぞれ、平均賃金若しくは所定労働時間労働した場合に支払われる通常の賃金又は平均賃金若しくは所定労働時間労働した場合に支払われる通常の賃金をその日の所定労働時間数で除して得た額の賃金を支払わなければならない。ただし、労使協定により、その期間又はその時間について、それぞれ、健康保険法第40条第 1 項に規定する標準報酬月額の30分の 1 に相当する金額（その金額に、 5 円未満の端数があるときは、これを切り捨て、 5 円以上10円未満の端数があるときは、これを10円に切り上げるものとする。）又は当該金額をその日の所定労働時間数で除して得た金額を支払う旨を定めたときは、これによらなければならない。

第 4 章　第 3 節

概要

　年次有給休暇を取得した期間又は時間の賃金については、次の３つのいずれかで支払うことができるが、いずれを用いるかは、就業規則等に定めることが必要である。また、**標準報酬月額の30分の１相当額を用いる場合**は、**労使協定**によることが必要である。

年次有給休暇中の賃金	①**平均賃金** 　（時間単位年休の場合は、平均賃金をその日の**所定労働時間数**※で除して得た額の賃金） ②**所定労働時間労働した場合に支払われる通常の賃金** 　（時間単位年休の場合は、当該通常の賃金をその日の**所定労働時間数**※で除して得た額の賃金） ③**健康保険法に規定する標準報酬月額の30分の１相当額** 　（時間単位年休の場合は、当該標準報酬月額の30分の１相当額をその日の**所定労働時間数**※で除して得た金額）

　※　「その日の所定労働時間数」とは、時間単位年休を取得した日の所定労働時間数をいう。

Check Point!

　□　年次有給休暇中の賃金に係る労使協定の届出は不要である。

1.　通常の賃金

賃金支払形態（計算単位）	計算方法
①時間によって定められた賃金	その金額にその日の所定労働時間数を乗じた金額
②日によって定められた賃金	その金額
③週によって定められた賃金	その金額をその週の所定労働日数で除した金額
④月によって定められた賃金	その金額をその月の所定労働日数で除した金額
⑤月、週以外の一定の期間によって定められた賃金	①～④に準じて算定した金額
⑥出来高払制その他の請負制によって定められた賃金	その賃金算定期間※において出来高払制その他の請負制によって計算された賃金の総額を当該賃金算定期間※における総労働時間数で除した金額に、当該賃金算定期間※における１日平均所定労働時間数を乗じた金額 ※当該期間に出来高払制その他の請負制によって計算された賃金がない場合においては、当該期間前において出来高払制その他の請負制によって計算された賃金が支払われた最後の賃金算定期間
⑦労働者の受ける賃金が①～⑥の２以上の賃金よりなる場合	その部分について①～⑥によってそれぞれ算定した金額の合計額

（則25条、平成21.5.29基発0529001号）

2. 変形労働時間制の場合の時給制の労働者の年休手当

変形労働時間制を採用している事業場における時給制労働者の変形期間中における「通常の賃金」は、**各日の所定労働時間**に応じて算定される。

（昭和63.3.14基発150号）

3. 時間単位年休に対して支払われる賃金

時間単位年休を取得した時間の賃金について、「平均賃金」「通常の賃金」「標準報酬月額の30分の1相当額」のいずれを基準とするかは、日単位による取得の場合と同様としなければならない。

（平成21.5.29基発0529001号）

❽ 運用上の留意点 重要度 A

1 年次有給休暇の利用目的 （最二小昭和48.3.2白石営林署事件）

★★★

> 年次休暇の利用目的は労基法の関知しないところであり、休暇をどのように利用するかは、使用者の干渉を許さない労働者の自由である、とするのが法の趣旨であると解するのが相当である。

概要

年次有給休暇を労働者がどのように利用するかは、労働者の自由である。しかし、労働者がその所属の事業場においてその**業務の正常な運営の阻害を目的**として一斉に休暇届を提出して**職場を放棄**する場合は、年次有給休暇に名をかりた**同盟罷業**にほかならないから、それは年次有給休暇権の行使ではない。

ただ、このようにいえるのは、当該**労働者の所属する事業場**で**休暇闘争**が行われた場合のことであって、**他の事業場**における**争議行為**に休暇をとって参加するような場合は、それを年次有給休暇の行使でないとはいえない。

（昭和48.3.6基発110号）

・長期休業中の場合の年次有給休暇

負傷又は疾病等により長期療養中の者が休業期間中に年次有給休暇を請求したときは、年次有給休暇を労働者が病気欠勤等に充用することが許されることから、このような労働者に対して請求があれば年次有給休暇を与えなければならない。

（昭和24.12.28基発1456号、昭和31.2.13基収489号）

② 休暇付与日の限界 ★★★

> **年次有給休暇**は、**賃金の減収**を伴うことなく**労働義務の免除**を受けるものであるから、**休日その他労働義務の課せられていない日**については、原則として、その権利を行使することができない。

概要

　例えば、育児休業申出後には、育児休業日について年次有給休暇を請求する余地がない。なお、育児休業申出前に育児休業期間中の日について時季指定や労使協定に基づく計画的付与が行われた場合には、当該日には年次有給休暇を取得したものと解され、当該日に係る賃金支払日については、使用者に所要の賃金支払の義務が生じるものである。 H28-7D 　（平成3.12.20基発712号）

・長期休業中の場合の年次有給休暇

　休職発令により従来配属されていた所属を離れ、以後は単に会社に籍があるにとどまり、会社に対して全く労働の義務が免除されることとなる場合において、休職発令された者が年次有給休暇を請求したときは、労働義務がない日について年次有給休暇を請求する余地がないことから、これらの休職者は、年次有給休暇請求権の行使ができない。 H28-7A 　（昭和24.12.28基発1456号、昭和31.2.13基収489号）

③ 休暇の買上げ（昭和30.11.30基収4718号）★★★

> **年次有給休暇**の**買上げの予約**をし、これに基づいて法第39条の規定により請求し得る**年次有給休暇**の**日数を減じ**、又は**請求された日数を与えない**ことは法第39条の違反である。

▌Check Point!

□ 法第39条に定められた有給休暇日数を超える日数を労使間で協約している時は、その超過日数分については、法第39条によらず労使間で定めるところによって取り扱って差し支えない。

　　　　　　（昭和23.3.31基発513号、昭和23.10.15基収3650号）

❾ 年次有給休暇の権利の時効（法115条）重要度 A

★★★

　年次有給休暇の権利の**消滅時効**は、これを行使することができる時から**2年**である。

┃Check Point!

☐ 年次有給休暇の権利の消滅時効は、2年であるので、権利が発生した年度内にその権利を行使せずに残った休暇日数については、翌年度に限り繰り越すことができる。

(昭和22.12.15基発501号)

☐ 年次有給休暇の権利を有する労働者が、解雇の予告を受けたときは、年次有給休暇の権利は予告期間中に行使しなければ消滅する。

(昭和23.4.26基発651号)

❿ 不利益取扱いの禁止（法附則136条）重要度 A

★★★

　使用者は、第39条第1項から第4項までの規定による**有給休暇を取得**した労働者に対して、**賃金の減額その他不利益な取扱い**をしないようにしなければならない。

概要

　精皆勤手当及び賞与の額の算定等に際して、年次有給休暇を取得した日を欠勤として、又は欠勤に準じて取り扱うことその他労働基準法上労働者の権利として認められている年次有給休暇の取得を抑制するすべての不利益な取扱いはしないようにしなければならない。

(昭和63.1.1基発1号)

┃Check Point!

☐ 本条は訓示規定であるので、本条違反に対する罰則は設けられていない。

参考 (不利益取扱い)
　労働協約において稼働率80%以下の労働者を賃上げ対象から除外する旨の規定を定めた場合に、当該稼働率の算定に当たり、不就労の原因を問わず、欠勤、遅刻、早退等労働者の責に帰すべき原因によるもののほか、年次有給休暇、生理休暇、産前産後の休業、育児時間、労働災害による休業ないし通院、同盟罷業等労働基準法（以下「労基法」という。）

又は労働組合法（以下「労組法」という。）において保障されている各種の権利に基づく不就労を含め、あらゆる原因による不就労を全体としてとらえて前年1年間の稼働率を算出し、それが80％以下となる者を翌年度の賃金引上げ対象者から除外することは、労基法又は労組法上の権利に基づくもの以外の不就労を基礎として稼働率を算定する限りにおいては、その効力を否定すべきいわれはないが、反面、同条項において、労基法又は労組法上の権利に基づく不就労を稼働率算定の基礎としている点は、労基法又は労組法上の権利を行使したことにより経済的利益を得られないこととすることによって権利の行使を抑制し、ひいては、右各法が労働者に各権利を保障した趣旨を実質的に失わせるものというべきであるから、公序に反し無効であるといわなければならない。

（最一小平成元.12.14日本シェーリング事件）

第5章

年少者

年少者の労働契約に関する規制

❶ 最低年齢 (法56条、年少則1条) 重要度 A ★★★

Ⅰ　**使用者**は、児童が満15歳に達した日以後の最初の3月31日が終了するまで、これを**使用してはならない**。 H29-7A R6-選A

Ⅱ　Ⅰの規定にかかわらず、別表第1第1号から第5号までに掲げる事業以外の事業 [**非工業的業種の事業**] に係る職業で、児童の健康及び福祉に有害でなく、かつ、その労働が軽易なものについては、**行政官庁 (所轄労働基準監督署長) の許可**を受けて、満13歳以上の児童をその者の**修学時間外**に使用することができる。**映画の製作又は演劇の事業**については、**満13歳に満たない児童**についても、同様とする。 H29-7B

趣旨

労働基準法では、年少者保護の観点から、年少者等について、一般労働者とは異なる規制を設けている。なお、労働基準法における年少者等の年齢区分は次の通りである。

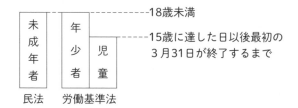

・2018年6月に、民法の定める成年年齢を18歳に引き下げること等を内容とする「民法の一部を改正する法律」が成立し、2022年4月1日から施行されている。
・民法が定める成年年齢には、①1人で有効な契約をすることができる年齢という意味と、②父母の親権に服さなくなる年齢という意味がある。

┃Check Point!▶

□ 原則として、満15歳に達した日以後の最初の3月31日が終了しない児童
（以下単に「児童」という。）を、労働者として使用することはできない
が、次の要件を満たした場合は使用することができる。

満13歳未満の児童を使用することが できる場合	満13歳以上の児童を使用することが できる場合
映画の製作又は演劇の事業であること	非工業的業種の事業であること
・児童の健康及び福祉に有害でないこと ・労働が軽易なものであること ・行政官庁（所轄労働基準監督署長）の許可を受けること ・修学時間外に使用すること	

1. 児童の就業禁止業務の範囲

　所轄労働基準監督署長は、非工業的業種の事業であっても、次の(1)から(5)に掲げる業務については、法第56条第2項の規定による児童使用の許可をしてはならない。

(1) 公衆の娯楽を目的として曲馬又は軽業を行う業務

(2) 戸々について、又は道路その他これに準ずる場所において、歌謡、遊芸その他の演技を行う業務

(3) 旅館、料理店、飲食店又は娯楽場における業務

(4) エレベーターの運転の業務

(5) (1)から(4)に掲げるもののほか、厚生労働大臣が別に定める業務

（年少則9条）

2. ゴルフ場におけるキャディーの業務

　ゴルフ場におけるキャディーの業務は、特に「児童の健康及び福祉に有害」でなく、年少者労働基準規則第9条第3号にいう「娯楽場における業務」には該当せず、かつ、「労働が軽易である」と考えられるので、法第56条の使用許可を行って差し支えない。

（昭和35.7.26基発624号、平成6.3.31基発181号）

3. 最低年齢に満たない労働者の解雇

　法第56条に定める最低年齢違反の労働契約のもとに就労していた児童を解雇するに当たっても、法第20条の解雇予告に関する規定は適用される（原則として、解雇予告手当を支払い即時解雇しなければならない）。

（昭和23.10.18基収3102号）

❷ 年少者の証明書 (法57条) B ★★

Ⅰ　**使用者**は、**満18歳に満たない者**について、その**年齢**を証明する**戸籍証明書**を**事業場**に**備え付け**なければならない。

Ⅱ　**使用者**は、第56条第2項の規定［最低年齢の例外］によって使用する児童については、**修学に差し支えないことを証明する学校長の証明書**及び**親権者又は後見人の同意書**を**事業場に備え付け**なければならない。

Check Point!

□ 使用者は満18歳未満の者を使用するについては、その年齢証明書を事業場に備え付けなければならないのであるから、労働基準法上労働者の年齢を確認する義務は使用者にあると解される。　　　　（昭和63.3.14基発150号）

❸ 年少者の帰郷旅費 (法64条、年少則10条1項) B ★★

満18歳に満たない者が解雇の日から14日以内に帰郷する場合においては、**使用者**は、**必要な旅費**を負担しなければならない。ただし、**満18歳に満たない者**がその**責めに帰すべき事由**に基づいて解雇され、**使用者**がその事由について**行政官庁（所轄労働基準監督署長）の認定**を受けたときは、この限りでない。

Check Point!

□ 年少者がその責めに帰すべき事由によって解雇された場合であって、使用者がその事由について所轄労働基準監督署長の認定（解雇予告除外認定）を受けたときは、法第64条ただし書の規定による認定（帰郷旅費支給除外認定）を受けたものとみなされる。　　　　（年少則10条2項）

・帰郷・必要な旅費

「帰郷」とは、本人の住所地に限らず、父母親族の保護を受ける場合はその者の住所に帰る場合も含む。また、「必要な旅費」には、労働者本人のみならず、就業のため移転した家族の旅費も含まれる。(昭和22.9.13発基17号、昭和23.7.20基収2483号)

❹ 未成年者の労働契約 (法58条、年少則3条) 重要度 B ★★

> Ⅰ　**親権者又は後見人**は、**未成年者**に代って**労働契約を締結**してはならない。
>
> Ⅱ　**親権者若しくは後見人又は行政官庁**（所轄労働基準監督署長）は、**労働契約が未成年者**に**不利**であると認める場合においては、**将来に向ってこれを解除**することができる。

趣旨

親権者及び後見人は、民法上、未成年者の同意を得れば未成年者の行為を目的とする債務を生ずべき法律行為について未成年者に代わって行うことができるが、上記Ⅰは労働契約の締結に関し、未成年者の同意を得ても未成年者に代わって行い得ないことを定めたものである。

Check Point!

□　❹の規定は、未成年者に対して適用されるものである。

❺ 未成年者の賃金請求権 (法59条) 重要度 B ★★

> **未成年者**は、**独立して賃金を請求**することができる。**親権者又は後見人**は、**未成年者の賃金を代って受け取ってはならない。**

Check Point!

□　❺の規定は、未成年者に対して適用されるものである。

年少者の労働時間等

❶ 年少者の労働時間・休憩・休日に関する制限
（法60条1項、3項、則34条の2の4）　重要度 A

★★★

Ⅰ　第32条の2から第32条の5まで［**変形労働時間制**］、第36条［**労使協定による時間外及び休日労働**］、第40条［**労働時間及び休憩の特例**］及び第41条の2［**高度プロフェッショナル制度**］の規定は、満**18歳に満たない者**については、これを**適用しない**。 H30-1エ R元-2B

Ⅱ　**使用者**は、第32条［法定労働時間］の規定にかかわらず、満**15歳以上で満18歳に満たない者**については、満**18歳に達するまでの間**（満15歳に達した日以後の**最初の3月31日までの間を除く**。）、次に定めるところにより、労働させることができる。

ⅰ　**1週間の労働時間**が第32条第1項［週法定労働時間］の労働時間（**40時間**）を超えない範囲内において、**1週間のうち1日の労働時間を4時間以内に短縮**する場合において、**他の日の労働時間を10時間**まで延長すること。

ⅱ　**1週間について48時間、1日について8時間**を超えない範囲内において、第32条の2［**1箇月単位の変形労働時間制**］又は第32条の4及び第32条の4の2［**1年単位の変形労働時間制**］の規定の例により労働させること。

概要

原則と例外についてまとめると次の通りとなる。

原則	例外
以下の規定は年少者に適用されない ・変形労働時間制 [R元-2B] ・労使協定による時間外・休日労働 ・法定労働時間の特例（週44時間） ・業種等による休憩の特例 ・高度プロフェッショナル制度	例外が認められる規定 ・１日の労働時間を**４時間以内**に短縮（その日を休日とする場合を含む）した場合、週**40時間**の範囲内で他の日を**10時間**まで延長可能※ ・週**48時間**・１日**8時間**を超えない範囲内での**１箇月単位**又は**１年単位**の変形労働時間制※ ・災害等・**公務**のため臨時の必要がある場合の時間外・休日労働 [H30-1エ] [R3-5C] [R5-3D] ・年少者が**法41条**該当者の場合の時間外・休日労働

※　満15歳の年度末を過ぎた年少者に限る。

Check Point!

☐ 災害等又は公務のために臨時の必要がある場合には、年少者にも時間外・休日労働をさせることができるが、36協定によって時間外・休日労働をさせることはできない。

1. 変形労働時間制の例外

満15歳の年度末を過ぎた年少者については、以下の通りの例外が認められている。

(1)　１週間の労働時間が**40時間を超えない範囲内**において、１週間のうち１日の労働時間を**４時間以内**に短縮（その日を休日とする場合を含む）すれば、他の日（１日に限らない）の労働時間を**10時間**まで延長することができる。

【例】　完全週休２日制のように、法定休日の他に１日を休日とする場合（次図では土曜日が該当する）、その休日は「労働時間を４時間以内に短縮した日」に該当するので、他の日に10時間まで労働させてもよい。

また、「他の日」は１日に限らないので、週40時間の範囲内であれば、次図のように定めてもよい。

第5章

日	月	火	水	木	金	土	合計
休み （法定休日）	7時間	6時間	10時間	7時間	10時間	休み	40時間

⇧
4時間以内に短縮した日
（労働時間0時間のため）

(2)　1週間について**48時間**、1日について**8時間**を超えない範囲内であれば、**1箇月単位**の変形労働時間制又は**1年単位**の変形労働時間制の規定の例により労働させることができる。

2.　時間外及び休日労働の例外 H30-1エ R3-5C R5-3D

次の場合には年少者にも時間外及び休日労働をさせることができる。

(1)　**災害等又は公務のために臨時の必要**がある場合

(2)　年少者が**法41条該当者**※である場合

※　**農業**や**水産・畜産業**の事業に使用される年少者などである場合

3.　週法定労働時間及び休憩の特例の適用除外

年少者には週法定労働時間の特例（**週44時間の特例**）及び**休憩の特例**が**適用されない**ので、具体的には次のようになる。

(1)　常時使用労働者数10人未満の商業、映画・演劇業（映画の製作の事業を除く）、保健衛生業及び接客娯楽業の事業に使用される者であっても、年少者については、週40時間を超えて労働させることができない。

(2)　休憩を与えないでよいとされている長距離乗務員や日本郵便株式会社の営業所（郵便窓口業務を行うものに限る）の職員等であっても、年少者については、法定通りの休憩を与えなければならない。

(3)　休憩を一斉に与える必要のない業種であっても、年少者については、労使協定を締結しない限り、休憩は一斉に与えなければならない。

問題チェック H8-5E改題

労働者に休憩を一斉に与える必要のない保健衛生の事業であっても、年少者については、一斉休憩除外の労使協定がない限り、休憩は一斉に与えなければならない。

解答 〇　　　　　　　　　　　　　　　　　　　　　　　法34条2項、法60条1項、則31条

年少者には法第40条の休憩の特例の規定は適用されないため、設問の場合、労使協定を締結しない限り、休憩は一斉に与えなければならない。

---

❷ 児童の労働時間に関する制限
（法32条、法60条2項）重要度 A

★★★

　第56条第2項［最低年齢の例外］の規定によって使用する**児童**についての第32条［法定労働時間］の規定の適用については、以下の通りとする。 H29-7C

　ⅰ　**休憩時間を除き、修学時間を通算して1週間**について**40時間**を超えて、労働させてはならない。

　ⅱ　**1週間の各日**については、**休憩時間を除き、修学時間を通算して1日**について**7時間**を超えて、労働させてはならない。

▎Check Point !

□ 児童の法定労働時間と児童以外の法定労働時間を比較すると、次の通りとなる。

	児童以外の原則の法定労働時間	児童の法定労働時間
1日	休憩時間を除き8時間	休憩時間を除き**修学時間**を通算して7時間
1週間	休憩時間を除き40時間	休憩時間を除き**修学時間**を通算して40時間

1．修学時間の意義

　修学時間とは、授業開始時刻から同日の最終授業終了時刻までの時間から休憩時間（昼食時間を含む）を除いた時間をいう。

（昭和25.4.14基収28号、昭和63.3.14基発150号）

2．修学時間と労働時間

　児童の法定労働時間の範囲内で、児童を修学時間のない日（通常日曜日）に労働させることは、別に修学日に法第35条の法定休日を与えていれば差し支えない（修学日以外の日に休日を与えなくともよい）。

（平成6.3.31基発181号）

第5章

❸ 年少者の深夜業に関する制限
（法61条1項〜4項、年少則5条）重要度 B

★★

Ⅰ　**使用者**は、**満18歳に満たない者**を**午後10時から午前5時**までの間において使用してはならない。ただし、**交替制によって使用する満16歳以上の男性**については、この限りでない。R5-3E

Ⅱ　**厚生労働大臣**は、必要であると認める場合においては、Ⅰの時刻を、**地域**又は**期間**を限って、**午後11時及び午前6時**とすることができる。

Ⅲ　**交替制**によって労働させる事業については、**行政官庁（所轄労働基準監督署長）の許可**を受けて、Ⅰの規定にかかわらず**午後10時30分**まで労働させ、又はⅡの規定にかかわらず**午前5時30分**から労働させることができる。

Ⅳ　ⅠからⅢの規定は、第33条第1項［**災害等による臨時の必要**］の規定によって**労働時間**を延長し、若しくは**休日**に**労働**させる場合又は別表第1第6号［**農林業**］、第7号［**水産・畜産業**］若しくは第13号［**保健衛生業**］に掲げる事業若しくは**電話交換の業務**については、適用しない。

概要

原則と例外についてまとめると次の通りとなる。

原則	例外
深夜業禁止	年少者に認められる深夜業 ・交替制によって使用する**満16歳以上の男性**である場合 ・交替制によって労働させる事業であり、かつ、行政官庁（**所轄労働基準監督署長**）の許可を受けて、午後10時30分まで（一定の地域又は期間については午前5時30分から）労働させる場合※ ・**災害等**のために臨時の必要がある場合の時間外・休日労働が深夜に及んだ場合 ・**農林業、水産・畜産業、保健衛生業**又は**電話交換の業務**に使用される場合

※　1日の所定労働時間8時間・休憩45分の場合、深夜の時間帯の労働を30分認めれば、次のような交替制が可能となるため設けられた規定である。

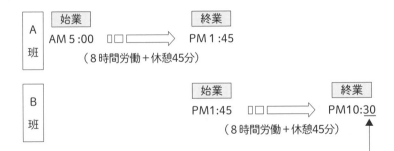

PM10：00からPM10：30の30分だけ、就業時間が深夜の時間帯に食い込む
ことを認めれば、上記の交替制勤務が可能となる。

|Check Point!

☐ 公務のために臨時の必要があっても年少者に深夜業をさせることはでき
ない。

☐ 交替制によって使用する満16歳以上の男性の場合は、所轄労働基準監督
署長の許可を受けることなく深夜業をさせることができる。

☐ 「林業」は年少者に深夜業をさせることができる業務に該当する（法41
条の規定とは異なる）。

❹ 児童の深夜業に関する制限（法61条1項、2項、5項、平成16.11.22厚労告407号）B ★★

Ⅰ **使用者**は、第56条第2項［最低年齢の例外］の規定によって使用
する**児童を午後8時から午前5時**までの間において使用してはなら
ない。

Ⅱ **厚生労働大臣**は、必要であると認める場合においては、Ⅰの時刻
を、**地域**又は**期間**を限って、**午後9時及び午前6時**とすることがで
きる。

Ⅲ 第61条第5項の規定により読み替えられたⅡに規定する**厚生労働
大臣**が必要であると認める場合は、第56条第2項［最低年齢の例外］
の規定によって**演劇の事業**に使用される**児童が演技**を行う業務に従

事する場合とし、第61条第5項の規定により読み替えられたⅡに規定する期間は、当分の間とする。

児童の深夜の時間帯についてまとめると次の通りとなる。

児童の区分	深夜業の時間帯 （この時間帯の就業は禁止）
下記以外の一般の児童	午後8時〜午前5時
演劇の事業に使用される児童（いわゆる演劇子役）が、演技を行う業務に従事する場合	午後9時〜午前6時

Check Point!

□ 「映画の事業」に使用される子役である児童は、いわゆる演劇子役には該当しないため、午後8時までしか使用することができない。

3 年少者の就業制限

❶ 坑内労働の禁止 (法63条) 重要度 B

★★

使用者は、満**18歳に満たない者**を**坑内**で労働させてはならない。

R5-3AE

概要

原則と例外についてまとめると次の通りとなる。

原則	例外
坑内労働禁止	認定職業訓練生である満**16歳以上の男性**については坑内労働に就かせることができる。

(則34条の3,1項)

❷ 危険有害業務の就業制限 (法62条1項、2項) 重要度 B

★★

Ⅰ **使用者**は、満**18歳に満たない者**に、**運転中の機械**若しくは**動力伝導装置の危険な部分**の掃除、**注油**、**検査**若しくは**修繕**をさせ、**運転中の機械**若しくは動力伝導装置にベルト若しくはロープの**取付け**若しくは**取りはずし**をさせ、**動力**による**クレーンの運転**をさせ、その他厚生労働省令で定める**危険な業務**に就かせ、又は厚生労働省令で定める**重量物**を取り扱う業務に就かせてはならない。 R5-3E

Ⅱ **使用者**は、満**18歳に満たない者**を、**毒劇薬**、**毒劇物**その他**有害な原料**若しくは**材料**又は**爆発性**、**発火性**若しくは**引火性**の原料若しくは材料を取り扱う業務、著しくじんあい若しくは**粉末**を飛散し、若しくは**有害ガス**若しくは**有害放射線を発散**する場所又は**高温**若しくは**高圧**の場所における業務その他**安全、衛生又は福祉に有害**な場所における業務に就かせてはならない。 R5-3E

概要

原則と例外についてまとめると次の通りとなる。

原則	例外
就業禁止業務 ・**重量物取扱業務** ・**危険有害業務**	・**認定職業訓練の訓練生**については**危険有害業務**に就かせることができる。 ・保健師助産師看護師法により免許を受けた者及び同法による保健師、助産師、**看護師又は准看護師**の養成中の者については、「病原体によって著しく汚染のおそれのある業務」に就かせることができる。

(年少則7条、年少則8条、則34条の3,1項)

第6章

妊産婦等

妊産婦等の就業制限

❶ 就業に関する制限 _{重要度} A

1 坑内業務の就業制限（法64条の2）　★★★

　　使用者は、次表左欄に掲げる**女性**を次表右欄の業務に就かせてはならない。 R5-3A

i　妊娠中の女性及び坑内で行われる業務に従事しない旨を使用者に申し出た産後1年を経過しない女性	坑内で行われるすべての業務
ii　iに掲げる女性以外の満18歳以上の女性	坑内で行われる業務のうち人力により行われる掘削の業務その他の女性に有害な業務として厚生労働省令で定めるもの

▌Check Point!▶

□　妊産婦（妊娠中の女性及び産後1年を経過しない女性）
　(1)　妊娠中の女性については、申出の有無にかかわらず、坑内で行われるすべての業務に就かせることができない。
　(2)　産後1年を経過しない女性については、業務に従事しない旨を使用者に申し出た場合に、坑内で行われるすべての業務に就かせることができない。

2 危険有害業務の就業制限（法64条の3,1項、2項）　★★★

　Ⅰ　**使用者**は、**妊娠中の女性及び産後1年を経過しない女性**（以下「妊産婦」という。）を、**重量物を取り扱う業務、有害ガスを発散**する場所における業務その他妊産婦の**妊娠、出産、哺育等に有害な業務**に就かせてはならない。 H27-選C

Ⅱ　**使用者**は、**妊産婦以外**の**女性**を、Ⅰに規定する業務［**妊産婦に係る危険有害業務**］のうち**女性の妊娠又は出産に係る機能に有害**である業務として厚生労働省令で定める業務に就かせてはならない。

概要

　女性労働者に対する危険有害業務の就業制限についてまとめると次の通りとなる。

	就業制限業務（24業務）			
	2業務	1業務	19業務	2業務
	重量物有害物取扱業務 **R2-3A**	身体に著しい振動を与える機械器具を用いて行う業務 **R2-3B**	ボイラーの取扱及び溶接の業務等 **R2-3E**	深さ又は高さが5メートル以上の場所等における業務で一定のもの等 **R2-3D**
妊娠中の女性				
産後1年未経過の女性				
妊産婦以外の女性				

■ 就業制限業務　　■ その業務に従事しない旨申し出ない場合は就業可能

□ 就業制限なし

・妊娠中の女性については、危険有害業務（例：つり上げ荷重が5トン以上のクレーンの運転の業務）として女性労働基準規則第2条第1項に定められた**24業務**（以下において「24業務」という。）について就業させることができない。

　　　　　　　　　　　　　　　　　　　　　　　　R2-3C　（女性則2条1項）

・産後1年を経過しない女性については、次のように就業制限業務が緩和されている。

(1)　24業務のうちの2業務（深さ又は高さが5メートル以上の場所等における業務で一定のもの等）については、就業させることができる。**R2-3D**

(2)　24業務のうちの19業務（ボイラーの取扱い・溶接の業務、動力により駆動される土木建築用機械又は船舶荷扱用機械の運転の業務等）については、女性が**その業務に従事しない旨を使用者に申し出ない場合**には、就業させることができる。**R2-3E**

　　　　　　　　　　　　　　　　　　　　　　　　　　　　（女性則2条2項）

第6章

・妊産婦以外の女性については、24業務のうち次の2つの危険有害業務に就かせることが禁止されている。

(1)　**断続作業の場合30キログラム以上、継続作業の場合20キログラム以上の重量物**を取り扱う業務 R2-3A

(2)　**妊娠や出産・授乳機能に影響のある**塩素化ビフェニル、鉛およびその化合物、トルエン等の化学物質を扱う作業場のうち、次の①又は②の業務

①　労働安全衛生法に基づく作業環境測定を行い、「**第3管理区分**」（規制対象となる化学物質の空気中の平均濃度が規制値を超える状態）**となった屋内作業場での業務**

②　タンク内、船倉内での業務など、規制対象となる化学物質の蒸気や粉じんの発散が著しく、**呼吸用保護具の着用が義務づけられている業務**

(女性則3条)

3 他の軽易な業務への転換 （法65条3項） ★★★

使用者は、**妊娠中の女性**が**請求**した場合においては、**他の軽易な業務に転換**させなければならない。

趣旨

妊娠中に就業する女性を保護しようとする規定である。原則として女性が請求した業務に転換させる趣旨であるが、新たに軽易な業務を創設して与える義務まで課したものではないとされている。 R3-6E

(昭和61.3.20基発151号、婦発69号)

したがって、女性が転換すべき業務を指定せず、かつ、客観的にみても他に転換すべき軽易な業務がない場合、女性がやむを得ず休業する場合も法第26条の休業手当の問題は生じないと考えられる。

Check Point!

□ 「他の軽易な業務への転換」の規定は、産後1年未経過の女性には適用されない。

□ 「他の軽易な業務への転換」の規定は、妊娠中の女性であって管理監督者に該当するものにも適用される。

・時間外労働等の制限との関係

妊娠中の女性労働者は、法第66条に基づく「時間外労働、休日労働又は深夜業に従事しないことの請求」に併せて法第65条第3項に基づく「他の軽易な業務への転換の請求」を行っても差し支えない。

（昭和61.3.20基発151号、婦発69号）

問題チェック 予想問題

使用者は、労働基準法第65条第3項の規定により、妊産婦が請求した場合においては、他の軽易な業務に転換させなければならない。

解答 ✕

法65条3項

妊産婦（妊娠中の女性及び産後1年を経過しない女性）のうち、産後1年を経過しない女性については設問の規定は適用されない。

② 産前産後に関する規制（法65条1項、2項）重要度 A

★★★

Ⅰ　**使用者**は、**6週間**（**多胎妊娠の場合にあっては、14週間**）**以内**に**出産する予定の女性**が**休業**を**請求した場合**においては、その者を就業させてはならない。 R3-6D

Ⅱ　**使用者**は、**産後8週間を経過しない女性**を就業させてはならない。ただし、**産後6週間を経過した女性**が請求した場合において、その者について**医師が支障がない**と認めた業務に就かせることは、差し支えない。 R3-6C

概要

産前産後期間の規制は、次の通りとなる。

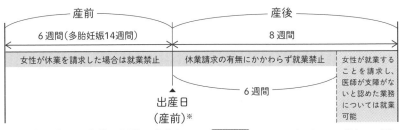

産前	産後
6週間（多胎妊娠14週間）	8週間
女性が休業を請求した場合は就業禁止	休業請求の有無にかかわらず就業禁止 / 女性が就業することを請求し、医師が支障がないと認めた業務については就業可能

出産日（産前）※　　6週間

※　出産当日は産前6週間に含まれる。 R3-6C

（昭和25.3.31基収4057号）

第6章

出産予定日後に出産した場合は、次の通りとなる。

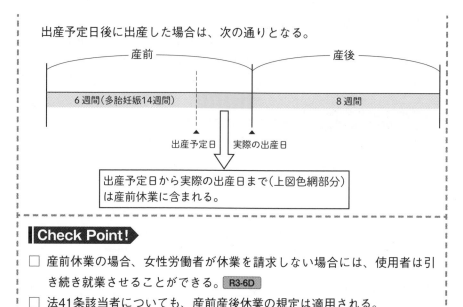

出産予定日から実際の出産日まで（上図色網部分）
は産前休業に含まれる。

Check Point！

□ 産前休業の場合、女性労働者が休業を請求しない場合には、使用者は引き続き就業させることができる。 R3-6D

□ 法41条該当者についても、産前産後休業の規定は適用される。

1. 出産の範囲

「出産」とは、**妊娠4箇月**（1箇月は28日で計算するので、28日×3＋1日＝85日）**以上の分娩**をいい、**正常分娩**に限らず、**早産、流産、死産**も含まれる。

R3-6A

妊娠中絶とは、胎児が母体外において生存を続けることができない時期に胎児及びその附属物を人工的に母体外に排出させることであり、産前6週間の休業の問題は発生しない。なお、**妊娠4箇月以後**に妊娠中絶を行った場合には、産後8週間の就業制限の適用がある。 H29-選C R3-6B R5-3B

（昭和23.12.23基発1885号、昭和26.4.2婦発113号）

2. 賞与支給要件と不利益取扱い

出勤率が90％以上の従業員を賞与支給対象者とする旨の就業規則条項の適用に関し、その基礎とする出勤した日数に産前産後休業の日数等を含めない旨の定めは、労働基準法第65条等の趣旨に照らすと、これにより産前産後休業を取る権利等の行使を抑制し、ひいては労働基準法等が上記権利等を保障した趣旨を実質的に失わせるものと認められる場合に限り、**公序に反するもの**として無効となると解するのが相当である。

（最一小平成15.12.4東朋学園事件）

妊産婦の労働時間等

❶ 妊産婦の労働時間、休日労働、深夜業の制限（法66条） **A** ★★★

Ⅰ **使用者**は、**妊産婦**（「**妊娠中の女性及び産後１年**を経過しない女性」をいう。）が**請求した場合**においては、第32条の２第１項［**１箇月単位の変形労働時間制**］、第32条の４第１項［**１年単位の変形労働時間制**］及び第32条の５第１項［**１週間単位の非定型的変形労働時間制**］の規定にかかわらず、１週間について第32条第１項の労働時間［**週法定労働時間**］、１日について同条第２項の労働時間［**日法定労働時間**］を超えて労働させてはならない。

Ⅱ **使用者**は、**妊産婦**が**請求した場合**においては、第33条第１項［**災害等のための臨時の必要**］及び第３項［**公務のための臨時の必要**］並びに第36条第１項［**36協定**］の規定にかかわらず、**時間外労働**をさせてはならず、又は**休日**に労働させてはならない。 H29-7D R5-3D

Ⅲ **使用者**は、**妊産婦**が**請求した場合**においては、**深夜業**をさせてはならない。 H29-7D

▌Check Point!▶

□ 法41条該当者には、「1. 変形労働時間制の適用の制限」「2. 時間外・休日労働の禁止」の規定は適用されないが、「3. 深夜業の禁止」の規定は適用される。

1. 変形労働時間制の適用の制限

妊産婦が請求した場合

・１箇月単位の変形労働時間制
・１年単位の変形労働時間制
・１週間単位の非定型的変形労働時間制
のもとで法定労働時間を超えての就業禁止

・妊産婦が**請求しなかった場合**には、１箇月単位・１年単位・１週間単位の非定型的変形労働時間制のもとで法定労働時間を超えて就労させることは**可能**である。

・妊産婦が請求した場合であっても、**フレックスタイム制のもとで就労させることは可能**である。

2.　時間外・休日労働の禁止

```
┌──────── 妊産婦が請求した場合 ────────┐
│ ・災害等による臨時の必要がある場合の時間外・休日労働  │
│ ・公務のため臨時の必要がある場合の時間外・休日労働   │⎫ 禁止
│ ・36協定による時間外・休日労働            │⎭
└──────────────────────────────────────┘
```

・妊産婦が**請求しなかった場合**には、時間外・休日労働をさせることは**可能**である。

・**法41条該当者**については、**労働時間、休憩、休日の規定が適用されないので、この制限はない**。したがって、例えば管理監督者や秘書である妊産婦が請求した場合に、時間外労働や休日労働をさせたとしても本条違反にはならない。 R3-5D

（昭和61.3.20基発151号、婦発69号）

3.　深夜業の禁止

・妊産婦が**請求した場合**には、**深夜業**もさせることができない。

・**法41条該当者**であっても、本条の**深夜業の規定は適用されるので、この制限がある**。したがって、例えば管理監督者や秘書である妊産婦が請求した場合には、深夜業をさせることはできない。

（同上）

4.　妊産婦の時間外労働、休日労働及び深夜業の制限

　法第66条第２項及び第３項は、妊産婦が請求した場合においては、使用者は当該妊産婦に時間外労働、休日労働又は深夜業をさせてはならないこととしたものである。なお、この場合、時間外労働若しくは休日労働についてのみの請求、深夜業についてのみの請求又はそれぞれについての部分的な請求も認められ、使用者はその請求された範囲で妊産婦をこれらに従事させなければ足りるものである。また、請求内容の変更があった場合にも同様である。

（同上）

❷ 育児時間 (法67条) 重要度 Ａ ★★★

> Ⅰ　**生後満１年に達しない生児を育てる女性**は、第34条の**休憩時間の**ほか、**１日２回各々少なくとも30分**、その**生児を育てるための時間**を**請求**することができる。 H30-選B
>
> Ⅱ　**使用者**は、Ⅰの**育児時間中**は、その**女性**を使用してはならない。

趣旨

　育児時間は、女性労働者が生後１年未満の生児を哺育している場合、授乳等種々の世話をするために要する時間を、一般の休憩時間とは別に確保し、あわせて産後の女性労働者に対し、作業から離脱できる余裕をも与えるために設けられた規定である。

Check Point!

- □ 法第34条の休憩と異なり、育児時間は労働時間の途中に与える必要はない。
- □ 男性労働者に法第67条の育児時間を付与する必要はない。
- □ 育児・介護休業法の所定労働時間の短縮措置を講じている場合であっても、法第67条の育児時間を与えなければならない。

第6章

1．勤務時間の始め又は終わりの育児時間

　生後満１年に達しない生児を育てる女性労働者が、育児時間を勤務時間の始め又は終りに請求してきた場合に、その請求に係る時間に、当該労働者を使用することは法第67条［育児時間］違反であるが、その時間を有給とするか否かは自由である。

(昭和33.6.25基収4317号)

2．１日の労働時間が４時間以内である場合

　法第67条［育児時間］の規定は、１日の労働時間を８時間とする通常の勤務態様を予想し、その間に１日２回の育児時間の付与を義務づけるものであって、**１日の労働時間が４時間以内であるような場合には、１日１回の育児時間の付与をもって足りる。**

(昭和36.1.9基収8996号)

3．育児時間

　法第67条の育児時間１回30分は請求があった場合に就業させ得ない時間であ

り、したがって託児所の施設がある場合は往復時間を含めて30分の育児時間が与えられていれば違法ではないが、このような場合には、往復の所要時間を除いて実質的な育児時間が与えられることが望ましい。

（昭和25.7.22基収2314号）

問題チェック H15-6D

生後満1年に達しない生児を育てる労働者は、労働基準法第34条の休憩時間のほか、1日2回各々少なくとも30分、その生児を育てるための時間を請求することができる。

解答 ✕

法67条1項

設問の生児を育てるための時間を請求することができるのは、「労働者」ではなく、「女性労働者」である。

---

❸ 生理日の就業が著しく困難な女性に対する措置（法68条）重要度 A

★★★

使用者は、**生理日の就業が著しく困難な女性**が**休暇を請求**したときは、その者を**生理日**に就業させてはならない。

趣旨

法第68条は、女性が現実に生理日の就業が著しく困難な状態にある場合に休暇の請求があったときはその者を就業させてはならないこととしたものであり、生理であることのみをもって休暇を請求することを認めたものではない。

（昭和61.3.20基発151号、婦発69号）

┃Check Point!

- ☐ 生理休暇の請求は、就業が著しく困難である事実に基づき行われるものであることから、必ずしも暦日単位で行わなければならないものではなく、半日又は時間単位で請求した場合には、使用者はその範囲で就業させなければ足りる。

（同上）

- ☐ 生理休暇中の賃金については、労働契約、労働協約又は就業規則で定めるところにより、支給しても支給しなくても差し支えない。

（昭和23.6.11基収1898号、昭和63.3.14基発150号、婦発47号）

・休暇の日数制限

　生理期間、その間の苦痛の程度あるいは就労の難易は各人によって異なるものであり客観的な一般基準は定められない。したがって、就業規則その他によりその日数を限定することは許されない。

（昭和23.5.5基発682号、昭和63.3.14基発150号、婦発47号）

参考（生理日の就業困難の挙証）
生理日の就業が著しく困難な女性が休暇を請求したときは、その者を生理日に就業させてはならないが、その手続を複雑にすると、この制度の趣旨が抹殺されることになるから、原則として特別の証明がなくても女性労働者の請求があった場合には、これを与えることにし、特に証明を求める必要が認められる場合であっても、右の趣旨に鑑み、医師の診断書のような厳格な証明を求めることなく、一応事実を推断せしめるに足れば充分であるから、例えば同僚の証言程度の簡単な証明によらしめるよう指導されたい。　H29-7E（同上）

（生理休暇中の賃金）
労働基準法第68条は、所定の要件を備えた女子労働者が生理休暇を請求したときは、その者を就業させてはならない旨規定しているが、年次有給休暇については同法第39条第9項においてその期間所定の賃金等を支払うべきことが定められているのに対し、生理休暇についてはそのような規定が置かれていないことを考慮すると、その趣旨は、当該労働者が生理休暇の請求をすることによりその間の就労義務を免れ、その労務の不提供につき労働契約上債務不履行の責めを負うことのないことを定めたにとどまり、生理休暇が有給であることまでをも保障したものではないと解するのが相当である。したがって、生理休暇を取得した労働者は、その間就労していないのであるから、労使間に特段の合意がない限り、その不就労期間に対応する賃金請求権を有しないものというべきである。

（最三小昭和60.7.16エヌ・ビー・シー工業事件）

第6章

第7章

技能習得者

技能習得者

❶ 徒弟の弊害排除 (法69条) 重要度 C ★

> I 　**使用者**は、**徒弟**、見習、**養成工**その他名称の如何を問わず、**技能の習得を目的とする者であること**を理由として、**労働者を酷使して**はならない。
>
> II 　**使用者**は、**技能の習得を目的とする労働者を家事**その他技能の習得に関係のない作業に従事させてはならない。

趣旨

技能習得を目的とする者であることを理由として、労働者を酷使したり雑役に使用することを禁止した規定である。

Check Point!

□ 法第69条は、いわゆる訓示規定であり罰則の定めはない。

---

❷ 職業訓練に関する特例 重要度 B

1 認定職業訓練生の特例 (法70条) ★★

> 職業能力開発促進法第24条第1項の**都道府県知事の認定**を受けて行う**職業訓練を受ける労働者**について必要がある場合においては、その必要の限度で、以下に関する規定について、厚生労働省令で別段の定めをすることができる。
>
> ただし、第63条の**年少者の坑内労働の禁止**に関する規定については、**満16歳に満たない者**に関しては、この限りでない。
>
> i 　第14条第1項の**契約期間**
>
> ii 　第62条及び第64条の3の**年少者及び妊産婦等の危険有害業務の**

就業制限

ⅲ　第63条の**年少者**の**坑内労働の禁止**及び第64条の２の**妊産婦等**の**坑内業務の就業制限**

概要

・認定職業訓練生の特例

(1)　契約期間の規定に関する特例

　　職業能力開発促進法施行規則に定める訓練期間の範囲内であれば、**契約期間が３年を超える**労働契約を定めることができる。　（則34条の２の５）

(2)　危険有害業務の就業制限に関する特例

　　技能を習得させるために必要がある場合においては、**年少者**である認定職業訓練生を法第62条の危険有害業務に就かせることができる。

（則34条の３）

(3)　年少者の坑内労働の禁止及び妊産婦等の坑内業務の就業制限に関する特例

　　技能を習得させるために必要がある場合においては、**満16歳以上の男性**である認定職業訓練生を**坑内労働**に就かせることができる。　（同上）

2　**特例の許可及び取消**（法71条、法73条、則34条の４、則34条の５）

★★

Ⅰ　第70条［認定職業訓練生の特例］の規定に基いて発する厚生労働省令は、当該厚生労働省令によって労働者を使用することについて**行政官庁（所轄都道府県労働局長）の許可**を受けた使用者に使用される労働者以外の労働者については、適用しない。

Ⅱ　**都道府県労働局長**は、Ⅰの使用者の申請について**許可**をしたとき、若しくは**許可**をしないとき、又は**許可**を取り消したときは、その旨を**都道府県知事**に通知しなければならない。

Ⅲ　Ⅰの規定による**許可**を受けた**使用者**が第70条［認定職業訓練生の特例］の規定に基いて発する厚生労働省令に**違反**した場合においては、**行政官庁（所轄都道府県労働局長）**は、その**許可**を**取り消す**ことができる。

3 未成年訓練生の年次有給休暇 （法72条） ★★

　未成年者である訓練生（第70条［認定職業訓練生の特例］の規定の適用を受けるものに限る。）には、初年度に**12労働日**の年次有給休暇を付与しなければならない。

　未成年訓練生の年次有給休暇付与日数は、次の通りである。

勤続年数	0.5年	1.5年	2.5年	3.5年	4.5年	5.5年以上
付与日数	12日	13日	14日	16日	18日	20日

趣旨

　法第72条は、法第70条［認定職業訓練生の特例］の規定の適用を受ける労働者は、ある種の労働条件について一般労働者より不利な取扱いを受けることとなるため、特に未成年者の年次有給休暇については一般労働者より高い基準によることを規定したものである。

第**8**章

就業規則、寄宿舎

就業規則

❶ 作成及び届出の義務 (法89条) A

1 作成及び届出 (法89条、則49条1項) ★★★

> 　**常時10人以上**の**労働者を使用**する**使用者**は、第89条各号に掲げる事項について**就業規則**を作成し、**行政官庁**（所轄労働基準監督署長）に**届け出**なければならない。当該事項を**変更**した場合においても、同様とする。 H28-5A

▎Check Point!

□ 「労働者」とは、当該事業場に使用されているすべての労働者をいい、正規従業員だけでなく臨時的・短期的な雇用形態の労働者はもちろん、他社へ派遣中の労働者も含まれる。したがって、これらの労働者をすべて合わせて10人以上であれば、就業規則を作成し届け出なければならない。 R元-7A

（昭和61.6.6基発333号）

1. 常時10人以上

　「常時10人以上」とは、「常態として10人以上」ということであり、時には10人未満になる場合も含まれる。逆に、常態として10人未満であれば、業務の繁忙期に10人以上の労働者を使用することがあっても就業規則の作成・届出義務は発生しない。なお、「常時10人以上」については、企業単位ではなく事業場単位で判断する。 R2-7D

2. 派遣労働者と就業規則

　法第89条により就業規則の作成義務を負うのは、派遣中の労働者とそれ以外の労働者を合わせて常時10人以上の労働者を使用している**派遣元**の使用者である。

R2-7C （同上）

3. 一部の労働者に適用される別個の就業規則

　同一事業場において、法第3条［均等待遇］に違反しない限りにおいて、一部

の労働者についてのみ適用される別個の就業規則を作成することは差し支えない（例えば正規従業員の就業規則とは別個にパート社員の就業規則を定めてもよい）が、この場合は、就業規則の本則において当該別個の就業規則の適用の対象となる労働者に係る適用除外規定又は委任規定を設けることが望ましい。なお、別個の就業規則を定めた場合には、当該２以上の就業規則を合したものが法第89条の就業規則となるのであって、それぞれ単独に同条に規定する就業規則となるものではない。 **R6-7C**

(昭和63.3.14基発150号、平成11.3.31基発168号)

② 記載事項（法89条各号） ★★★

就業規則の記載事項は、次表右欄の通りである。

法第15条の労働条件の明示		就業規則の必要記載事項
絶対的明示事項	①労働契約の期間に関する事項 ②有期労働契約を更新する場合の基準に関する事項（通算契約期間又は有期労働契約の更新回数に上限の定めがある場合には当該上限を含む。）※ ③就業の場所及び従事すべき業務に関する事項（就業の場所及び従事すべき業務の変更の範囲を含む。） ④始業及び終業の時刻、**所定労働時間を超える労働の有無**、休憩時間、休日、休暇並びに労働者を２組以上に分けて就業させる場合における就業時転換に関する事項 ⑤賃金（退職手当及び⑧に規定する賃金を除く。以下⑤において同じ。）の決定、計算及び支払の方法、賃金の締切り及び支払の時期並びに昇給に関する事項 ⑥退職に関する事項（解雇の事由を含む。）	**絶対的必要記載事項** ①始業及び終業の時刻、休憩時間、休日、休暇並びに労働者を２組以上に分けて交替に就業させる場合においては就業時転換に関する事項 ②賃金（臨時の賃金等を除く。以下②において同じ。）の決定、計算及び支払の方法、賃金の締切り及び支払の時期並びに昇給に関する事項 ③退職に関する事項（解雇の事由を含む。）
⑦退職手当の定めが適用される労働者の範囲、退職手当の決定、計算及び支払の方法並びに退職手当の支払の時期に関する事項		④退職手当の定めが適用される労働者の範囲、退職手当の決定、計算及び支払の方法並びに退職手当の支払の時期に関する事項

相対的明示事項	⑧臨時に支払われる賃金（退職手当を除く。）、賞与等並びに最低賃金額に関する事項 ⑨労働者に負担させるべき食費、作業用品その他に関する事項 ⑩安全及び衛生に関する事項 ⑪職業訓練に関する事項 ⑫災害補償及び業務外の傷病扶助に関する事項 ⑬表彰及び制裁に関する事項 ⑭休職に関する事項	相対的必要記載事項	⑤臨時の賃金等（退職手当を除く。）及び最低賃金額に関する事項 ⑥労働者に負担させる食費、作業用品その他に関する事項 ⑦安全及び衛生に関する事項 ⑧職業訓練に関する事項 ⑨災害補償及び業務外の傷病扶助に関する事項 ⑩表彰及び制裁の種類並びに程度に関する事項 H30-7C ⑪上記①から⑩のほか、当該事業場の労働者のすべてに適用される定めに関する事項

※　当該事項については有期労働契約であって当該労働契約の期間の満了後に当該労働契約を更新する場合があるものの締結の場合に限り明示しなければならない。

・就業規則の記載事項は、労働条件の明示事項と対比して把握すると効率的であるため、本書では両者を並記した。

Check Point!

□　法第41条第3号の監視・断続的労働の許可を受けた者についても法第89条は適用されるので、就業規則には始業及び終業の時刻を定めなければならない。 H28-5B R6-7E （昭和23.12.25基収4281号）

□　労働者の請求により欠勤（病気事故）を年次有給休暇に振り替えることは違法ではないが、当該取扱いが制度として確立している場合には、就業規則に規定することが必要である。 R3-7B

（昭和23.12.25基収4281号、昭和63.3.14基発150号）

1.　必要記載事項

　就業規則の必要記載事項には、必ず記載しなければならない事項（絶対的必要記載事項）と定めをする場合には必ず記載しなければならない事項（相対的必要記載事項）とがある。

2. 必要記載事項の一部を欠く就業規則の効力

就業規則が絶対的必要記載事項の一部を欠いている場合又は相対的必要記載事項中、当該事業場が適用を受けるべき事項を記載していない場合は、本条（法第89条）違反となるが、このような就業規則であっても、その効力発生についての他の要件を具備する限り有効である。R3-7A R6-7A

（昭和25.2.20基収276号、平成11.3.31基発168号）

3. フレックスタイム制を採用する場合のコアタイム、フレキシブルタイム

コアタイム、フレキシブルタイムは始業及び終業の時刻に関する事項であるので、これらの時間帯を設ける場合には、これらについて就業規則に規定しておかなければならない。

（昭和63.1.1基発1号、平成11.3.31基発168号）

4. 別規則の定め

就業規則の記載事項については、1つの就業規則にすべて記載する必要はなく、例えば、「賃金規程」などの別規則を定めて記載しても差し支えない。

5. 退職に関する事項

法第89条第3号にいう「退職」は、解雇を含め労働契約が終了するすべての場合を指すと解すべきであり、「退職に関する事項」とは、任意退職、解雇、定年制、契約期間の満了による退職等労働者がその身分を失うすべての場合に関する事項をいう。

6. 退職手当に関する事項

退職手当について不支給事由又は減額事由を設ける場合には、これは退職手当の決定及び計算の方法に関する事項に該当するので、就業規則に記載する必要がある。 H28-5C

（平成11.3.31基発168号）

7. 旅費に関する事項

旅費に関する事項は、就業規則の絶対的必要記載事項ではないので、就業規則中に旅費に関する定めをしなくても差し支えないが、旅費に関する一般的規定を作る場合には、法第89条第10号（前記表⑪）により（当該事業場の労働者のすべてに適用される定めに関する事項に該当するので）就業規則の中に規定しなければならない。

（昭和25.1.20基収3751号、平成11.3.31基発168号）

8. 育児休業の就業規則への記載

育児・介護休業法による育児休業も、就業規則の記載事項である「休暇」に含

まれるものであり、育児休業の対象となる労働者の範囲等の付与要件、育児休業取得に必要な手続、休業期間については、就業規則に記載する必要がある。なお、育児・介護休業法においては、育児休業の対象者、申出手続、育児休業期間等が具体的に定められているので、育児・介護休業法の定めるところにより育児休業を与える旨の定めがあれば記載義務は満たしていると解される。

H30-7B　R6-7D　（平成3.12.20基発712号、平成11.3.31基発168号）

参考　法令慣習等により、労働条件その他の決定変更につき労働組合との協定、協議又はその経由を必要とする場合であっても、その旨を就業規則に規定するか否かは当事者の自由である。　R2-7A　（昭和23.10.30基発1575号）

─── **問題チェック** R元-7E ───

　同一事業場において、労働者の勤務態様、職種等によって始業及び終業の時刻が異なる場合は、就業規則には、例えば「労働時間は1日8時間とする」と労働時間だけ定めることで差し支えない。

解答 ✕　　　　　　　　　　　　　法89条1号、平成11.3.31基発168号

　同一の事業場において、労働者の勤務態様、職種等によって始業及び終業の時刻が異なる場合は、就業規則に、勤務態様、職種等の別ごとに始業及び終業の時刻を規定しなければならない。

❷ **作成の手続**（法90条、則49条2項）重要度 **A** ★★★

Ⅰ　**使用者**は、**就業規則の作成又は変更**について、当該事業場に、**労働者の過半数で組織する労働組合がある場合**においてはその労働組合、労働者の過半数で組織する労働組合がない場合においては**労働者の過半数を代表する者**の**意見を聴かなければならない**。R元-7C

Ⅱ　**使用者**は、前条［就業規則の作成及び届出］の規定により**届出**をなすについて、Ⅰの意見**を記した書面を添付**しなければならない。

Ⅲ　Ⅱの規定により**届出に添付すべき意見を記した書面**は、**労働者を代表する者**の**氏名**を記載したものでなければならない。

┌─ **趣旨** ─
│　法第90条第1項が、就業規則の作成又は変更について、当該事業場の過

半数労働組合、それがない場合においては労働者の過半数を代表する者の意見を聴くことを使用者に義務づけた趣旨は、使用者が一方的に作成・変更しうる就業規則に労働者の団体的意思を反映させ、就業規則を合理的なものにしようとすることにある。 H27-7C

就業規則の作成手続の流れは次の通りとなる。

| 作成義務あり 常時10人以上の労働者を使用する事業場 | → | 就業規則 作成・変更 | → | 労働者の過半数で組織する労組等の意見を聴く | → | 意見書 （労働者の代表者の氏名記載） 添付して届出 | → | 所轄労働基準監督署長 |

・就業規則は、その作成及び届出義務が規定されているだけでなく、法第106条第1項の規定に基づき、**労働者に周知させる**ことも使用者に義務づけられている。

Check Point!

□ 就業規則の作成又は変更の際には、労働組合等の意見を聴くのであって、同意を得る必要はない。

□ 就業規則の一部変更の場合でも、所轄労働基準監督署長の命令により変更する場合でも、労働組合等の意見を聴かなければならない。

1. 一部の労働者に適用される別個の就業規則についての意見聴取

同一事業場において一部の労働者についてのみ適用される就業規則を別に作成することは差し支えないが、当該一部の労働者に適用される就業規則も当該事業場の就業規則の一部分であるから、その作成又は変更に際しての法第90条の意見の聴取については、当該事業場の全労働者の過半数で組織する労働組合又は全労働者の過半数を代表する者の意見を聴くことが必要である。なお、これに加えて、その対象となる一部の労働者で組織する労働組合又は当該一部の労働者の過半数代表者の意見を聴くことが望ましい。 H30-7A R3-7C

(昭和23.8.3基収2446号、昭和63.3.14基発150号)

2. 派遣元の事業場における意見聴取

派遣元の使用者は、当該派遣元の事業場に労働者の過半数で組織する労働組合がある場合にはその労働組合、過半数で組織する労働組合がない場合には労働者の過半数を代表する者の意見を聴かなければならない。この場合の労働者とは、

第8章

当該派遣元の事業場のすべての労働者であり、派遣中の労働者とそれ以外の労働者との両者を含むものである。

　なお、派遣中の労働者が異なる派遣先に派遣されているため意見交換の機会が少ない場合があるが、その場合には代表者選任のための投票等に併せて就業規則案に対する意見を提出させ、これを代表者が集約する等により派遣労働者の意思が反映されることが望ましい。

（昭和61.6.6基発333号）

3.　就業規則の受理

　法第90条第2項は、就業規則の行政官庁への届出の際に、当該事業場の過半数労働組合、それがない場合においては労働者の過半数を代表する者の意見を記した書面を添付することを使用者に義務づけているが、過半数労働組合もしくは過半数代表者が故意に意見を表明しない場合は、意見を聴いたことが客観的に証明できる限り、これを受理するよう取り扱うものとされている。 H27-7D　R2-7B

（昭和23.10.30基発1575号）

4.　意見聴取の程度

　「労働組合等の意見を聴かなければならない」とは、労働組合等との「協議決定」を要求するものではない。すなわち、労働組合等の意見の内容が当該就業規則に全面的に反対するものであっても、労働協約に協議決定又は同意を要する旨の記載がある等の特殊な場合を除き、就業規則の効力には影響がない。 R元-7C

（昭和24.3.28基発373号、昭和25.3.15基収525号）

参考（就業規則の不利益変更）
　新たな就業規則の作成又は変更によって、労働者の既得の権利を奪い、労働者に不利益な労働条件を一方的に課することは、原則として許されないと解すべきであるが、労働条件の集合的処理、特にその統一的かつ画一的な決定を建前とする就業規則の性質からいって、当該規則条項が**合理的なもの**である限り、個々の労働者において、これに同意しないことを理由として、その適用を拒むことは許されないと解すべきである。

（最大判昭和43.12.25秋北バス事件）

（就業規則の効力と周知）
　使用者が労働者を制裁として懲戒するためには、あらかじめ就業規則において懲戒の種別及び事由を定めておくことを要する。そして、就業規則が法的規範としての性質を有するものとして、拘束力を生ずるためには、その内容を適用を受ける事業場の労働者に周知させる手続が採られていることを要する。

（最三小昭和54.10.30国鉄札幌運転区事件、最大判昭和43.12.25秋北バス事件、
最二小平成15.10.10フジ興産事件）

❸ 制裁規定の制限（法91条）🅰 ★★★

就業規則で、労働者に対して**減給の制裁**を定める場合においては、その減給は、**1回の額**が**平均賃金の1日分の半額**を超え、**総額**が**1賃金支払期における賃金の総額の10分の1**を超えてはならない。

概要

就業規則に減給の制裁を定める場合は、減給の額を次の限度内にしなければならない。

(1) **1回の事案**に対しては減給の総額が**平均賃金の1日分の半額以内**

(2) **1賃金支払期**に発生した数事案に対する減給の総額が、当該**賃金支払期における賃金の総額の10分の1以内**

Check Point!

☐ 次のようなものは、減給の制裁にはあたらないとされている。

(1) 遅刻・早退した時間分の賃金カット。ただし、遅刻・早退した時間分を超えるような賃金カットは減給の制裁となる。 R2-7E

（昭和63.3.14基発150号）

(2) 出勤停止処分を受けた場合の出勤停止期間中の賃金カット。ただし、この場合は、就業規則に出勤停止期間中は賃金を支払わない旨定めていなければならない。 H28-5D （昭和23.7.3基収2177号）

(3) 懲戒処分を受けた場合には昇給せしめないといった昇給の欠格条件の定め。 R元-7D R3-7D （昭和26.3.31基収938号）

(4) 制裁として格下げになったことによる賃金の低下。ただし、従前の職務に従事せしめつつ、賃金額のみを減ずるような場合は減給の制裁となる。 （昭和26.3.14基収518号、昭和37.9.6基発917号）

☐ 常時10人未満の労働者を使用する使用者において就業規則を作成したときは、それも本法にいう「就業規則」として、法第91条［制裁規定の制限］、第92条［法令及び労働協約との関係］及び第93条［労働契約との関係］の規定は適用されると解すべきである。 H27-7A

1. 限度を超えて減給の制裁を行う必要が生じた場合

「総額が1賃金支払期における賃金の総額の10分の1を超えてはならない」と

は、1賃金支払期に発生した数事案に対する減給の総額が、当該賃金支払期における賃金の総額の10分の1以内でなければならないという意味である。もし、これを超えて減給の制裁を行う必要が生じた場合には、その部分の減給は、次期以降の賃金支払期に延ばさなければならない。

（昭和23.9.20基収1789号）

2．欠勤等により賃金総額が少額となった場合

「1賃金支払期における賃金の総額」とは、当該賃金支払期に対し現実に支払われる賃金の総額をいうものであり、したがって、1賃金支払期に支払われるべき賃金の総額が欠勤等のために少額となったときは、その少額となった賃金総額を基礎としてその10分の1を計算しなければならない。 R3-7E （昭和25.9.8基収1338号）

3．賞与からの減給による制裁

賞与から減額する場合も1回の事由については平均賃金の1日分の半額を超え、また、総額については1賃金支払期の総額（賞与額）の10分の1を超えてはならない。

（昭和63.3.14基発150号）

問題チェック H16-7A

労働基準法第91条に定める減給の制裁の制限に関する規定は、同法第89条の規定が、常時10人以上の労働者を使用する使用者に対してのみ就業規則の作成義務を課しているところから、常時10人未満の労働者しか使用せず、就業規則の作成義務がない使用者に対しては適用されない。

解答 ✕

法91条

法第91条［制裁規定の制限］、第92条［法令及び労働協約との関係］及び第93条［労働契約との関係］の「就業規則」とは、就業規則一般をいい、第89条の規定により就業規則を作成する義務がある常時10人以上の労働者を使用する使用者が作成する就業規則に限らない。したがって、常時10人未満の労働者を使用する使用者についても、減給の制裁（＝制裁規定の制限）に関する規定は適用されるため、誤り。

---

④ 法令及び労働協約との関係（法92条、法93条、則50条、労働契約法12条）重要度A ★★★

> Ⅰ　**就業規則**は、**法令**又は当該**事業場**について適用される**労働協約**に反してはならない。

Ⅱ　**行政官庁**（所轄労働基準監督署長）は、**法令又は**労働協約に牴触する**就業規則の変更を命ずる**ことができる。 H30-7E

Ⅲ　**労働契約**と**就業規則**との関係については、**労働契約法**第12条の定めるところによる。

【労働契約法第12条】

　就業規則で定める**基準に達しない労働条件**を定める**労働契約**は、その部分については、**無効**とする。この場合において、無効となった部分は、**就業規則で定める基準**による。

概要

　法第92条第1項（上記Ⅰ）は、就業規則は、法令又は当該事業場について適用される労働協約に反してはならないと規定しているが、当該事業場の労働者の一部しか労働組合に加入していない結果、労働協約の適用がその事業場の一部の労働者に限られているときには、就業規則の内容が労働協約の内容に反する場合においても、当該労働協約が適用されない労働者については就業規則の規定がそのまま適用されることになる。 H27-7E

　上記Ⅱは、所轄労働基準監督署長が法令又は労働協約に牴触する就業規則の**変更を命ずることができる**ことを規定しているのであり、自ら変更することができることを規定しているのではない。

　この場合において、変更を命じられた使用者が、就業規則を変更し、労働者の過半数で組織する労働組合等の**意見を聴いた**うえで**所轄労働基準監督署長に届け出**て初めて変更されたことになる。 H28-5E

　労働契約法第12条［就業規則の最低基準効］にいう就業規則は、労働基準法第91条及び第92条の場合における就業規則と同じく、常時10人以上の労働者を使用する事業場の就業規則のみならず、常時10人未満の労働者を使用する事業場の就業規則をも含むものである。 H27-7B

（平成24.8.10基発0810第2号）

Check Point!

□　優先順位は、原則として次の通りである。

　①法令＞②労働協約＞③就業規則＞④労働契約

・就業規則の法的性質

就業規則が労働者に対し、一定の事項につき使用者の業務命令に服従すべき旨を定めているときは、そのような就業規則の規定内容が合理的なものである限りにおいて当該具体的労働契約の内容をなしているものということができる。

（最一小昭和61.3.13電電公社帯広局事件）

問題チェック　H8-6E

就業規則が法令又は労働協約に牴触するため所轄労働基準監督署長がその変更を命じた場合であっても、使用者は、当該就業規則の変更について、当該事業場に労働者の過半数で組織する労働組合がある場合においてはその労働組合、労働者の過半数で組織する労働組合がない場合においては労働者の過半数を代表する者の意見を聴かなければならない。

解答 ○　　　　　　　　　　　　　　　　　　　　　　　　　法90条1項、法92条2項

所轄労働基準監督署長の変更命令により就業規則を変更する場合であっても、過半数労組等の意見を聴く必要がある。

---

2 寄宿舎

① 寄宿舎生活の自治（法94条）重要度 **B** ★★

> Ⅰ　**使用者**は、**事業の附属寄宿舎**に**寄宿する労働者**の**私生活の自由**を侵してはならない。
> Ⅱ　**使用者**は、**寮長**、**室長**その他**寄宿舎生活の自治**に必要な役員の選任に**干渉**してはならない。

概要

　使用者は、次の(1)から(3)に掲げる行為等寄宿舎に寄宿する労働者の私生活の自由を侵す行為をしてはならない。

(1)　**外出又は外泊について使用者の承認を受けさせること**
(2)　教育、娯楽その他の行事に参加を強制すること
(3)　共同の利益を害する場所及び時間を除き、面会の自由を制限すること

（寄宿舎規程4条）

1．事業附属寄宿舎の範囲

　「寄宿舎」とは常態として相当人数の労働者が宿泊し、共同生活の実態を備えるものをいい、「事業に附属する」とは事業経営の必要上その一部として設けられているような事業との関連をもつことをいう。

　したがって社宅、アパート式寄宿舎、住込先は、事業附属寄宿舎には含まれない。

（昭和23.3.30基発508号）

2．寄宿舎生活の自治

　使用者は役員の選任に関する一切の事項に干渉してはならない。例えば、使用者が役員の選任について案を作成するようなことは本条違反である。

（昭和23.5.1基収1317号）

問題チェック H21-7B

事業の附属寄宿舎に労働者を寄宿させる使用者は、事業の附属寄宿舎の寮長を選

任しなければならない。

解答 ✕　　　　　　　　　　　　　　　　　　　　　　　　　　　　法94条2項

　　使用者は、寄宿舎生活の自治に必要な役員の選任に干渉してはならないとされているため、事業の附属寄宿舎の寮長を選任することはできない。

---

❷ 寄宿舎規則（法95条、寄宿舎規程1条の2）重要度 B

★★

　Ⅰ　**事業の附属寄宿舎に労働者を寄宿させる使用者**は、次の事項について**寄宿舎規則を作成**し、**行政官庁（所轄労働基準監督署長）に届け出**なければならない。これを**変更**した場合においても同様である。

R6-7B

　　i　**起床、就寝、外出及び外泊**に関する事項
　　ii　**行事**に関する事項
　　iii　**食事**に関する事項
　　iv　**安全及び衛生**に関する事項
　　v　**建設物及び設備の管理**に関する事項
　Ⅱ　**使用者は**、上記Ⅰiからivの事項に関する規定の**作成又は変更**については、**寄宿舎に寄宿する労働者の過半数を代表する者の同意**を得なければならない。
　Ⅲ　**使用者**は、Ⅰにより**届出**をなすについて、Ⅱの同意を証明する**書面を添附**しなければならない。
　Ⅳ　Ⅲの規定による**同意**を証明する**書面**は、**寄宿舎に寄宿する労働者の過半数を代表する者**の**氏名**を記載したものでなければならない。
　Ⅴ　**使用者及び寄宿舎に寄宿する労働者**は、**寄宿舎規則を遵守**しなければならない。

概要

寄宿舎規則の作成手続の流れは次の通りとなる。

```
作成義務あり
労働者を事業      寄宿舎規則      寄宿舎に寄宿す      同意書                  所
の附属寄宿舎 ──→ 作成・変更 ──→ る労働者の過半 ──→ （寄宿労働者の過半数 ──→ 轄
に寄宿させる                    数代表者の同意※      代表者の氏名記載）        労
使用者                                              添付して届出            働
                                                                        基
                                                                        準
                                                                        監
                                                                        督
                                                                        署
                                                                        長
```

※　以下の事項に係る同意
　①起床、就寝、外出及び外泊に関する事項
　②行事に関する事項
　③食事に関する事項
　④安全及び衛生に関する事項
・寄宿舎規則は、その作成及び届出義務が規定されているだけでなく、法第106条第2項の規定に基づき、**寄宿舎に寄宿する労働者に周知**させることも使用者に義務づけられている。

❸ 寄宿舎の設備及び安全衛生 (法96条) 重要度 B ★★

Ⅰ　**使用者**は、**事業の附属寄宿舎**について、**換気、採光、照明、保温、防湿、清潔、避難、定員の収容、就寝に必要な措置**その他**労働者の健康、風紀及び生命の保持**に必要な措置を講じなければならない。

Ⅱ　**使用者**がⅠの規定によって講ずべき措置の**基準**は、厚生労働省令（「事業附属寄宿舎規程」及び「建設業附属寄宿舎規程」）で定める。

❹ 監督上の行政措置（法96条の2、法96条の3、寄宿舎規程3条の2、建設業寄宿舎規程5条の2）重要度 B

★★

Ⅰ　**使用者**は、**常時10人以上の労働者を就業させる事業**、厚生労働省令で定める**危険な事業又は衛生上有害な事業の附属寄宿舎を設置し、移転し、又は変更**しようとする場合においては、法第96条［寄宿舎の設備及び安全衛生］の規定に基づいて発する厚生労働省令で定める**危害防止等に関する基準**に従い定めた**計画**を、**工事着手14日前**までに、**行政官庁（所轄労働基準監督署長）に届け出なければならない**。 R2-選A

Ⅱ　**行政官庁（所轄労働基準監督署長）は、労働者の安全及び衛生に**必要であると認める場合においては、**工事の着手を差し止め、又は計画の変更を命ずることができる。**

Ⅲ　**労働者を就業させる事業の附属寄宿舎**が、**安全及び衛生に関し定**められた基準に反する場合においては、**行政官庁（所轄労働基準監督署長）は、使用者**に対して、その**全部又は一部の使用の停止、変**更その他必要な事項を**命ずることができる。**

Ⅳ　Ⅲの場合において**行政官庁**（所轄労働基準監督署長）は、**使用者**に命じた事項について必要な事項を**労働者に命ずることができる。**

▌Check Point!

□　当該規定に基づき計画の届出を要する事業は、「常時10人以上の労働者を就業させる事業」及び「労働者数にかかわりなく厚生労働省令で定める危険有害な事業」である。

第9章

災害補償、
監督機関、雑則、罰則

災害補償

❶ 災害補償 重要度 B

1 趣旨 ★★

　労働基準法においては、労働者が業務上負傷し、または疾病にかかり、あるいは死亡した場合、使用者に一定額の**無過失損害賠償理論**に基づく補償を義務づけている。なお、この労働基準法の災害補償を填補するために制定された法律が、労働者災害補償保険法である。

▌Check Point!▶

□ 派遣労働者に対する災害補償の規定は、派遣元の使用者がその義務を負う。（労働者派遣法44条、昭和61.6.6基発333号、平成20.7.1基発0701001号）

□ 無過失損害賠償理論とは、損害の発生について故意・過失がなくてもその賠償責任を負うという理論をいう。

2 療養補償（法75条） ★

Ⅰ　**労働者**が**業務上負傷**し、又は**疾病**にかかった場合においては、**使用者**は、その**費用**で**必要な療養**を行い、又は**必要な療養の費用を負担**しなければならない。

Ⅱ　Ⅰに規定する**業務上**の**疾病**及び**療養の範囲**は、厚生労働省令で定める。

1．業務上の療養の範囲

　上記Ⅱの規定による療養の範囲は、次に掲げるものにして、療養上相当と認められるものとする。

(1)　診察

(2)　薬剤又は治療材料の支給

(3) 処置、手術その他の治療

(4) 居宅における療養上の管理及びその療養に伴う世話その他の看護

(5) 病院又は診療所への入院及びその療養に伴う世話その他の看護

(6) 移送 (則36条)

2. 診断

労働者が就業中又は事業場若しくは事業の附属建設物内で負傷し、疾病にかかり又は死亡した場合には、使用者は、遅滞なく医師に診断させなければならない。 (則37条)

③ 休業補償 (法76条1項)

労働者が第75条［療養補償］の規定による療養のため、**労働することができない**ために**賃金を受けない**場合においては、**使用者**は、**労働者の療養中平均賃金の100分の60の休業補償**を行わなければならない。

▌Check Point!

☐ 労災保険の適用事業所では休業補償給付が行われるが、休業の最初の3日間は待期期間となっているため、その3日間については、使用者が本条の規定による休業補償を行わなければならないことになる。

④ 障害補償 (法77条)

労働者が業務上**負傷**し、又は**疾病**にかかり、**治った**場合において、その**身体**に**障害**が存するときは、**使用者**は、その**障害の程度**に応じて、**平均賃金**に別表第2に定める日数を乗じて得た金額の**障害補償**を行わなければならない。

▌Check Point!

☐ 障害を14等級に区分し、最高1,340日分（第1級）から最低50日分（第14級）までが定められている。

5 休業補償及び障害補償の例外 (法78条、則41条)

　労働者が**重大な過失**によって**業務上負傷**し、又は**疾病**にかかり、且つ**使用者**がその過失について**行政官庁**（**所轄労働基準監督署長**）**の認定**を受けた場合においては、**休業補償又は**障害補償を行わなくてもよい。

|Check Point!▶

□ 労働者の重大な過失によって補償の義務を免れるのは、休業補償と障害補償に限られる（療養補償、遺族補償、葬祭料の補償義務は免責されない）。

6 遺族補償 (法79条)

　労働者が**業務上死亡**した場合においては、**使用者**は、**遺族**に対して、**平均賃金の1,000日分**の遺族補償を行わなければならない。

7 葬祭料 (法80条)

　労働者が**業務上死亡**した場合においては、**使用者**は、**葬祭を行う者**に対して、**平均賃金の60日分**の葬祭料を支払わなければならない。

8 打切補償 (法81条)

　第75条［療養補償］の規定によって**補償を受ける労働者**が、**療養開始後3年を経過**しても**負傷**又は**疾病**がなおらない場合においては、**使用者**は、**平均賃金の1,200日分の打切補償**を行い、その後は労働基準法の規定による**補償**を行わなくてもよい。

概要

　業務上負傷し、又は疾病にかかった労働者が、当該負傷又は疾病に係る療

養の開始後3年を経過した日において傷病補償年金を受けている場合又は同日後において傷病補償年金を受けることとなった場合には、労働基準法第19条第1項［解雇制限］の規定の適用については、当該使用者は、それぞれ、当該3年を経過した日又は傷病補償年金を受けることとなった日において、同法第81条の規定により打切補償を支払ったものとみなす（法第19条の解雇制限の規定は適用されなくなる。）。 (労災保険法19条)

⑨ 分割補償 (法82条) ★

使用者は、支払能力のあることを証明し、補償を受けるべき者の同意を得た場合においては、障害補償又は遺族補償に替え、平均賃金に別表第3に定める日数を乗じて得た金額を、6年にわたり毎年補償することができる。

② 補償を受ける権利 (法83条) ★

Ⅰ 補償を受ける権利は、労働者の退職によって変更されることはない。

Ⅱ 補償を受ける権利は、これを譲渡し、又は差し押えてはならない。

③ 他法との関係 (法84条、昭和42.12.1労令30号)

★

Ⅰ 労働基準法に規定する災害補償の事由について、労働者災害補償保険法、国家公務員災害補償法、公立学校の学校医、学校歯科医及び学校薬剤師の公務災害補償に関する法律及び地方公務員災害補償法第69条第1項の規定に基づく条例に基づいて労働基準法の災害補償に相当する給付が行なわれるべきものである場合においては、使用者は、補償の責を免れる。

Ⅱ　**使用者**は、**労働基準法**による**補償**を行った場合においては、**同一の事由**については、その**価額の限度**において民法による**損害賠償の責を免れる**。

| Check Point! |

□　法第84条に基づき、労働者災害補償保険法により補償される場合は、労働基準法上の使用者の補償義務が免除される。

❹ 審査及び仲裁
（法85条1項、2項、法86条1項、法99条3項）重要度 C

★

Ⅰ　業務上の**負傷、疾病**又は**死亡の認定**、療養の方法、補償金額の決定その他**補償の実施**に関して**異議**のある者は、**行政官庁（労働基準監督署長）**に対して、**審査又は事件の仲裁**を申し立てることができる。

Ⅱ　**行政官庁（労働基準監督署長）**は、必要があると認める場合においては、**職権で審査又は事件の仲裁**をすることができる。

Ⅲ　Ⅰ及びⅡの規定による**審査及び仲裁の結果**に**不服**のある者は、**労働者災害補償保険審査官の審査又は仲裁を申し立てる**ことができる。

| Check Point! |

□「審査」とは、争いとなっている問題点を調査し、事実について判断を下すことをいい、「仲裁」とは、争いとなっている問題点を解決する仲立ちをして和解させることをいう。

❺ 請負事業に関する例外 （法87条、則48条の2） 重要度 C

★

Ⅰ 　建設業が**数次の請負**によって行われる場合においては、**災害補償**
については、その**元請負人を使用者**とみなす。

Ⅱ 　Ⅰの場合、**元請負人**が**書面**による契約で**下請負人**に補償を引き受
けさせた場合においては、その**下請負人**もまた**使用者**とする。但し、
2以上の下請負人に、**同一の事業**について**重複して**補償を引き受け
させてはならない。

Ⅲ 　Ⅱの場合、**元請負人**が**補償**の請求を受けた場合においては、**補償**
を引き受けた**下請負人**に対して、まづ**催告**すべきことを請求するこ
とができる。ただし、その**下請負人**が**破産手続開始の決定**を受け、
又は**行方**が知れない場合においては、この限りでない。

趣旨

　法第87条は、建設業が数次の請負によって行われる場合には、原則とし
て元請負人を災害補償義務者とする旨を規定したものである。

▌Check Point!▶

□ 「催告」とは、一定の行為をなすべきことを他人に要求する通知であっ
て、Ⅲの場合は、補償義務の履行を請求することである。

2 監督機関

❶ 監督機関の職員等 （法97条1項、2項） 重要度 C

★

Ⅰ　**労働基準主管局**（厚生労働省の内部部局として置かれる局で労働条件及び労働者の保護に関する事務を所掌するものをいう。以下同じ。）、**都道府県労働局**及び**労働基準監督署**に**労働基準監督官**を置くほか、厚生労働省令で定める必要な職員を置くことができる。

Ⅱ　**労働基準主管局の局長**（以下「**労働基準主管局長**」という。）、**都道府県労働局長**及び**労働基準監督署長**は、**労働基準監督官**をもってこれに充てる。

［概要］

　労働基準法の施行をつかさどっている機関としては、中央（厚生労働省）に労働基準主管局として厚生労働省労働基準局が、地方には都道府県労働局及び労働基準監督署が置かれており、これらの監督機関の長は、労働基準監督官をもってこれに充てることとされている。

❷ 労働基準監督官の権限等 （法101条、法102条、法104条の2） 重要度 B

★★

Ⅰ　**労働基準監督官**は、**事業場、寄宿舎**その他の附属建設物に**臨検**し、**帳簿及び書類の提出**を求め、又は**使用者**若しくは**労働者**に対して**尋問**を行うことができる。

Ⅱ　Ⅰの場合において、**労働基準監督官**は、その**身分を証明する証票**を**携帯**しなければならない。

Ⅲ　**労働基準監督官**は、**労働基準法違反の罪**について、刑事訴訟法に規定する**司法警察官の職務**を行う。 R2-2C

Ⅳ　**行政官庁**は、労働基準法を施行するため必要があると認めるときは、厚生労働省令で定めるところにより、**使用者又は労働者**に対し、必要な事項を**報告**させ、又は**出頭**を命ずることができる。

Ⅴ　**労働基準監督官**は、労働基準法を施行するため必要があると認めるときは、**使用者又は労働者**に対し、必要な事項を**報告**させ、又は**出頭**を命ずることができる。

┃Check Point!

□　「臨検」とは、労働基準監督官としての職務執行のため、労働基準法違反の有無を調査する目的で、事業場等に立ち入ることをいう。

□　「尋問」とは、ある事項について質問を発し、陳述を求めることをいう。

□　使用者は、事業を開始した場合等一定の場合においては、遅滞なく、所定の様式（労働者が事業の附属寄宿舎内で負傷し、窒息し、又は急性中毒にかかり、死亡し又は休業した場合においては、電子情報処理組織を使用する方法）により、所轄労働基準監督署長に報告しなければならない。　🏷改正　　　　　　　　　　　　　　　　　R2-2E　（則57条1項）

参考（申請書の提出）
労働基準法及びこれに基く命令に定める許可、認可、認定又は指定の申請書は、各々2通これを提出しなければならない。　R2-2D　　　　　　　　　　　　　　　　（則59条）

❸ **監督機関に対する申告**（法104条）重要度B　★★

Ⅰ　**事業場**に、労働基準法又は労働基準法に基いて発する命令に**違反する事実**がある場合においては、**労働者**は、その事実を**行政官庁**又は**労働基準監督官**に**申告することができる**。

Ⅱ　**使用者**は、Ⅰの**申告をしたことを理由**として、**労働者**に対して**解雇その他不利益な取扱をしてはならない**。

┃Check Point!

□　「申告」とは、行政官庁に対する一定事実の通告であり、本法の場合は、労働者が違反事実を通告して監督機関の行政上の権限の発動を促すことをいう。

□ 法第104条に違反して労働者に不利益な取扱いをした使用者は、6箇月以下の懲役又は30万円以下の罰金に処せられる。 (法119条1号)

3 雑則、罰則

❶ 法令等の周知義務（法106条）重要度 A ★★★

Ⅰ　**使用者**は、**労働基準法及び労働基準法**に基づく**命令の要旨**、**就業規則**、**労働基準法**に基づく**労使協定**並びに第38条の４第１項及び同条第５項（第41条の２第３項において準用する場合を含む。）並びに第41条の２第１項［企画業務型裁量労働制及び高度プロフェッショナル制度］に規定する**労使委員会の決議**を、**常時各作業場の見やすい場所へ掲示し、又は備え付けること、書面を交付**することその他の厚生労働省令で定める方法によって、**労働者に周知**させなければならない。 R元-7B　R2-2B

Ⅱ　**使用者**は、**労働基準法及び労働基準法**に基いて発する**命令**のうち、**寄宿舎に関する規定**及び**寄宿舎規則**を、**寄宿舎の見易い場所に掲示**し、又は**備え付ける等**の方法によって、**寄宿舎に寄宿する**労働者に**周知**させなければならない。

‖Check Point!▶

☐　要旨のみの周知でよいものと全文を周知させる必要があるものを整理すると、以下の通りとなる。 R2-2A

要旨のみの周知でよいもの	全文を周知させる必要があるもの
労働基準法 労働基準法施行規則 年少者労働基準規則 女性労働基準規則　等	就業規則 労働基準法に基づく労使協定 企画業務型裁量労働制及び高度プロフェッショナル制度に係る労使委員会の決議

1．労働基準法に基づく命令

　労働基準法施行規則、年少者労働基準規則、女性労働基準規則、事業附属寄宿舎規程、建設業附属寄宿舎規程等である。

2．厚生労働省令で定める方法

周知の方法として「厚生労働省令で定める方法」とは、次に掲げる方法である。

(1)　常時各作業場の見やすい場所へ掲示し、又は備え付けること。

(2)　書面を労働者に交付すること。

(3)　使用者の使用に係る電子計算機に備えられたファイル又は電磁的記録媒体〔電磁的記録（電子的方式、磁気的方式その他人の知覚によっては認識することができない方式で作られる記録であって、電子計算機による情報処理の用に供されるものをいう。）に係る記録媒体をいう。〕をもって調製するファイルに記録し、かつ、各作業場に労働者が当該記録の内容を常時確認できる機器を設置すること。　R元-7B　（則24条の2の4,3項3号、則52条の2）

3．労使委員会の決議の周知

労使委員会の決議については、法第106条第1項に基づき、使用者は対象労働者に限らず労働者に周知しなければならない。　R2-2B　（平成12.1.1基発1号）

4．就業規則の効力

就業規則は、それが合理的な労働条件を定めているものである限り、経営主体と労働者との間の労働条件はその就業規則によるという事実たる慣習が成立しているものとして、その法的規範性が認められるので、当該事業場の労働者は、就業規則の存在及び内容を現実に知っていると否とにかかわらず、また、これに対して個別的に同意を与えたかどうかを問わず、当然にその適用を受ける。

（最大判昭和43.12.25秋北バス事件）

5．周知義務

就業規則が法的規範としての性質を有するものとして拘束力を生ずるためには、その内容を適用を受ける事業場の労働者に周知させる手続きがとられていることを要する。　（最二小平成15.10.10フジ興産事件）

❷ 労働者名簿 （法107条） 重要度 A ★★★

Ⅰ　**使用者**は、**各事業場**ごとに労働者名簿を、**各労働者**（日日雇い入れられる者を**除く。**）について**調製**し、**労働者の氏名**、**生年月日**、履歴その他厚生労働省令で定める事項を**記入**しなければならない。

> Ⅱ　Ⅰの規定により記入すべき事項に**変更**があった場合においては、**遅滞なく訂正**しなければならない。

┃Check Point!▶

☐　日日雇い入れられる者については、労働者名簿を調製しなくてもよい。

☐　派遣労働者の場合、労働者名簿や賃金台帳は、派遣元の使用者が調製しなければならない。　　　　　　　　　　　　　　　（労働者派遣法44条）

1.　各事業場ごとに

　労働者名簿は、事業場ごとに調製することを要する。したがって、1企業に2以上の事業場がある場合は、それぞれ別個に労働者名簿を調製しなければならない。

2.　労働者名簿記載事項

　労働者名簿には、次の事項を記入しなければならない。

(1)　氏名

(2)　生年月日

(3)　履歴

(4)　性別

(5)　住所

(6)　従事する業務の種類

(7)　雇入の年月日

(8)　退職の年月日及びその事由（退職の事由が解雇の場合にあっては、その理由を含む。）

(9)　死亡の年月日及びその原因

　なお、**常時30人未満の労働者を使用する事業**においては、「**(6)従事する業務の種類」は記入しなくてもよい。**　　　　　　　　（法107条1項、則53条）

3.　派遣労働者の労働者名簿と賃金台帳

　「労働者名簿」、「賃金台帳」及び「派遣元管理台帳」については、法令上記載しなければならない事項が具備されていれば、合わせて1つの台帳を作成してもよい。　　　　　　　　　　　　　　　　　　　　（昭和61.6.6基発333号）

❸ 賃金台帳（法108条） 重要度 A ★★★

> 　**使用者**は、**各事業場ごと**に**賃金台帳を調製**し、**賃金計算の基礎**となる**事項**及び**賃金の額**その他厚生労働省令で定める事項を**賃金支払の都度遅滞なく記入**しなければならない。

┃Check Point!▶

☐ 日日雇い入れられる者については、労働者名簿の調製義務はないが、賃金台帳の調製義務はある。

1．各事業場ごとに

　賃金台帳は、事業場ごとに調製することを要する。したがって、1企業に2以上の事業場がある場合は、それぞれ別個の賃金台帳を調製しなければならない。

2．賃金台帳記載事項

　使用者は、次に掲げる事項を**労働者各人別**に賃金台帳に記入しなければならない。

- (1)　氏名
- (2)　性別
- (3)　賃金計算期間
- (4)　労働日数
- (5)　労働時間数
- (6)　延長時間（残業時間）数、休日労働時間数、深夜労働時間数
- (7)　基本給、手当その他賃金の種類毎にその額
- (8)　法第24条第1項の規定によって賃金の一部を控除した場合には、その額

　　なお、**日日雇い入れられる者（1箇月を超えて引き続き使用される者を除く。）**については、「**(3)賃金計算期間**」を記入しなくてよい。　　(則54条1項、4項)

3．法41条該当者の深夜割増賃金

　法41条該当者及び高度プロフェッショナル制度の対象労働者については、施行規則において「**(5)労働時間数、(6)延長時間（残業時間）数、休日労働時間数、深夜労働時間数**」を記入しなくてよいとされているが、通達においては、深夜割増賃金が必要な法41条該当者について深夜労働時間数は記入するように指導されている。

(則54条5項、昭和23.2.3基発161号)

4. 組合専従者の賃金台帳

組合に使用され、組合から賃金を受ける組合専従者の賃金台帳は、当該組合にも備え付けなければならない。

(昭和24.11.9基収2747号)

5. 延長時間（残業時間）数、休日労働時間数、深夜労働時間数

「延長時間（残業時間）数、休日労働時間数、深夜労働時間数」は、当該事業場の就業規則において労働基準法の規定に異なる所定労働時間又は休日の定をした場合には、その就業規則に基いて算定する労働時間数をもってこれに代えることができる。

(則54条2項)

【例】 1日の所定労働時間が7時間の場合は、その7時間を基に計算した残業時間等を記入してよい。

6. 通貨以外のもので支払われる賃金

「(7)基本給、手当その他賃金の種類毎にその額」の賃金の種類中に通貨以外のもので支払われる賃金がある場合には、その評価総額を記入しなければならない。

(則54条3項)

7. 賃金の追給の場合の賃金台帳の記入法

例えば、賃金の増額についての労使間の交渉が8月に決着し、4月に遡って賃金が増額されることとなった場合に、4月から7月に支給した旧賃金との差額を8月に一括して支払ったとき、その追加額については各月に支払われたものとして平均賃金の計算を行うべきであるが、賃金台帳の記載に当たっては、過去4箇月分の賃金であることを明記して、8月分の賃金の種類による該当欄に記入する。

(昭和22.11.5基発233号)

❹ 記録の保存
（法109条、法附則143条1項） 重要度 A

★★★

> **使用者**は、**労働者名簿**、**賃金台帳及び雇入れ**、**解雇**、**災害補償**、**賃金**その他**労働関係に関する重要な書類**を**5年間**（当分の間、**3年間**）**保存**しなければならない。

第9章

┃Check Point!

□　保存すべき期間の起算日は次の通りである。

書類の種類	保存すべき期間の起算日
労働者名簿	労働者の死亡、退職又は解雇の日
賃金台帳	最後の記入をした日
雇入れ又は退職に関する書類	労働者の退職又は死亡の日
災害補償に関する書類	災害補償を終った日
賃金その他労働関係に関する重要な書類	その完結の日

・**賃金台帳**又は**賃金その他労働関係に関する重要な書類**を保存すべき期間の計算については、当該記録に係る賃金の支払期日が上表右欄3段目及び6段目に掲げる日より遅い場合には、当該支払期日を起算日とする（専門業務型裁量労働制及び企画業務型裁量労働制の規定における「労働時間の状況に関する労働者ごとの記録」、労使委員会の議事録、年次有給休暇管理簿並びに高度プロフェッショナル制度の規定における対象労働者ごとの記録についても同様とする。）。

（補足）
賃金請求権の消滅時効と記録の保存期間が同一となることを踏まえ、賃金請求権の消滅時効期間が満了するまでは、タイムカード等の必要な記録の保存がなされることとされている。
（則56条）

1.　その他労働関係に関する重要な書類

　その他労働関係に関する重要な書類とは、例えば、出勤簿、タイムカード、36協定書、残業命令書及びその報告書などである。　　　　　（平成29.1.20基発0120第3号）

2.　年次有給休暇管理簿

　使用者は、年次有給休暇を与えたときは、時季、日数及び基準日（第1基準日及び第2基準日を含む。）を労働者ごとに明らかにした書類（以下「年次有給休暇管理簿」という。）を作成し、当該年次有給休暇を与えた期間中及び当該期間の満了後**5年間**（当分の間、**3年間**）保存しなければならない。なお、年次有給休暇管理簿については、労働基準法第109条に規定する重要な書類には該当しない。
（則24条の7、則附則71条、平成30.9.7基発0907第1号）

❺ 無料証明 (法111条) 重要度 B ★★

労働者及び労働者になろうとする者は、その戸籍に関して戸籍事務を掌る者又はその代理者に対して、無料で証明を請求することができる。使用者が、労働者及び労働者になろうとする者の戸籍に関して証明を請求する場合においても同様である。

趣旨

法第111条は、法第57条で年少者について年齢を証明する戸籍証明書の備付けが要求されており、また、労働者と使用者は、労働者の雇入れ、家族手当の支給等に関して戸籍証明書を必要とする場合があるので、このような場合、無料でその証明を求めることができる旨を規定したものである。

無料証明を求めることができるのは、戸籍に関しての証明であるが、これには戸籍謄本や戸籍抄本は含まれず、また、戸籍に記載されている事項のうち、労働基準法に必要な事項に限られる。

❻ 付加金の支払
(法114条、法附則143条2項) 重要度 A ★★★

裁判所は、法第20条［解雇予告手当］、第26条［休業手当］若しくは第37条［割増賃金］の規定に違反した使用者又は第39条第9項［年次有給休暇中の賃金］の規定による賃金を支払わなかった使用者に対して、労働者の請求により、これらの規定により使用者が支払わなければならない金額についての未払金のほか、これと同一額の付加金の支払を命ずることができる。ただし、この請求は、違反のあった時から5年（当分の間、3年）以内にしなければならない。

趣旨

法第114条の付加金の制度は、主として解雇予告手当等に関する労働基準法違反に対する一種の制裁たる性質を有するとともに、これによって解雇予告手当等の支払を確保しようとするものであるから、労働基準法違反があっ

ても、既に全額の支払を完了し、使用者の義務違反の状態が消滅した後においては、労働者は付加金の支払請求はできず、裁判所もその支払を命ずることができないと解するのが相当である（下記参照）。

　法第114条の付加金支払義務は、使用者が予告手当等を支払わない場合に、**当然に発生するものではなく**、労働者の請求により**裁判所がその支払を命ずる**ことによって、初めて発生するものと解すべきであるから、使用者に法第20条の違反があっても、既に予告手当に相当する金額の支払を完了し使用者の義務違反の状況が消滅した後においては、労働者は同条による付加金請求の申立をすることができないものと解すべきである。

（最二小昭和35.3.11細谷服装事件）

▌Check Point！

□　付加金を請求し得る場合として法第114条に定められているのは、次の
　　4つの場合である。
　（1）　解雇予告手当を支払わないとき
　（2）　休業手当を支払わないとき
　（3）　割増賃金を支払わないとき
　（4）　年次有給休暇中の賃金を支払わないとき

問題チェック　H15-3D

　裁判所は、労働基準法第26条［休業手当］、第37条［割増賃金］などの規定に違反した使用者に対して、労働者の請求により、これらの規定により使用者が支払わなければならない金額についての未払金のほか、これと同一額の付加金の支払を命ずることができることとされているが、この付加金の支払に関する規定は、同法第24条第1項に規定する賃金の全額払の義務に違反して賃金を支払わなかった使用者に対しても、同様に適用される。

解答 ✕

法114条

　法第24条第1項に規定する賃金の全額払の義務に違反して賃金を支払わなかった使用者に対しては、法第114条［付加金の支払］の規定は適用されない。したがって誤り。

問題チェック H20-7C

労働基準法に基づいて支払うべき賃金又は手当を使用者が支払わなかったときには、裁判所は、労働者の請求により、使用者が支払わなければならない未払金のほか、これと同一額の付加金の支払を命じなければならない。

解答 ✕　　　　　　　　　　　　　　　　　　　　　　　　　　法114条

「労働基準法に基づいて支払うべき賃金を支払わなかったとき」は、付加金の規定は適用されない。また、「付加金の支払を命じなければならない」ではなく、「付加金の支払を命ずることができる」である。

❼ 時効（法115条、法附則143条3項）重要度 A ★★★

Ⅰ　労働基準法の規定による**賃金の請求権**はこれを行使することができる時から**5年間**、労働基準法の規定による**災害補償その他の請求権**（**賃金の請求権を除く。**）はこれを行使することができる時から**2年間**行わない場合においては、時効によって消滅する。R5-選A

Ⅱ　Ⅰの規定の適用については、当分の間、同条中「**賃金の請求権**はこれを行使することができる時から**5年間**」とあるのは、「**退職手当の請求権**はこれを行使することができる時から**5年間**、労働基準法の規定による**賃金**（**退職手当を除く。**）**の請求権**はこれを行使することができる時から**3年間**」とする。

▌Check Point!

☐ 消滅時効期間をまとめると次の通りとなる。

① 賃金（退職手当を除く）請求権	5年間（当分の間、3年間）
② 退職手当請求権	5年間
③ 災害補償その他の請求権（上記①②以外の請求権）	2年間

☐ 解雇予告手当は、解雇の意思表示に際して支払わなければ解雇の効力を生じないものと解されるので、一般には解雇予告手当については時効の問題は生じない。

（昭和27.5.17基収1906号）

☐ 退職時の証明についての請求権の時効も退職時から2年である。H29-3C

（平成11.3.31基発169号）

❽ 罰則 重要度 B

1 主な罰則（法117条～法120条）H27-3C

1. 1年以上10年以下の懲役又は20万円以上300万円以下の罰金になる場合

・強制労働をさせた場合 　　　　　　　　　　　　　　　　　　（法5条違反）

2. 1年以下の懲役又は50万円以下の罰金になる場合

・中間搾取をした場合 　　　　　　　　　　　　　　　　　　　（法6条違反）

・児童を使用した場合 　　　　　　　　　　　　　　　　　　　（法56条違反）

・年少者を坑内で労働させた場合 　　　　　　　　　　　　　　（法63条違反）

・女性を禁止されている坑内業務に就かせた場合 　　　　　　（法64条の2違反）

3. 6箇月以下の懲役又は30万円以下の罰金になる場合

・均等待遇をしなかった場合 　　　　　　　　　　　　　　　　（法3条違反）

・賃金で男女差別をした場合 　　　　　　　　　　　　　　　　（法4条違反）

・公民権の行使を拒んだ場合 　　　　　　　　　　　　　　　　（法7条違反）

・損害賠償額を予定する契約をした場合 　　　　　　　　　　　（法16条違反）

・前借金相殺をした場合 　　　　　　　　　　　　　　　　　　（法17条違反）

・強制貯蓄をさせた場合 　　　　　　　　　　　　　　　　（法18条1項違反）

・解雇制限期間中に解雇した場合 　　　　　　　　　　　　　　（法19条違反）

・予告解雇をしなかった場合 　　　　　　　　　　　　　　　　（法20条違反）

・ブラックリストを回覧した場合 　　　　　　　　　　　　（法22条4項違反）

・法定労働時間を守らなかった場合 　　　　　　　　　　　　　（法32条違反）

・法定休憩を与えなかった場合 　　　　　　　　　　　　　　　（法34条違反）

・法定休日を与えなかった場合 　　　　　　　　　　　　　　　（法35条違反）

・実労働時間の制限規定に違反した場合 　　　　　　　　　　（法36条6項違反）

・割増賃金を支払わなかった場合 　　　　　　　　　　　　　　（法37条違反）

・**法定の年次有給休暇（使用者による時季指定に係るものを除く。）を付与しなかった又は年次有給休暇中の賃金を支払わなかった場合** 　（法39条違反）

・年少者に深夜業をさせた場合 　　　　　　　　　　　　　　　（法61条違反）

・年少者を危険有害業務に就かせた場合 　　　　　　　　　　　（法62条違反）

・妊産婦又は妊産婦以外の女性を危険有害業務に就かせた場合 　（法64条の3違反）

・産前産後の休業を与えなかった場合 　　　　　　　　　　　　（法65条違反）

・妊産婦の請求にもかかわらず時間外労働等をさせた場合 　　　（法66条違反）

- 育児時間を与えなかった場合 （法67条違反）
- 未成年の認定職業訓練の訓練生に12労働日の年次有給休暇を付与しなかった場合 （法72条違反）
- 災害補償をしなかった場合 （法75条〜77条、法79条、法80条違反）
- 寄宿舎役員の選任に干渉した場合 （法94条2項違反）
- 寄宿舎の設備に不備があった場合 （法96条違反）
- **申告をした労働者に不利益取扱をした場合** （法104条2項違反）

4. 30万円以下の罰金に処せられる場合

契約期間、労働条件の明示、帰郷旅費の支払、貯蓄金の返還、退職時等の証明、金品の返還、**賃金の支払**、非常時払、休業手当の支払、出来高払制の保障給、1箇月単位、1年単位並びに1週間単位の変形労働時間制、フレックスタイム制（清算期間1箇月超）又はみなし労働時間制に係る労使協定の届出、使用者による時季指定に係る年次有給休暇の付与、年少者の証明書、未成年者の労働契約、生理休暇、就業規則の届出、意見聴取、制裁規定の制限、寄宿舎規則や寄宿舎工事の届出、**法令規則の周知**、労働者名簿等の調製、記録の保存等の比較的軽微な労働条件や手続の規定違反、臨検拒否や虚偽報告等

2 両罰規定（法121条） ★★★

Ⅰ **労働基準法の違反行為**をした者が、当該事業の**労働者**に関する事項について、**事業主**のために行為した**代理人、使用人その他の従業者**である場合においては、**事業主**に対しても各本条の**罰金刑を科する**。ただし、**事業主**〔事業主が**法人**である場合においてはその**代表者**、事業主が営業に関し**成年者**と**同一の行為能力**を有しない**未成年者**又は**成年被後見人**である場合においてはその**法定代理人**（法定代理人が**法人**であるときは、その**代表者**）を事業主とする。Ⅱにおいて同じ。〕が**違反の防止に必要な措置をした場合**においては、この限りでない。

Ⅱ **事業主が違反の計画を知りその防止に必要な措置を講じなかった**場合、**違反行為を知り、その是正に必要な措置を講じなかった**場合又は**違反を教唆した場合**においては、**事業主も行為者として罰する**。

第9章

趣旨

　法第121条は、違反行為をした者が事業主でない場合には、利益の帰属者である事業主にも責任を負わせることとし、労働基準法の違反防止を完全ならしめようとするものである。

Check Point!

- □ 上記Ⅰは、事業主の注意義務を前提とした過失責任として事業主に対する処罰は罰金刑とされている。
- □ 上記Ⅱは、事業主自身が積極的に違反防止措置を講ぜず、是正措置をなさず、さらには教唆したような場合は、現実の行為者でなくても行為者として処罰しようとするもので罰金刑に限らない。

1.　事業主

　上記Ⅰ本文の「事業主」は、経営の主体（個人企業の場合は個人企業主、法人組織の場合は法人そのもの）を指し、上記Ⅰただし書及びⅡの「事業主」は、その事業主を代表して違法行為の防止に必要な措置を講じ得る自然人（個人企業主、法人の代表者、法定代理人）を指す。

2.　事務代理の懈怠と罰則の適用について

　法令の規定により事業主等に申請等が義務づけられている場合において、事務代理の委任を受けた社会保険労務士がその懈怠により当該申請等を行わなかった場合には、当該社会保険労務士は、労働基準法第10条にいう「使用者」及び各法令の両罰規定にいう「代理人、使用人その他の従業者」に該当するものであるので、当該社会保険労務士を当該申請等の義務違反の行為者として各法令の罰則規定及び両罰規定に基づきその責任を問い得るものであること。 R4-4E

　また、この場合、事業主等に対しては、事業主等が社会保険労務士に必要な情報を与える等申請等をし得る条件を整備していれば、通常は、必要な注意義務を尽くしているものとして免責されるものと考えられるが、そのように必要な注意義務を尽くしたものと認められない場合には、当該両罰規定に基づき事業主等の責任をも問い得るものであること。 　　　　　　　　　　　（昭和62.3.26基発169号）

3.　事業主が法人である場合

　事業主が法人である場合には、行為者たる社長を処罰するの外事業主たる法人

も労働基準法第121条第1項により罰金刑を科することができる。

（昭和24.4.18検務10882号）

資料 編

　本書本編の記載内容に関連する発展資料を集めました。本試験で出題された箇所も含まれていますが、かなり細かい論点であるため、まずは本書本編のマスターを優先しましょう。その後さらに知識を深めたい場合に、本資料をご利用ください。

第1章　総則

1 報告等の手続

　同一企業が複数の事業場を有する場合であって、**同一の労働基準監督署管内に二以上の事業場**があるときは、各事業場に係る労働基準法に基づく報告又は届出については、当該企業内の組織上、**各事業場の長より上位の使用者が、とりまとめて当該労働基準監督署に報告又は届出を行うことは差し支えない。**その場合においては、各事業場ごとに、報告又は届出の内容を明らかにし、また、各事業場に係る内容が同一であればその旨を明らかにした上で、報告又は届出を行う。

（昭和22.9.13発基17号、平成7.12.26基発740号）

2 賃金の一定率の貯蓄金管理

　貯蓄の自由及び貯蓄金返還請求の自由が保障される限り、貯蓄の金額につき賃金の10％、5％等の一定率を定めることは違法ではない。

（昭和23.7.12基収2364号、昭和33.2.13基発90号）

第2章　労働契約

1 専門的な知識、技術又は経験であって高度のものとして厚生労働大臣が定める基準に該当する専門的知識等

　具体的には、次のいずれかに該当する者が有する専門的な知識、技術又は経験を指す。

(1) 博士の学位（外国において授与されたこれに該当する学位を含む。）を有する者

(2) 次に掲げるいずれかの資格を有する者

①公認会計士　②医師　③歯科医師④獣医師　⑤**弁護士**　⑥一級建築士⑦税理士　⑧薬剤師　⑨**社会保険労務士**⑩不動産鑑定士　⑪技術士　⑫弁理士

(3) ITストラテジスト試験に合格した者若しくはシステムアナリスト試験に合格した者又はアクチュアリーに関する資格試験に合格した者

(4) 特許発明の発明者、登録意匠を創作した者又は種苗法に規定する登録品種を育成した者

(5) 次のいずれかに該当する者であって、労働契約の期間中に支払われることが確実に見込まれる賃金の額を1年当たりの額に換算した額が**1,075万円を下回らないもの**

① 農林水産業若しくは鉱工業の科学技術（人文科学のみに係るものを除く。以下同じ。）若しくは機械、電気、土木若しくは建築に関する科学技術に関する専門的応用能力を必要とする事項についての計画、設計、分析、試験若しくは評価の業務に就こうとする者、システムエンジニアの業務に就こうとする者又は衣服、室内装飾、工業製品、広告等の新たなデザインの考案の業務に就こうとする者であって、次のいずれかに該当するもの

㋐ 学校教育法による大学（短期大学を除く。）において就こうとする業務に関する学科を修めて卒業した者であって、就こうとする業務に5年以上従事した経験を有するもの

㋑ 学校教育法による短期大学又は高等専門学校において就こうとする業務に関する学科を修めて卒業した者であって、就こうとする業務に6年以上従事した経験を有するもの

㋒ 学校教育法による高等学校において就こうとする業務に関する学科を修めて卒業した者であって、就こう

とする業務に7年以上従事した経験を有するもの

② 事業運営において情報処理システムを活用するための問題点の把握又はそれを活用するための方法に関する考案若しくは助言の業務に就こうとする者であって、システムエンジニアの業務に5年以上従事した経験を有するもの

(6) 国、地方公共団体、一般社団法人又は一般財団法人その他これらに準ずるものによりその有する知識、技術又は経験が優れたものであると認定されている者（(1)から(5)に掲げる者に準ずる者として厚生労働省労働基準局長が認める者に限る。）

（平成28.10.19厚労告376号）

2 期間の定めのない雇用の解約の申入れ

1. 当事者が雇用の期間を定めなかったときは、各当事者は、いつでも解約の申入れをすることができる。この場合において、雇用は、解約の申入れの日から2週間を経過することによって終了する。

2. 期間によって報酬を定めた場合には、使用者からの解約の申入れは、次期以後についてすることができる。ただし、その解約の申入れは、当期の前半にしなければならない。

3. 6箇月以上の期間によって報酬を定めた場合には、2.の解約の申入れは、3箇月前にしなければならない。

（民法627条）

第4章 労働時間、休憩、休日及び年次有給休暇

1 法41条該当者の深夜業に対する割増賃金

労基法における労働時間に関する規定の多くは、その長さに関する規制について定めており、同法37条1項は、使用者が労働時間を延長した場合においては、延長された時間の労働について所定の割増賃金を支払わなければならないことなどを規定している。他方、同条4項は、使用者が原則として午後10時から午前5時までの間において労働させた場合においては、その時間の労働について所定の割増賃金を支払わなければならない旨を規定するが、同項は、労働が1日のうちのどのような時間帯に行われるかに着目して深夜労働に関し一定の規制をする点で、労働時間に関する労基法中の他の規定とはその趣旨目的を異にすると解される。

また、労基法41条は、同法第4章、第6章及び第6章の2で定める労働時間、休憩及び休日に関する規定は、同条各号の一に該当する労働者については適用しないとし、これに該当する労働者として、同条2号は管理監督者等を、同条1号は同法別表第1第6号（林業を除く。）又は第7号に掲げる事業に従事する者を定めている。一方、同法第6章中の規定であって年少者に係る深夜業の規制について定める61条をみると、同条4項は、上記各事業については同条1項ないし3項の深夜業の規制に関する規定を適用しない旨別途規定している。こうした定めは、同法41条にいう「労働時間、休憩及び休日に関する規定」には、深夜業の規制に関する規定は含まれていないことを前提とするものと解される。

以上によれば、労基法41条2号の規定によって同法37条4項の適用が除外されることはなく、管理監督者に該当する労働者は同項に基づく深夜割増賃金を請求することができるものと解するのが相当である。

（最二小平成21.12.18ことぶき事件）

2 過半数代表者

労働組合はないが、会社の代表取締役以

下の役員及び従業員全員で構成される「友の会」がある事業場において、そのほとんどすべての構成員が出席して開催された「友の会」の総会の後、会社役員のみが退席し部長など労働基準法第41条第2号に規定する監督又は管理の地位にある労働者（以下「管理監督者」という。）を含め当該総会に出席した当該事業場のほとんどすべての従業員が残っている場において、当該「友の会」の会長をしている労働者（管理監督者ではない。）が、36協定の労働者側の締結当事者たる「労働者の過半数を代表する者」を選出することを明らかにして実施された挙手により当該締結当事者として選出された場合には、その者は、法所定の要件を満たす「労働者の過半数を代表する者」とみることができる。

（最二小平成13.6.22トーコロ事件）

3 労使協定の効力

労働基準法第32条の労働時間を延長して労働させることに関し、使用者が、当該事業場の労働者の過半数で組織する労働組合等と書面による協定（いわゆる36協定）を締結し、これを所轄労働基準監督署長に届け出た場合において、使用者が当該事業場に適用される就業規則に右36協定の範囲内で一定の業務上の事由があれば労働契約に定める労働時間を延長して労働者を労働させることができる旨定めているときは、当該就業規則の規定の内容が合理的なものである限り、それが具体的労働契約の内容をなすから、右就業規則の規定の適用を受ける労働者は、その定めるところに従い、労働契約に定める労働時間を超えて労働をする義務を負うものと解するのが相当である。そして、右36協定は、実体上、使用者と、労働者の過半数で組織する労働組合がある場合にはその労働組合、そのような労働組合がない場合には労働者の過半数を代表する者との間において締結されたもので

なければならないことは当然である。

（同上）

4 労働時間の適正な把握のために使用者が講ずべき措置に関するガイドライン－抜粋

(1) 趣旨

労働基準法においては、労働時間、休日、深夜業等について規定を設けていることから、使用者は、労働時間を適正に把握するなど労働時間を適切に管理する責務を有している。

しかしながら、現状をみると、労働時間の把握に係る自己申告制（労働者が自己の労働時間を自主的に申告することにより労働時間を把握するもの。以下同じ。）の不適正な運用等に伴い、同法に違反する過重な長時間労働や割増賃金の未払いといった問題が生じているなど、使用者が労働時間を適切に管理していない状況もみられるところである。

このため、本ガイドラインでは、労働時間の適正な把握のために使用者が講ずべき措置を具体的に明らかにする。

(2) 適用の範囲

本ガイドラインの対象事業場は、労働基準法のうち労働時間に係る規定が適用される全ての事業場であること。

(3) （省略）

(4) 労働時間の適正な把握のために使用者が講ずべき措置

① 始業・終業時刻の確認及び記録

使用者は、労働時間を適正に把握するため、労働者の労働日ごとの始業・終業時刻を確認し、これを記録すること。

② 始業・終業時刻の確認及び記録の原則的な方法 R5-7E

使用者が始業・終業時刻を確認し、記録する方法としては、原則として次

のいずれかの方法によること。

a 　使用者が、自ら現認することにより確認し、適正に記録すること。

b 　タイムカード、ＩＣカード、**パソコンの使用時間の記録**等の客観的な記録を基礎として確認し、適正に記録すること。

③ **自己申告制により始業・終業時刻の確認及び記録を行う場合の措置**

　　上記②の方法によることなく、自己申告制によりこれを行わざるを得ない場合、使用者は次の措置を講ずること。

a 　自己申告制の対象となる労働者に対して、本ガイドラインを踏まえ、労働時間の実態を正しく記録し、適正に自己申告を行うことなどについて十分な説明を行うこと。

b 　実際に労働時間を管理する者に対して、自己申告制の適正な運用を含め、本ガイドラインに従い講ずべき措置について十分な説明を行うこと。

c 　自己申告により把握した労働時間が実際の労働時間と合致しているか否かについて、必要に応じて実態調査を実施し、所要の労働時間の補正をすること。

　　特に、入退場記録やパソコンの使用時間の記録など、事業場内にいた時間の分かるデータを有している場合に、労働者からの自己申告により把握した労働時間と当該データで分かった事業場内にいた時間との間に著しい乖離が生じているときには、実態調査を実施し、所要の労働時間の補正をすること。

d 　自己申告した労働時間を超えて事業場内にいる時間について、その理由等を労働者に報告させる場合には、当該報告が適正に行われている

かについて確認すること。

　　その際、休憩や自主的な研修、教育訓練、学習等であるため労働時間ではないと報告されていても、実際には、使用者の指示により業務に従事しているなど使用者の指揮命令下に置かれていたと認められる時間については、労働時間として扱わなければならないこと。

e 　自己申告制は、労働者による適正な申告を前提として成り立つものである。このため、使用者は、労働者が自己申告できる時間外労働の時間数に上限を設け、上限を超える申告を認めない等、労働者による労働時間の適正な申告を阻害する措置を講じてはならないこと。

　　また、時間外労働時間の削減のための社内通達や時間外労働手当の定額払等労働時間に係る事業場の措置が、労働者の労働時間の適正な申告を阻害する要因となっていないかについて確認するとともに、当該要因となっている場合においては、改善のための措置を講ずること。

　　さらに、労働基準法の定める法定労働時間や時間外労働に関する労使協定（いわゆる36協定）により延長することができる時間数を遵守することは当然であるが、実際には延長することができる時間数を超えて労働しているにもかかわらず、記録上これを守っているようにすることが、実際に労働時間を管理する者や労働者等において、慣習的に行われていないかについても確認すること。

④ **賃金台帳の適正な調製**

　　使用者は、労働基準法第108条及び同法施行規則第54条により、労働者ごとに、労働日数、労働時間数、休日労

働時間数、時間外労働時間数、深夜労働時間数といった事項を適正に記入しなければならないこと。

また、賃金台帳にこれらの事項を記入していない場合や、故意に賃金台帳に虚偽の労働時間数を記入した場合は、同法第120条に基づき、30万円以下の罰金に処されること。

⑤ **労働時間の記録に関する書類の保存**

使用者は、労働者名簿、賃金台帳のみならず、出勤簿やタイムカード等の労働時間の記録に関する書類について、労働基準法第109条に基づき、5年間（当分の間、3年間）保存しなければならないこと。

⑥ **労働時間を管理する者の職務**

事業場において労務管理を行う部署の責任者は、当該事業場内における労働時間の適正な把握等労働時間管理の適正化に関する事項を管理し、労働時間管理上の問題点の把握及びその解消を図ること。

⑦ **労働時間等設定改善委員会等の活用**

使用者は、事業場の労働時間管理の状況を踏まえ、必要に応じ労働時間等設定改善委員会等の労使協議組織を活用し、労働時間管理の現状を把握の上、労働時間管理上の問題点及びその解消策等の検討を行うこと。

（平成29.1.20基発0120第3号）

5 1年単位の変形労働時間制 －賃金清算

清算対象時間の計算式は次の通りである。

〈清算対象時間の計算式〉

清算対象時間※＝A－B－C

A：実労働時間

B：法第37条第1項（割増賃金）の規定に基づき割増賃金が支払われる時間

C：$40 \times \dfrac{実労働期間の暦日数}{7日}$

※ 労働させた期間を平均して週40時間を超えた時間

（平成11.1.29基発45号）

【例】 4月1日から6月30日まで勤務した労働者について、実労働期間の労働時間が600時間、法第37条により割増賃金が支払われるべき時間が20時間、実労働期間の暦日数が91日とすると、

A＝600、B＝20、C＝40×91日÷7＝520

清算対象時間＝600－20－520＝60

60時間分の割増賃金を支払う必要がある。

6 労働基準法第36条第1項の協定で定める労働時間の延長及び休日の労働について留意すべき事項等に関する指針（抜粋）

(1) **使用者の責務**

① 使用者は、36協定において定めた労働時間を延長して労働させ、及び休日において労働させることができる時間の範囲内で労働させた場合であっても、労働契約法第5条の規定に基づく安全配慮義務を負うことに留意しなければならない。

② 使用者は、「血管病変等を著しく増悪させる業務による脳血管疾患及び虚血性心疾患等の認定基準について」において、1週間当たり40時間を超えて労働した時間が1箇月においておおむね45時間を超えて長くなるほど、業務

と脳血管疾患及び虚血性心疾患（負傷に起因するものを除く。以下「脳・心臓疾患」という。）の発症との関連性が徐々に強まると評価できるとされていること並びに発症前1箇月間におおむね100時間又は発症前2箇月間から6箇月間までにおいて1箇月当たりおおむね80時間を超える場合には業務と脳・心臓疾患の発症との関連性が強いと評価できるとされていることに留意しなければならない。

(2) **業務区分の細分化**

労使当事者は、36協定において労働時間を延長し、又は休日に労働させることができる業務の種類について定めるに当たっては、業務の区分を細分化することにより当該業務の範囲を明確にしなければならない。R5-7B

(3) **限度時間を超えて延長時間を定めるに当たっての留意事項**

① 労使当事者は、36協定において限度時間を超えて労働させることができる場合を定めるに当たっては、当該事業場における通常予見することのできない業務量の大幅な増加等に伴い臨時的に限度時間を超えて労働させる必要がある場合をできる限り具体的に定めなければならず、「業務の都合上必要な場合」、「業務上やむを得ない場合」など恒常的な長時間労働を招くおそれがあるものを定めることは認められないことに留意しなければならない。

② 労使当事者は、36協定において次に掲げる時間を定めるに当たっては、労働時間の延長は原則として限度時間を超えないものとされていることに十分留意し、当該時間を限度時間にできる限り近づけるように努めなければならない。

a 法第36条第5項（第4章第2節**1**❸**2**Ⅲ）に規定する1箇月について労働時間を延長して労働させ、及び休日において労働させることができる時間

b 法第36条第5項（第4章第2節**1**❸**2**Ⅲ）に規定する1年について労働時間を延長して労働させることができる時間

③ 労使当事者は、36協定において限度時間を超えて労働時間を延長して労働させることができる時間に係る割増賃金の率を定めるに当たっては、当該割増賃金の率を、法第36条第1項の規定により延長した労働時間の労働について法第37条第1項の政令で定める率を超える率とするように努めなければならない。

(4) **休日の労働を定めるに当たっての留意事項**

労使当事者は、36協定において休日の労働を定めるに当たっては労働させることができる休日の日数をできる限り少なくし、及び休日に労働させる時間をできる限り短くするように努めなければならない。

(5) **健康福祉確保措置**

労使当事者は、限度時間を超えて労働させる労働者に対する健康及び福祉を確保するための措置について、次に掲げるもののうちから協定することが望ましいことに留意しなければならない。

① 労働時間が一定時間を超えた労働者に医師による面接指導を実施すること。

② 法第37条第4項［深夜業の割増賃金］に規定する時刻の間において労働させる回数を1箇月について一定回数以内とすること。

③ 終業から始業までに一定時間以上の継続した休息時間を確保すること。

④ 労働者の勤務状況及びその健康状態に応じて、代償休日又は特別な休暇を付与すること。

⑤　労働者の勤務状況及びその健康状態に応じて、健康診断を実施すること。
⑥　年次有給休暇についてまとまった日数連続して取得することを含めてその取得を促進すること。
⑦　心とからだの健康問題についての相談窓口を設置すること。
⑧　労働者の勤務状況及びその健康状態に配慮し、必要な場合には適切な部署に配置転換をすること。
⑨　必要に応じて、産業医等による助言・指導を受け、又は労働者に産業医等による保健指導を受けさせること。

⑹　**適用除外等**
①　法第36条第11項に規定する業務（新たな技術、商品又は役務の研究開発に係る業務）に係る36協定については、⑶及び⑸の規定は適用しない。
②　①の36協定をする労使当事者は、労働時間を延長して労働させることができる時間を定めるに当たっては、限度時間を勘案することが望ましいことに留意しなければならない。

（令和5.3.29厚労告108号）

7　時間外労働の上限規制の適用猶予事業等（令和6年4月1日以降の取扱い）

　以下の事業・業務については、長時間労働の背景に業務の特性や取引慣行の課題があることから、令和5年度までは時間外労働の上限規制について適用が猶予されていたが、令和6年度からは一部特例付きで適用されることとなる。

工作物の建設の事業	・災害時における復旧及び復興の事業を除き、上限規制がすべて適用される。 ・災害時における復旧及び復興の事業には、時間外労働と休日労働の合計について、月100時間未満、2〜6箇月平均80時間以内とする規制は適用されない。
自動車運転の業務	・臨時的に限度時間を超えて労働させる必要がある場合の年間の時間外労働の上限が年960時間となる。 ・時間外労働と休日労働の合計について、月100時間未満、2〜6箇月平均80時間以内とする規制は適用されない。 ・時間外労働が月45時間を超えることができるのは年6回までとする規制は適用されない。
医業に従事する医師	・臨時的に限度時間を超えて労働させる必要がある場合の年間の時間外・休日労働の上限が最大1860時間となる。 ・時間外労働と休日労働の合計について、月100時間未満、2〜6箇月平均80時間以内とする規制は適用されない。 ・時間外労働が月45時間を超えることができるのは年6回までとする規制は適用されない。

（法附則139条1項、140条1項、141条1項〜3項他）

第5章　年少者

1　年少者の就業制限

1．重量物取扱業務

　重量物取扱業務とは、次表に示された重量以上の重量物を取り扱う業務である。

年齢及び性別		重量	
		断続作業の場合	継続作業の場合
満16歳未満	女	12kg	8kg
	男	15kg	10kg
満16歳以上満18歳未満	女	25kg	15kg
	男	30kg	20kg

（年少則7条）

2．危険有害業務

　危険有害業務の例としては、次の業務が

挙げられる。

・一定のボイラー（小型ボイラーを除く）の取扱いの業務
・土砂が崩壊するおそれのある場所又は深さが5メートル以上の地穴における業務
・有害放射線にさらされる業務
・病原体によって著しく汚染のおそれのある業務　（年少則8条1号、23号、35号、41号）

第6章　妊産婦等

1　妊産婦等－坑内業務の就業制限

「女性に有害な業務として厚生労働省令で定めるもの」は、次の業務である。

(1)　人力により行われる土石、岩石若しくは鉱物（以下「鉱物等」という。）の掘削又は掘採の業務
(2)　動力により行われる鉱物等の掘削又は掘採の業務（遠隔操作により行うものを除く。）
(3)　発破による鉱物等の掘削又は掘採の業務
(4)　ずり、資材等の運搬若しくは覆工のコンクリートの打設等鉱物等の掘削又は掘採の業務に付随して行われる業務（鉱物等の掘削又は掘採に係る計画の作成、工程管理、品質管理、安全管理、保安管理その他の技術上の管理の業務並びに鉱物等の掘削又は掘採の業務に従事する者及び鉱物等の掘削又は掘採の業務に付随して行われる業務に従事する者の技術上の指導監督の業務を除く。）　（女性則1条）

第8章　就業規則、寄宿舎

1　建設業附属寄宿舎規程（抜粋）

1．寄宿舎管理者の職務

使用者は、寄宿舎管理者（寄宿舎の管理について権限を有する者）に、1箇月以内ごとに1回、寄宿舎を巡視させなければならない。　（建設業寄宿舎規程3条の2,1号）

2．避難階段等

(1)　使用者は、常時15人未満の者が2階以上の寝室に居住する建物にあっては1箇所以上、常時15人以上の者が2階以上の寝室に居住する建物にあっては2箇所以上の避難階段を設けなければならない。
(2)　(1)の避難階段については、すべり台、避難はしご、避難用タラップその他の避難器具に代えることができる。ただし、常時15人以上の者が2階以上の寝室に居住する建物にあっては、1箇所は避難階段としなければならない。

（建設業寄宿舎規程8条）

3．避難等の訓練

使用者は、火災その他非常の場合に備えるため、寄宿舎に寄宿する者に対し、寄宿舎の使用を開始した後遅滞なく1回、及びその後6箇月以内ごとに1回、避難及び消火の訓練を行わなければならない。

（建設業寄宿舎規程12条の2）

4．休養室

使用者は、常時50人以上の者が寄宿する寄宿舎には休養のための室を設けなければならない。

（建設業寄宿舎規程23条）

索　引

わ行

条 文 索 引

311

［参考文献］

『労働法コンメンタール　令和3年版　労働基準法　上巻(労務行政　厚生労働省労働基準局編)』

『労働法コンメンタール　令和3年版　労働基準法　下巻(労務行政　厚生労働省労働基準局編)』

執　　筆：伊藤浩子（TAC教材開発講師）

編集補助：高橋比沙子（TAC専任講師、上級本科生担当）

　　　　　跡部大輔（TAC教材開発講師）

本書は、令和6年9月6日現在において、公布され、かつ、令和7年度本試験受験案内が発表されるまでに施行されることが確定されているものに基づいて執筆しております。

なお、令和6年9月7日以降に法改正のあるもの、また法改正はなされているが施行規則等で未だ細目について定められていないものについては、下記ホームページにて順次公開いたします。

TAC出版書籍販売サイト「サイバーブックストア」
https://bookstore.tac-school.co.jp

2025年度版　よくわかる社労士　合格テキスト1　労働基準法

（平成24年度版　2011年11月10日　初　版　第1刷発行）

2024年10月6日　初　版　第1刷発行

編　著　者	T　A　C　株　式　会　社	
	（社会保険労務士講座）	
発　行　者	多　　田　　敏　　男	
発　行　所	T　A　C　株式会社　出版事業部	
	（TAC出版）	

〒101-8383 東京都千代田区神田三崎町3-2-18
電話　03（5276）9492（営業）
FAX　03（5276）9674
https://shuppan.tac-school.co.jp

印　　刷	株式会社　ワ　コ　ー
製　　本	東京美術紙工協業組合

© TAC 2024　　　Printed in Japan

ISBN 978-4-300-11371-4
N.D.C. 364

社会保険労務士講座

資格の学校 ■ TAC

無料体験入学

はじめる前に体験できる。だから安心!

実際の講義を無料で体験! あなたの目で講義の質を実感してください。

お申込み前に講座の第1回目の講義を無料で受講できます。講義内容や講師、雰囲気などを体験してください。
ご予約は不要です。開講日につきましては、TACホームページまたは講座パンフレットをご確認ください。

※教室での生講義のほか、TAC各校舎のビデオブースでも体験できます。ビデオブースでの体験入学は事前の予約が必要です。詳細は
　各校舎にお問合わせください。

https://www.tac-school.co.jp/ → 社会保険労務士へ

無料公開セミナー・講座説明会

まずはこちらへお越しください

予約不要・参加無料　知りたい情報が満載!
参加者だけのうれしい特典あり

**参加者に
入会金免除券
プレゼント!**

専任講師によるテーマ別セミナーや、カリキュラムについて詳しくご案内する講座説明会を実施していま
す。終了後は質問やご相談にお答えする「個別受講相談」を承っております。実施日程はTAC HPまたはパンフ
レットにてご案内しております。ぜひお気軽にご参加ください。

TAC動画チャンネル

Web上でもセミナーが見られる!

**セミナー・体験講義の映像など
役立つ情報をすべて無料で視聴できます。**

●テーマ別セミナー　●体験講義　等

https://www.tac-school.co.jp/ → TAC動画チャンネル へ

デジタルパンフレット

PCやスマホで快適に閲覧

**紙と同じ内容のパンフレットをPCやスマートフォンで!
郵送も待たずに今すぐにご覧いただけます。**

↓登録はこちらから

https://www.tac-school.co.jp/ → デジタルパンフ登録フォームに入力

コチラからもアクセス!▶▶

資料請求・お問い合わせはこちらから!

電話でのお問い合わせ・資料請求 ▷ 通話無料 **0120-509-117**
※携帯・自動車電話からもご利用いただけます。
ゴウカク　イイナ

【受付時間】
10:00〜19:00(月曜〜金曜)
10:00〜17:00(土曜・日曜・祝日)
(※営業時間は変更の場合がございます。詳しくはTAC HPにてご確認ください。)

TACホームページからのご請求 ▷ **https://www.tac-school.co.jp/**

TAC出版 書籍のご案内

TAC出版では、資格の学校TAC各講座の定評ある執筆陣による資格試験の参考書をはじめ、資格取得者の開業法や仕事術、実務書、ビジネス書、一般書などを発行しています！

TAC出版の書籍

*一部書籍は、早稲田経営出版のブランドにて刊行しております。

資格・検定試験の受験対策書籍

- ✪日商簿記検定
- ✪建設業経理士
- ✪全経簿記上級
- ✪税　理　士
- ✪公認会計士
- ✪社会保険労務士
- ✪中小企業診断士
- ✪証券アナリスト

- ✪ファイナンシャルプランナー(FP)
- ✪証券外務員
- ✪貸金業務取扱主任者
- ✪不動産鑑定士
- ✪宅地建物取引士
- ✪賃貸不動産経営管理士
- ✪マンション管理士
- ✪管理業務主任者

- ✪司法書士
- ✪行政書士
- ✪司法試験
- ✪弁理士
- ✪公務員試験(大卒程度・高卒者)
- ✪情報処理試験
- ✪介護福祉士
- ✪ケアマネジャー
- ✪電験三種　ほか

実務書・ビジネス書

- ✪会計実務、税法、税務、経理
- ✪総務、労務、人事
- ✪ビジネススキル、マナー、就職、自己啓発
- ✪資格取得者の開業法、仕事術、営業術

一般書・エンタメ書

- ✪ファッション
- ✪エッセイ、レシピ
- ✪スポーツ
- ✪旅行ガイド (おとな旅プレミアム/旅コン)

書籍の正誤に関するご確認とお問合せについて

書籍の記載内容に誤りではないかと思われる箇所がございましたら、以下の手順にてご確認とお問合せをしてくださいますよう、お願い申し上げます。

なお、正誤のお問合せ以外の**書籍内容に関する解説および受験指導などは、一切行っておりません。**
そのようなお問合せにつきましては、お答えいたしかねますので、あらかじめご了承ください。

1 「Cyber Book Store」にて正誤表を確認する

TAC出版書籍販売サイト「Cyber Book Store」の
トップページ内「正誤表」コーナーにて、正誤表をご確認ください。

CYBER TAC出版書籍販売サイト
BOOK STORE

URL：https://bookstore.tac-school.co.jp/

2 1 の正誤表がない、あるいは正誤表に該当箇所の記載がない ⇒ 下記①、②のどちらかの方法で文書にて問合せをする

★ご注意ください★

お電話でのお問合せは、お受けいたしません。
①、②のどちらの方法でも、お問合せの際には、「お名前」とともに、
「対象の書籍名（○級・第○回対策も含む）およびその版数（第○版・○○年度版など）」
「お問合せ該当箇所の頁数と行数」
「誤りと思われる記載」
「正しいとお考えになる記載とその根拠」
を明記してください。
なお、回答までに1週間前後を要する場合もございます。あらかじめご了承ください。

① ウェブページ「Cyber Book Store」内の「お問合せフォーム」より問合せをする

【お問合せフォームアドレス】

https://bookstore.tac-school.co.jp/inquiry/

② メールにより問合せをする

【メール宛先　TAC出版】

syuppan-h@tac-school.co.jp

※土日祝日はお問合せ対応をおこなっておりません。
※正誤のお問合せ対応は、該当書籍の改訂版刊行月末日までといたします。

乱丁・落丁による交換は、該当書籍の改訂版刊行月末日までといたします。なお、書籍の在庫状況等により、お受けできない場合もございます。
また、各種本試験の実施の延期、中止を理由とした本書の返品はお受けいたしません。返金もいたしかねますので、あらかじめご了承くださいますようお願い申し上げます。

（2022年7月現在）